LIÇÕES DE UM ESTOICO

Título original: *Lessons from an American Stoic*

Copyright © 2023 by Mark Matousek

Lições de um estoico

1ª edição: Fevereiro 2024

Direitos reservados desta edição: CDG Edições e Publicações

O conteúdo desta obra é de total responsabilidade do autor
e não reflete necessariamente a opinião da editora.

Autor:
Mark Matousek

Tradução:
Willians Glauber

Preparação de texto:
Fernanda Guerriero

Revisão:
Rebeca Michelotti
Iracy Borges

Projeto gráfico:
Jéssica Wendy

Capa:
Dimitry Uziel

DADOS INTERNACIONAIS DE CATALOGAÇÃO NA PUBLICAÇÃO (CIP)

Matousek, Mark
  Lições de um estoico : como Emerson pode mudar sua vida /
Mark Matousek ; tradução de Willians Glauber. — Porto Alegre
: Citadel, 2024.
  304 p.

Bibliografia
ISBN 978-65-5047-408-9
Título original: Lessons from an american stoic

1. Autoajuda 2. Filosofia I. Título II. Glauber, Willians

24-0267   CDD - 158.1

Angélica Ilacqua - Bibliotecária - CRB-8/7057

Produção editorial e distribuição:

contato@citadel.com.br
www.citadel.com.br

MARK MATOUSEK

LIÇÕES DE UM ESTOICO

como Emerson pode mudar sua vida

Tradução:
Willians Glauber

CITADEL
Grupo Editorial

2024

Para David e Joy

Revelar a própria natureza é o principal objetivo do homem.

— R.W.E.

Às vezes, até mesmo viver é um ato de coragem.

— Sêneca

Sumário

Sobre as abreviações usadas neste livro

Ao longo do texto, fiz uso de abreviações para referenciar citações a palestras e ensaios públicos feitos por Emerson – inúmeras das quais são amplamente conhecidas e até fáceis de serem encontradas. A propósito, as minhas fontes favoritas estão incluídas no capítulo destinado às referências. Tanto as citações de Emerson feitas em discursos de inaugurações quanto as de eventos de despedida são referenciadas conforme a lista a seguir. Todo o material citado dos diversos escritos e diários particulares de Waldo está devidamente identificado na seção de notas de fim.

ASE   Abordagem sobre Educação (publicado postumamente em *The Complete Writings of Ralph Waldo Emerson* [A obra completa de Ralph Waldo Emerson, em tradução livre], editado pelo filho dele, Edward Emerson, em 1904)

B   "Beleza" (*The Conduct of Life* [A conduta da vida, em tradução livre], 1860)

C   "Compensação" (*Essays, First Series* [Ensaios, primeira série de textos, em tradução livre], 1841)

CAO   "Considerações ao longo do caminho" (*The Conduct of Life*, 1860)

BLC Aborda a Biblioteca Livre de Concórdia (1835)

CAR "Caráter" (*Essays, Second Series* [Ensaios, segunda série de textos, em tradução livre], 1844)

CIR "Círculos" (*Essays, First Series*, 1841)

CL "Clubes" (*Society and Solitude* [Sociedade e solitude, em tradução livre], 1870)

CDI Celebração do discurso intelectual na Faculdade Tufts (1861)

CON "O Conservador" (palestra no Templo Maçônico, 1841)

CONS "Considerações" (*The Conduct of Life*, 1860)

COR "Coragem" (*Society and Solitude*, 1870)

CPC Discurso para a reunião dos cidadãos na prefeitura, Concórdia (1856)

CTR "Cultura" (*The Conduct of Life*, 1860)

EDH Aborda a Escola de Teologia de Harvard (1838)

E "Experiência" (*Essays, Second Series*, 1844)

F "Destino" (*The Conduct of Life*, 1860)

AM "Amizade" (*Essays, First Series*, 1841)

LEF   Discurso sobre a lei do escravo fugitivo (abordando Cidadãos de Concórdia, 1851)

H   "História" (*Essays, First Series*, 1841)

INS   "Inspiração" (*Letters and Social Aims* [Cartas e objetivos sociais, em tradução livre], 1875)

INT   "Intelecto" (*Essays, First Series*, 1841)

L   "Amor" (*Essays, First Series*, 1841)

M   "Modos" (*Essays, Second Series*, 1844)

MON   "Montaigne; ou, O Cético" (*Representative Men* [Homens representativos, em tradução livre], 1850)

HR   "Homem reformador" (palestra lida antes do início do evento Aprendizes de Mecânicos na Associação da Biblioteca, 1841)

N   "Natureza" (*Nature*, 1836)

HNI   "História natural do intelecto" (*The Conduct of Life*, 1860)

O   "A superalma" (*Essays, First Series*, 1841)

POL   "Política" (*The Conduct of Life*, 1860)

POD   "Poder" (*The Conduct of Life*, 1860)

S   "Sucesso" (*Society and Solitude*, 1870)

LE   "Leis espirituais" (*Essays, First Series*, 1841)

AS   "Autossuficiência" (*Essays, First Series*, 1841)

T   "Transcendentalista" (palestra lida no Templo Maçônico, 1842)

OAE   "O americano erudito" (discurso em Phi Beta Kappa, 1837)

TT   "O trágico" (dissertação retirada de *The Dial* [O mostrador, em tradução livre], 1844)

OJA   "O jovem americano" (palestra lida diante da Associação da Biblioteca Mercantil, 1844)

A   "Adoração" (*The Conduct of Life*, 1860)

TD   "Trabalho e dias" (*Society and Solitude*, 1870)

DFW   Discurso na Faculdade Williams (1854)

Apaixonando-se por Emerson

A primeira vez que me apaixonei por Ralph Waldo Emerson foi durante um momento de crise na minha vida. À época, com 22 anos, eu era um estudante de pós-graduação deprimido, esforçando-me na universidade, e estava em pânico quanto ao meu futuro, oprimido por dúvidas e com medo de nunca descobrir quem eu de fato era ou por que fui colocado neste planeta tão instável.

Desde a infância, luto com a confusão. Para onde quer que eu olhasse, a duplicidade e a hipocrisia eram coisas óbvias para mim, mesmo ainda menino. Nada, nem mesmo ninguém, era exatamente aquilo que parecia ser. Os adultos faziam malabarismos com máscaras revezadas conforme estavam em ambientes diferentes; eu, um enganador de duas caras, escondia quem eu era: um menino zangado, sem pai e danificado, sob um escudo de bravata antiaderente. Por fora, interpretava o papel de um superempreendedor americano com um futuro promissor pela frente, enquanto por dentro eu era um mero desastre miserável: cínico, paranoico, solitário e perdido. Dizia a mim mesmo que um diploma avançado ajudaria a aumentar a minha autoestima tão em queda, mas isso não passava de fantasia. Quando aquele semestre de outono começou, eu estava tão frustrado, tão zangado e me punindo tanto quanto jamais estivera ou me punira em toda a minha vida, sufocando na universidade, sem qualquer inspiração, prendendo a respiração; esperava que algo importante acontecesse para fazer as coisas importarem, para que me dessem um propósito. Entretanto, eu não conseguiria definir o que era exatamente aquela coisa indescritível.

Eu nunca tinha dinheiro, o que me levou a me candidatar a um emprego de assistente de pesquisa trabalhando para uma professora visitante de Yale chamada Barbara Packer. A professora Packer precisava de um ajudante para fazer o trabalho pesado em um manuscrito que ela deveria entregar, porém estava atrasado: um estudo sobre os principais ensaios de Ralph Waldo Emerson. O meu trabalho era encontrar os livros de referência que estavam esgotados, escavar antigas clipagens de jornais e transcrever notas de microfichas borradas em fichas multicoloridas de três por cinco. Eu sabia pouquíssimo sobre Emerson naquela época; li trechos da prosa extravagante dele quando cursava o Ensino Médio, contudo – e principalmente –, lembrava-me dele como o mentor avuncular do Henry David Thoreau mais jovem, mais moderno e mais trágico, cujo *Walden* impressionou muitos de nós no último ano de Literatura. A professora Packer me manteve bastante ativo, vasculhando as estantes da biblioteca e carregando livros para casa a fim de comparar com as referências textuais. Quando enfim o semestre da primavera chegou, sem qualquer premeditação de minha parte, pude ter acesso a uma boa introdução à vida e à obra desse homem extraordinário.

E conhecer Emerson pessoalmente mudou a minha vida. As suas ideias grandiosas desafiaram a minha visão de mundo débil e acabaram me expondo a uma visão do potencial humano que eu jamais soube que existia. Os *insights* dele foram radicais e mudaram até mesmo paradigmas: a vida humana tem um propósito espiritual (o que significa reconhecer a nossa verdadeira natureza, evoluir da ignorância para o autoconhecimento); cada um de nós é dotado de um propósito e de uma genialidade únicos; o mandato a ser cumprido por nós é o de desenvolver o nosso caráter da maneira mais apaixonada, original e corajosa possível. Emerson ensinou que a dor, a perda, o sofrimento e o conflito são professores, verdadeiros guias disfarçados, cruciais para o nosso despertar; e que o inconformismo, a inconsistência, a introversão, a teimosia, a estranheza e uma "pequena maldade" são na realidade virtudes benéficas para a autorrealização. Seguir a multidão é um erro; mudar de ideia, por sua vez, é ótimo. Essas foram percepções reveladoras para mim, contrárias a tudo aquilo que aprendi. A ideia de que somos seres espirituais em primeiro lugar e apenas depois personalidades, de que não existe separação real entre a vida humana e Deus, lança uma luz sagrada sobre a existência que eu nunca tinha visto antes.

Nos Estados Unidos seculares onde cresci, Deus estava fora dos limites enquanto assunto sério. Eu não tinha fé em um criador divino, opunha-me à maioria das religiões organizadas e me considerava um agnóstico convicto. Entretanto, no momento em que Emerson aconselhou: "Você olha para dentro não para encontrar a si mesmo, mas para encontrar Deus",[1] tive noção do que ele queria dizer, embora a terminologia fosse misteriosa e pesada. Quando ele descreveu a Única Mente, inteligência divina, que corre como um fio elétrico através da criação, falou sobre a minha experiência inarticulada. Emerson ensinou que a natureza é na realidade Deus tornado visível no mundo; em outras palavras, nós vemos Deus através do espelho da natureza, e somos refletidos na criação. Ele explicou que a genialidade é a luz da inteligência divina dentro de nós e que somos indissociáveis dessa fonte de poder; elucidou, ainda, que a felicidade é resultado da obediência à orientação d'Ele, da confiança nas próprias escolhas, da resistência ao impulso de imitar, do autoconhecimento por meio dos afloramentos do mundo natural (e, por consequência, de Deus), unidos em uma espécie de fandango cósmico com toda a existência.

Quanto mais obras de Emerson eu lia, mais vivo me sentia. Passei a tomar decisões que havia muito eu postergara. Saí da pós-graduação, fiz as pazes com a minha família, terminei um relacionamento ruim, mudei-me para a cidade de Nova York, comecei a trabalhar como jornalista freelancer e parei de culpar o mundo pelos meus problemas. O meu vício em me ofender com pequenas transgressões sociais finalmente perdeu o encanto que tivera. "Nunca caia no erro vulgar de sonhar que [você é] perseguido quando [o] contradizem", é o que nos adverte Emerson.[2] Parecia que eu podia ouvi-lo falando comigo. Então me concentrei em procurar dentro de mim a origem dos meus problemas, analisando o meu "ângulo de visão", as histórias que contava para mim mesmo *sobre* mim e o mundo: quem eu achava que era, o que as coisas significavam, os detalhes que realmente importavam e aqueles que não tinham qualquer importância. Emerson enfatizava que o seu ângulo de visão cria o seu mundo, argumentação essa que ele compartilhava com os antigos estoicos, além do fato de que a verdadeira liberdade reside no poder de escolha de como desejamos responder às condições da vida. E, ao saber que a perspectiva molda a realidade, somos mais capazes de interromper as nossas reações instintivas e responder aos desafios de forma mais habilidosa, construtiva e consciente. Exceto nos casos raros de aflição, sob alguma tortura física ou mesmo doença, por exemplo, uma pessoa sempre tem o poder de escolher as suas respostas e decidir quando, como e por quem (ou pelo que) ela se permite ser ferida. Era algo óbvio que a maioria dos meus problemas tenha sido criada por mim mesmo e surgido a partir de como eu escolhia encarar as situações, não das próprias circunstâncias em si. Com Emerson, aprendi que aquilo que origina a maior parte do nosso sofrimento é a tendência de nos apegarmos a falsas crenças e confundirmos a realidade com as nossas narrativas. Histórias de auto-ódio, desonestas e distorcidas minimizam a nossa vida e nos impedem de saber quem realmente somos. Uma vez que a nossa oportunidade para o autoconhecimento nos foi roubada, perdemos a nossa direção. "Se alguém não sabe para qual porto está navegando, vento nenhum lhe será favorável", nos lembrou Sêneca.[3] Um aperto firme na sua bússola se faz necessário para alcançar a praia desejada.

E mais uma vez o meu bote virou dois anos depois que cheguei a Nova York. Recebi um diagnóstico fatal, do tipo que me prometia não mais do que cinco anos de vida. Com a mortalidade me encarando, todas as apostas foram canceladas: larguei o meu trabalho insípido em uma revista, vendi todos os meus pertences, desisti do aluguel do meu apartamento, disse adeus aos meus amigos e viajei com um amigo para a Índia, na esperança de encontrar um caminho espiritual que me ajudasse a sobreviver ao meu terror mortal. Pulei de mosteiros para *ashrams* e oficinas de cura, fui carregado com perguntas, buscando força espiritual, tentando abrir caminho através de uma escuridão invasora. A minha cópia já esfarrapada de *The Portable Emerson* [O Emerson portátil, em tradução livre] estava sempre comigo. Se eu estivesse tendo um dia horrível, uma hora bem passada com Emerson poderia me tirar desse precipício e me lembrar das possibilidades, acalmar os meus nervos, mudar a minha perspectiva e soltar essa corda da autopiedade que eu tanto lutava para manter em volta do meu pescoço. E, em meados da década de 1990, eu ainda estava vivo e razoavelmente saudável; quando os tratamentos para minha condição surgiram por fim, recebi uma segunda oportunidade de vida, uma surreal e surpreendente oportunidade. Aristóteles comparava a boa sorte àquele momento fatídico em um campo de batalha quando a flecha atinge o companheiro ao seu lado. É uma emoção abstrata, vinda do espaço sideral, dividida ao meio: parte destruidora, parte sublime. Admiração é a única palavra que se encaixa para explicar isso.

Esse sentimento de sobrevivência tênue dividido ao meio é semelhante àquele que muitos sentem ainda hoje. À medida que o mundo começou a se tornar mais desequilibrado, um sentimento coletivo de indignação e descrença se instalou em todos nós, uma espécie de choque pós-traumático, de paranoia, exaustão, desconfiança e medo de quais haverão de ser as próximas notícias capazes de parar o coração. Existe uma necessidade extrema de direção espiritual, uma busca de justiça, restituição, verdade e reparação do tecido social. Felizmente, junto desse trauma coletivo está um interesse crescente no nosso potencial, um impulso urgente para o despertar, uma determinação feroz de aprender com a calamidade, questionar os nossos valores, reformular as nossas escolhas, otimizar o nosso potencial e valorizar a nossa vida; sabedoria essa que, de modo rápido, pode ser ameaçada ou mesmo tirada de nós. A pandemia nos deixou como legado (acompanhada de certas atrocidades) uma súbita consciência planetária quanto a nossa impermanência, a nossa fragilidade, ambas compartilhadas por todos nós. Essa colisão global com a mortalidade deu origem a um aumento proporcional do interesse público na autoanálise, na autenticidade, na identidade, no propósito e naquilo que significa ser alguém humano por completo. Desde a revolução da consciência da década de 1960, nós não testemunhamos uma demonstração tão ampla de busca da alma e de fome espiritual como essa que vemos agora.

E esse é o meu propósito ao escrever este livro. A sabedoria transformacional de Emerson é exatamente o remédio de que precisamos hoje. O ensinamento dele nos revela que existe um caminho, mesmo quando tudo possa parecer perdido, um que seja humanístico para o autoconhecimento que combina a força pragmática e não sentimental dos estoicos com a majestade, a beleza e a liberdade da filosofia transcendental. Tendo usado essas lições por quarenta anos, sou capaz de atestar o poder, a utilidade e a profunda relevância delas para os problemas que enfrentamos como pessoas contemporâneas. Emerson vai ensinar você, se permitir que ele o faça, a derrubar os muros das limitações perceptíveis, a ir além dos limites do egocentrismo e a alcançar uma visão da sua vida que se revela infinitamente maior, mais profunda e mais rica do que qualquer coisa que você já acreditou ser possível. "A saúde do olhar [demanda] um horizonte. Nunca ficamos cansados, desde que consigamos ver longe", é o que ele nos diz (*N*). Que este livro seja uma ajuda para que você consiga ver mais longe, permanecer mais elevado, ouvir mais de perto, amar de forma mais profunda e saborear sem quaisquer desculpas ou reservas a preciosidade da sua vida. Emerson é o professor de que precisamos hoje. Já chegou a hora de recuperarmos o nosso tesouro universal.

Confie em si

Tempos perigosos exigem medidas apropriadas para salvar vidas. Quando a sobrevivência humana está ameaçada, quando os nossos valores mais elevados estão em declínio, precisamos daquela corda mais resistente para nos agarrarmos, um corpo já testado pelo tempo e dotado de uma sabedoria prática com o qual nos firmaremos em meio a ameaças e revoltas.

Durante o período mais polarizador e violento da história dos Estados Unidos, desde a pré-abolição até a Guerra Civil, um ex-ministro chamado Ralph Waldo Emerson reuniu os seus compatriotas americanos a fim de confiar nos melhores julgamentos e elucidações que faziam parte da natureza deles e, dessa forma, não ser derrotado pelo desespero. Ele os convocou a se lembrarem do potencial ilimitado que tinham, do espírito de engenhosidade, de audácia e de liberdade latentes dentro deles, quando e *se* aprendessem a confiar em si mesmos. Emerson foi o filósofo fundador dos EUA, o Oráculo da Concórdia, o guia espiritual de uma nação incipiente em busca da alma transcendental dela. A sua influência no caráter nacional dos estadunidenses é tão penetrante que por diversas vezes isso escapa da nossa atenção. *Aja à sua maneira. Siga a sua alegria. A vida é uma jornada, não um destino.* Tudo isso vem de Emerson. A nossa crença central no direito inalienável de escolher o nosso caminho, de superar as expectativas, de realizar o nosso potencial, de ascender com base no mérito e manter um eu que seja privado, imune às pressões da sociedade; tais valores americanos seminais vêm diretamente da visão particular de Emerson de como os seres humanos autoconscientes podem viver.

Ao longo das palestras, dos ensaios, das críticas, dos poemas e das cartas dele, Emerson se tornou a voz eloquente da consciência da América por mais de meio século. O caminho espiritual que ele chamava de autossuficiência faz a promessa de que todos são capazes de transcender as limitações do próprio nascimento, independentemente da cor da pele, da classe social, da situação financeira ou dos obstáculos sociais. Emerson acreditava que uma incandescência espiritual brilha dentro do coração humano e se ilumina à medida que o nosso autoconhecimento aumenta. Esse tema aspiracional americano ecoa em todos os lugares que você já viu. No discurso de formatura feito para a turma de formandos da Universidade de Syracuse, em 2013, George Saunders, escritor e professor, disse para os jovens que partiam ao mundo que se mantivessem atentos

> [...] ao cultivar a consciência quanto àquela parte luminosa de você que existe para além da personalidade, a sua alma se preferir nomear assim, brilhante e reluzente quanto qualquer outra que já existiu. Brilhante como a de Shakespeare, Gandhi, Madre Teresa.[1]

Saunders sabia que ele estava canalizando Emerson ("Tudo o que Adão teve, tudo o que César podia fazer, você tem e pode. Seu domínio é tão grande quanto o deles. Logo, construa o seu mundo")? Quem sabe... mas indiscutível é o fato de que o "otimismo cósmico", como Emerson o descrevia, está contido no coração do que se chama de sonho americano. Ele alertava os compatriotas a se lembrarem dos fundamentos espirituais deles; afinal, o materialismo arrogante e a ambição dissociados da autoconsciência levam apenas à degradação.

"Acreditar que a riqueza nua e crua, em nada aliviada por qualquer uso ou forma, é vulgaridade deste país, é mérito", escreveu ele (*DFW*). "Os americanos possuem muitos valores, contudo não são dotados de fé ou mesmo de esperança" (*HR*). Para ressuscitar essas qualidades adormecidas, devemos prestar atenção à saúde, ao bem-estar do espírito.

Como Waldo se tornou Ralph Waldo Emerson

Ralph Waldo Emerson nasceu em Boston no dia 25 de maio de 1803. Era o terceiro de oito filhos na família do reverendo William Emerson, ministro unitarista de sétima geração, e da esposa dele, Ruth Haskins. Aos 33 anos, William morreu de forma repentina de disenteria, deixando Ruth sozinha para criar os filhos com poucas perspectivas sociais e praticamente nenhum dinheiro. Com exceção do irmão deficiente, Bulkeley, Ralph, que gostava de ser chamado de Waldo, era o menos promissor entre os meninos Emerson. Mal-humorado, introvertido e doentio, ele sofreu durante uma infância difícil, que foi assombrada por sentimentos de indignidade sob a densa sombra dos irmãos extrovertidos. Acomodado no quarto que ficava no porão, com vista para o cemitério da cidade, ele se enterrava em livros e em devaneios, lutava com ruminações mórbidas e se preocupava com a segurança de sua família; apenas cinco dos oito filhos de Emerson chegaram à idade adulta.

Ruth abriu uma pensão para sobreviver e teve a parceria da cunhada, Mary Moody Emerson, uma mulher solteira brilhante, excêntrica e piedosa que acabou se tornando a professora mais influente de Waldo. O rapaz, com a ajuda de uma instituição de caridade social, entrou em Harvard aos 16 anos e foi o aluno mais jovem da primeira turma da universidade, ainda que seu histórico acadêmico fosse medíocre (ele se formou como o trigésimo na lista de melhores alunos em uma classe de cinquenta e nove estudantes). Atraído pela filosofia e pela religião, Waldo escolheu entrar no negócio da família e se matriculou na Escola de Teologia de Harvard dois anos depois, com planos de se tornar ministro. Depois de completar os estudos, ele passou a trabalhar como pregador itinerante; durante um noivado em New Hampshire, conheceu uma adorável poetisa de 16 anos chamada Ellen Tucker, por quem se apaixonou profundamente. Eles se casaram dois anos depois.

Já doente com tuberculose, Ellen lutou para se manter com saúde, batalha travada por Waldo ao lado dela nos dezoito meses seguintes, pois estava determinado a salvar a vida da amada. Depois, Waldo descreveu esse período como "o mais feliz e miserável da vida dele",[2] culminando na morte de Ellen aos 19 anos e numa profunda depressão suicida de Waldo. Oito meses depois de perder a amada e incapaz de se livrar do terrível desespero que o consumia, Waldo tomou a fatídica decisão que o levou ao túmulo de Ellen no cemitério Mount Auburn na manhã do dia 29 de março de 1832 (episódio abordado mais adiante). Essa experiência transformadora ajudou a trazê-lo de volta à vida e o recolocou no curso da existência. Waldo renunciou ao cargo de prestígio que tinha na Segunda Igreja de Boston, uma vez que perdera a fé cristã tradicional que por tanto tempo havia nutrido; então, partiu rumo à Europa alguns meses depois, determinado a resgatar os dons que sempre tivera e embarcar em uma vida como escritor profissional. O vizinho John Stuart Mill forneceu a ele cartas de apresentação que abriram as portas para as salas de estar de vários escritores famosos, incluindo William Wordsworth, que o decepcionou, Samuel Taylor Coleridge, a quem ele achou enfadonho e pouco inspirador, além de Thomas Carlyle, que se tornou um amigo de longa data.

Passados três meses na Europa, Waldo voltou para Boston e se reinventou como palestrante no circuito dos Liceus. O movimento Liceu era parte escritório de palestras, parte sociedade de debates, um novo tipo de empreitada na educação popular voltado para pessoas que desejavam se livrar das formas ultrapassadas de se pensar e, com isso, abrir as mentes para novas ideias (em outras palavras, eles eram buscadores). Ainda que o estilo de atuação de Waldo não fosse tão brilhante (um vizinho comparou a presença dele no palco com a de um caixão na vertical), a mensagem transmitida por ele era eletrizante e repassada por meio da rica voz de barítono que tinha. Não demorou muito para que os ingressos para as aparições dele se esgotassem, colocando Waldo no caminho profissional que sustentaria a família pelo próximo meio século, viajando de um lado para outro na costa leste dos EUA por ferrovia e, pelo oeste, até os territórios de Utah.

Quatro anos depois da morte de Ellen, Waldo se casou com uma mulher dedicada chamada Lydia (Lidian) Jackson, com quem teve dois filhos e duas filhas nos oito anos seguintes. Os Emerson se instalaram em uma casa espaçosa de dois andares, em Concord Turnpike. Uma vez ali, e encorajado pela calorosa reação do público às palestras que ele dava, Waldo se dedicou a completar a primeira coleção de ensaios adaptados das palestras públicas. Em 1841, ele publicou *Nature* e esgotou a primeira tiragem em menos de um mês. De repente, Waldo foi catapultado das fileiras de orador viajante e ex-ministro em desgraça para o título de Ralph Waldo Emerson, o George Washington das letras americanas, o Oráculo da Concórdia e a voz espiritual de seu tempo. Tornou-se mentor e amigo de uma geração de escritores e pensadores, cujo trabalho viria a definir o caráter americano do século XIX. Além de Henry David Thoreau, seu círculo de Concórdia incluía Walt Whitman, Nathaniel Hawthorne, Herman Melville, Margaret Fuller, Bronson Alcott e William Ellery Channing. Whitman creditou os primeiros elogios de Waldo no primeiro livro que escreveu, *Leaves of Grass*, por resgatar o ambicioso poeta de um pântano incipiente de dúvidas. "Eu estava fervendo, fervendo, fervendo, Emerson me deixava fervendo", confidenciou Whitman.[3]

Thoreau conseguiu um emprego como faz-tudo, jardineiro e tutor dos filhos de Emerson em 1842. A amizade entre ele e Waldo era complicada, cheia de admiração mútua, cabeçadas e exasperação, tudo aliado a uma genuína reverência. Waldo admirava a conexão sobrenatural de Henry com a biosfera local e o conhecimento enciclopédico dos habitantes do lugar, enquanto Henry, sete anos mais novo que Waldo, ficava encantado com a presença espiritual e a filosofia autossuficiente do mentor. Um ano depois de conhecer Henry, o filho mais novo de Waldo, Wallie, sucumbiu à escarlatina, perda essa que Waldo considerou a mais trágica da vida dele. Derramou toda a dor que sentia no poema "Threnody", considerado uma das maiores elegias da literatura americana. O padrão vitalício de Waldo de lidar com perdas profundas por meio de uma criatividade redobrada o sustentou e se adequou à filosofia dele de autorregeneração.

Um ávido leitor de livros contemplativos, desde *Cartas de um estoico*, de Sêneca, até os ensaios obscenos do favorito dele, Michel de Montaigne, Waldo era atraído pela literatura destinada a abrir os olhos espirituais, a elucidar questões existenciais e a despertar os leitores para a sabedoria inata em si mesmos. Ele era tão fã do Bhagavad Gita que Waldo era conhecido em Concórdia como o "ianque hindu". A missão dele de "trazer luz às vidas sombrias dos homens" jamais vacilou. No mercado editorial de hoje, classificamos esses livros como de autoajuda, no entanto a ideia de separar a literatura de sabedoria do resto do interesse geral teria parecido absurda a Waldo. As biógrafas de Montaigne e de Sarah Bakewell dizem o mesmo sobre o próprio assunto, escrevendo que "a distinção entre autoajuda e filosofia acadêmica não teria feito muito sentido" para o nobre francês do século XVI.[4] Waldo insistia no fato de que a filosofia que não visava nos ajudar a lidar com assuntos cotidianos não merecia tal nome. Como Montaigne e os estoicos antes dele, Waldo acreditava que o único propósito da filosofia é nos auxiliar a viver uma vida melhor e mais autoconsciente, a apreciar a nossa existência surpreendente.

Waldo era um abolicionista tão ávido que pressionou Abraham Lincoln a lutar de forma mais intensa para acabar com a escravidão e ajudou a influenciar os esforços políticos de inúmeros afro-americanos proeminentes da mesma época que a dele e para as seguintes. Quando o reformador social e estadista Frederick Douglass o ouviu falar, ficou comovido com a descrição de Waldo sobre o que significa ser um "antiescravo": tópico sobre o qual veremos mais adiante. E quando o sociólogo W. E. B. Du Bois soube das ideias de Waldo em relação à "dupla consciência", divisão entre o eu privado e o eu público, isso gerou um impacto inegável nos ensinamentos dele sobre a emancipação.[5] A maior influência social de Waldo surgiu quando ele se tornou líder do movimento transcendentalista da década de 1840. Com raízes profundas na espiritualidade oriental, o transcendentalismo era um protesto contra a religiosidade piedosa da época; refletia uma insatisfação generalizada com a falta de sangue e o racionalismo da igreja protestante dominante. Os transcendentalistas desejavam ter uma experiência espiritual mais intensa e direta; Waldo, que havia passado a ver Jesus como um ser humano iluminado (e não como o único filho de Deus) – assim como Buda, Sócrates ou Lao-Tsé –, era o líder natural deles. "O exagero nocivo [da] pessoa de Jesus" (*EDH*) transformou o Cristo histórico em um semideus, subvertendo a universalidade do ensino de Jesus e o substituindo pela idolatria – pelo menos, era o que ele acreditava. O transcendentalismo reverteu esse dogma, devolveu a vida espiritual ao devido lugar dela: uma consequência da nossa divindade inerente.

Nas quatro décadas seguintes, ele manteve uma agenda de palestras ambiciosa que só começou a desacelerar no final da década de 1860, quando o esquecimento crescente de Waldo, provavelmente os primeiros sinais da doença de Alzheimer, tornou impossível a continuidade. Em 1871, ele embarcou em uma última turnê de palestras pelo meio-oeste antes de enfim se aposentar da vida pública. De acordo com sua filha, Edith, com o passar do tempo o enfraquecimento lento da memória dele deixou de incomodar Waldo. "Papai está muito bem e muito feliz", escreveu ela em uma carta para Carlyle. "Minha mãe costuma dizer que ele é a pessoa mais feliz que ela já conheceu na vida, ele está sempre alegre e acorda todas as manhãs bem-humorado."[6]

Em 19 de abril de 1882, Waldo adoeceu com pneumonia depois de ser pego por uma tempestade durante a caminhada diária que fazia. Seis dias depois, ele estava morto. No último dia de vida dele, vestiu-se sozinho apesar dos protestos da esposa e seguiu sua rotina como de costume, lendo e escrevendo no seu escritório localizado na parte térrea da casa. De acordo com Edith, por fim ele concordou em se deitar mais cedo, ainda que tenha recusado todas as tentativas de ajudá-lo a fechar o escritório naquela mesma noite. Com a família olhando, Waldo caminhou lentamente de janela em janela, fechando as venezianas. Depois, como era de costume, apagou o fogo na lareira, colocou as varetas uma a uma no lugar e separou as brasas vivas. Terminadas as tarefas, Waldo pegou o candeeiro de leitura e subiu as escadas para o quarto dele, saindo então pela última vez do escritório.

Mas o que é autossuficiência?

Os princípios da filosofia de Waldo são universais e não requerem qualquer fé espiritual para serem colocados em prática.

- Cada pessoa cria sua própria realidade.
- Nada (com exceção da violência física) pode prejudicar você sem a sua permissão.
- Obstáculos podem se tornar oportunidades.
- A virtude é o portal para a felicidade.
- O Deus em você conecta você ao Deus presente em todas as coisas.
- Caráter é destino.
- Não existe um eu sem você (interdependência é tudo).
- A mortalidade é o maior professor que existe.
- Maravilhar-se e admirar-se são as chaves do paraíso.
- A vida sem autoconhecimento não vale a pena ser vivida.

Autossuficiência não tem nada a ver com egoísmo. Esse é o maior equívoco em torno do ensino central de Waldo, algo que inclusive tem sido associado com muita frequência ao individualismo tóxico e à falocracia de Ayn Randian. Waldo deixa bem claro que a autossuficiência é, antes de qualquer coisa, uma prática espiritual. "Autossuficiência é confiança em Deus", disse ele (*LEF*). "Não existe nada tão fraco quanto um egoísta" (*OJA*). Em seus ensinamentos, você verá como ele compara o físico com o metafísico, o material com o transcendente; dessa forma, Waldo nos encoraja a dissolver aquela falsa dualidade entre espiritualidade e vida cotidiana.

Nunca estivemos tão necessitados dessa integração. "Ai da América... o ar está carregado de papoulas, de imbecilidade, de dispersões e de preguiça", lamentou Waldo em 1840,[7] quando a população de Boston era de noventa mil habitantes e a epidemia de opiáceos ainda sequer fazia parte da imaginação das pessoas. Ele deplorava a passividade dos seus contemporâneos "Temerosos, chorões desanimados, com medo da verdade e de uns dos outros" (*AS*), advertindo assim que a ganância e a solidão se tornariam doenças americanas crônicas caso abandonássemos os nossos valores espirituais. "A minha briga com a América [é o fato de que] a geografia é algo sublime, já os homens não", ele admitiu (*CAO*). A presciência de Waldo sobre o estado da alma americana foi confirmada em proporções trágicas. Os níveis de depressão, ansiedade, dependência e medo se veem em um aumento catastrófico. Entre 2007 e 2018, as taxas de suicídio de jovens com idade entre 10 e 24 anos aumentaram quase 60%.[8] As taxas de automutilação deliberada entre meninas de 10 e 14 anos – seja por corte, seja por autoenvenenamento – quase triplicaram nos EUA entre 2009 e 2015.[9] De superbactérias a tornados de fogo, de águas venenosas a mares sem peixes, o tempo todo somos inundados com alertas de destruição não só presente como futura. A pandemia de covid-19 multiplicou esse terror, transformando o planeta em uma placa de Petri do tamanho da Terra para propagar pânico global. Uma pesquisa considerável, que visava medir os incontáveis medos dos americanos, relatou que mais de 70% vivem com medo de desastres naturais; estatísticas comparáveis se aplicam ao ciberterrorismo, à corrupção governamental, à guerra civil, à violência aleatória e à possibilidade de acabar sem-teto pelas ruas.[10]

Os ensinamentos de Waldo ajudam a dissipar a ilusão sobre a nossa impotência, direcionando o olhar de sabedoria do leitor para o despertar espiritual. Juntamente com os estoicos, ele nos lembra de que essa perspectiva expandida está disponível para todos aqueles que dedicam tempo suficiente para lidar com a sua experiência, investigar o seu ponto de vista e separar a verdade da falsidade. Isso é o que constitui uma vida analisada. "A única coisa sobre a qual [Emerson] é inflexível é o fato de que deveríamos, na realidade precisamos, procurar essa reflexão sobre as várias questões, essa atenção ao pensamento mesmo enquanto capinamos o jardim ou ordenhamos a vaca, pois isso é o suprassumo da vida", escreve a poetisa Mary Oliver.[11] Sob a luz da autoconsciência, o mundo convencional revela a sua verdadeira natureza como o substituto de uma realidade que é mais profunda. Pense naquelas loucas casas unidimensionais pelas quais você passa ao dirigir pelo interior da Inglaterra, a irrealidade delas escondida por uma fachada que se mostra vistosa. Waldo acreditava que o nosso apego às aparências e às ilusões superficiais nos impede de reconhecer o nosso verdadeiro lar no universo.

A autossuficiência se baseou em três correntes filosóficas, a começar pelo cristianismo arraigado de Waldo. Os ensinamentos de Jesus permaneceram caros a ele, apesar da apostasia dele da igreja. Essa desconexão se reflete no movimento de muitos cristãos que se afastam da tradição em favor de abordagens atualizadas da fé nos dias de hoje. A quantidade de cristãos que permanecem leais à igreja dos velhos tempos caiu quase pela metade desde a virada do milênio.[12] E, de forma tão indelével quanto foi tecido no caráter de Waldo, o cristianismo permeia a cultura americana em um nível que às vezes esquecemos.* Os cristãos que se encontram lutando com a dúvida eclesiástica enquanto mantêm a própria devoção aos ensinamentos de Jesus reconhecerão no conflito de Waldo a própria insatisfação e ambivalência deles.

---

* Nunca houve um presidente dos Estados Unidos que não fosse cristão. A maioria moral continua a presidir a ala conservadora da política americana. A frase "Acreditamos em Deus", que significa o Deus da Bíblia, aparece nas notas de dólar; em 2021, a Suprema Corte acrescentou aos assentos dela outro juiz evangélico, ameaçando assim a sobrevivência dos direitos anticristãos, incluindo o aborto, a contracepção e o casamento entre pessoas do mesmo gênero. Eis um país cristão até as raízes.

Além das influências cristãs que ele tinha, a autoconfiança é o filho amoroso filosófico de dois antepassados aparentemente infelizes, o transcendentalismo e o estoicismo. Essas escolas de pensamento, ainda que divergentes, têm mais em comum do que se pode imaginar. O transcendentalismo foi uma rebelião espiritual contra as doutrinas hierárquicas, sexistas e negativas da natureza, centradas no pecado e na redenção da igreja protestante. Os transcendentalistas buscavam criar um relacionamento mais direto com Deus se comparado àquele oferecido pelos rituais enfadonhos da igreja; estavam em busca de uma fé fortalecida pela intuição, emoção, revelação e nossa conexão natural com "a ordem inviolável do mundo". Focado no potencial da bondade humana, o transcendentalismo ensina que os intermediários espirituais são desnecessários para se manter uma conexão próxima com Deus.

Ainda que o movimento transcendentalista tenha tido uma vida breve, durando apenas cerca de vinte anos, as raízes dessa filosofia são profundas em uma nação em que a originalidade e a liberdade pessoal são tão valorizadas. A noção de Waldo sobre uma "relação original com o universo" (*N*), e a crença dele de que um espírito divino permeia toda a natureza (incluindo a humana), tornou-se inseparável das ideias americanas transcendentais sobre autodeterminação, direitos individuais e liberdade espiritual. Quando Lady Gaga canta o hino "Born This Way" ("Eu nasci assim", em tradução livre) para estádios de devotos empunhando bandeiras excêntricas, ela está prestando homenagem a essa mesma corrente de emancipação. Muitos dos debates mais acalorados dos EUA, particularmente aqueles relativos a justiça racial, igualdade de gênero, liberdades religiosas e abuso sacrílego da Mãe Natureza, também emergem desse mesmo manual transcendentalista.

O otimismo é outro legado do transcendentalismo, no entanto não era uma esperança baseada na negação do mal de que as pessoas são capazes. Em vez disso, o "otimismo cósmico" de Waldo enfrenta os fatos brutais da falibilidade humana sem perder de vista o potencial redentor que o ser humano possui. Quando o Dr. Martin Luther King Jr., transcendentalista fervoroso, pregou que "o arco do universo moral é longo, mas que se inclina em direção à justiça", ele estava ecoando esse mesmo otimismo cósmico. Waldo insistia no fato de que, mesmo nas piores circunstâncias, a bondade e a sabedoria são coisas possíveis. "Dessa vez, como todas as outras, é muito bom sabermos o que fazer com ela", escreveu ele (*OAE*). Embora preocupado com as falhas da humanidade, ele ao mesmo tempo era alguém esperançoso no que dizia respeito às pessoas individuais e à nossa capacidade de melhorar a nossa vida.

Essa fé no autoaperfeiçoamento também é parte integrante do estoicismo. Essa filosofia pragmática e prática, popularizada dois mil anos atrás na Grécia e em Roma, foi forjada nas tragédias do mundo antigo. O imperador Marco Aurélio escreveu sua obra *Meditações* enquanto a peste antonina varria o reino dele, matando um terço dos cidadãos sob sua responsabilidade. O estoicismo está no melhor de si quando as circunstâncias estão piores, o que explica a crescente popularidade dele nos dias de hoje. Os estoicos apresentam ferramentas práticas para prosperar diante do desafio, o que inclui os tipos de "exercícios espirituais" que você encontrará no fim destas páginas; na realidade, foram identificados paralelos marcantes entre os exercícios espirituais estoicos e a terapia cognitivo-comportamental.[13] A insistência deles na autoinvestigação, na gratidão por aquilo que temos, na humildade em relação ao que não sabemos (e não somos capazes de controlar), nos benefícios da adversidade, na liberdade de mudar de perspectiva e no mistério divino que permeia o mundo coincidem justamente com os ensinamentos de Waldo. A prática estoica de aceitar a vida como ela é (*amor fati*), mesmo quando os tempos são difíceis, e o foco dos estoicos no potencial de crescimento lembrando da nossa mortalidade (*memento mori*) também são parte integrante da autossuficiência. E, por fim,

Waldo e os estoicos compartilhavam uma questão filosófica central: como podemos cultivar a felicidade (*eudaimonia*) em um mundo tão frágil, imprevisível e perigoso? Eles concordavam com o fato de que o bem-estar autêntico só é possível por meio da "transcendência racional", refugiando-se assim na "última das liberdades humanas" (nas palavras do psicólogo Viktor Frankl): a capacidade de escolher qual será a nossa atitude em qualquer conjunto de circunstâncias. Essa mesma liberdade nos permite permanecer como *nós mesmos* quando a vida nos rouba as coisas que amamos.

Como usar este livro

As doze lições a seguir refletem os passos perenes na jornada do despertar pessoal. Começamos com originalidade e caráter, a descoberta de um mundo interior e como usar o autoquestionamento como porta de entrada para a sabedoria. Na lição dois, passamos para a questão da perspectiva, os *insights* de Waldo em relação à natureza da realidade autocriada e como a mudança do seu ângulo de visão pode melhorar radicalmente a sua qualidade de vida. Em seguida, exploramos as maneiras por meio das quais a não conformidade contribui para o processo de autorrealização. Na lição quatro, voltamos a nossa atenção para o paradoxo e a contradição, além de abordarmos a insistência de Waldo (compartilhada com os estoicos) de que as falhas e as limitações de uma pessoa possuem valor intrínseco no caminho da excelência pessoal. Exploramos a ligação entre confiança e resiliência na lição cinco e o porquê de a autoestima magnetizar oportunidades e almas afins para uma pessoa, como se isso alertasse o universo sobre as intenções dela. Em seguida, consideramos a vitalidade que advém da conexão com o mundo natural e de que maneira a conexão com essa fonte espiritual nos energiza, revelando o que chamam de Única Mente, ou Superalma, que está em ação em tudo aquilo que fazemos.

Na lição sete, revelamos os *insights* de Waldo sobre medo e coragem, vendo então como a autoconfiança neutraliza o medo e a ansiedade ao enfatizar o poder da escolha pessoal. O amor e a intimidade também surgem da escolha consciente, conforme aprendemos na lição oito, na qual consideramos o valor subestimado da amizade, os conflitos capazes de perturbar o coração do amante e a dimensão transpessoal do próprio amor. A cordialidade também é algo útil ao se enfrentar a adversidade – e esta, por sua vez, faz a iniciação da pessoa na maturidade e na integridade, como você verá na lição nove. A gratidão é uma prática espiritual que também provoca resiliência, o que inclui a percepção de que, em geral, a destruição leva à renovação. A capacidade de vencer os obstáculos também estimula o otimismo, conforme descobrimos na lição dez; reconhecer o quão pouco controlamos na vida evoca um tipo particular de fé. Essa mesma fé é algo palpável e experimental com base na reverência, na admiração. Na lição onze, exploramos os ensinamentos esplêndidos de Waldo sobre o espanto e a beleza como portais para o autoconhecimento, além de considerarmos por que a consciência do milagroso contido na existência cotidiana é crucial para o nosso bem-estar. Até que por fim, na lição doze, analisamos a promessa de iluminação, a transformação da consciência que se torna possível ao assumirmos a "posição ereta" na nossa vida, permanecendo atentos ao momento presente e nos libertando das construções opressivas da mente crepuscular e egocêntrica.

Esses ensinamentos básicos são apresentados através das lentes de um buscador apaixonado, e não como uma empreitada meramente acadêmica. Eles oferecem uma sabedoria prática para pessoas reais que desejam viver uma vida mais feliz, imaginativa e apaixonada. O meu estilo é prescritivo, não teórico; é coloquial em vez de acadêmico. Concentro-me, portanto, em Waldo, o homem, não na eminência cinzenta que ele representa; ele era brilhante, mas imperfeito, irascível, complexo, entrincheirado no próprio tempo e dolorosamente ciente das próprias falhas. O treinamento cultural de Waldo como um brâmane de Boston do século XIX o levou a nutrir algumas noções antiquadas sobre sexo, mulheres, raça e costumes sociais, contudo essas deficiências, ainda que infelizes, não impactaram os ensinamentos espirituais dele de nenhuma forma apreciável. Como a maioria dos autores do mesmo período em que viveu, ele optou por pronomes masculinos em sua escrita, portanto aqui fiz todo o possível para equilibrar esse viés gramatical, apresentando pronomes e substantivos que sejam neutros ou apreciem tanto o *feminino* quanto o *masculino* – sempre que possível. Leitores familiarizados com a obra de Emerson podem ficar impressionados com a ausência notável da poesia dele aqui (minha parte menos favorita da obra do autor); além disso, muitos dos tópicos sobre os quais ele escreveu (história, economia, cosmologia, teoria da arte) não foram encontrados em lugar nenhum, algo que tem pouca ou nenhuma relação com o assunto em questão.

As doze lições apresentadas aqui pretendem ser um roteiro para uma vida autêntica, um guia, um manual para a sabedoria esquecida de Emerson aplicada aos problemas que enfrentamos hoje. Se você as usar bem e colocá-las em prática, elas têm o poder de mudar sua vida.

Sobre originalidade

Caráter é tudo

"A fortuna de um homem é seu caráter."

Tornando-se você mesmo

Waldo era uma criança medíocre e socialmente desajeitada, de quem pouco se esperava em uma família de superdotados tão confiantes, como eu já mencionei nestas páginas. Passivo, sonhador e propenso a mudanças de humor, ele se via como um "retardatário sem foco" e se desesperava: algum dia atingiria um grande propósito? Ele estava "sempre ouvindo", de acordo com o biógrafo Van Wyck Brooks.

> [Era] um garotinho obscuro, gordinho, desajeitado, afetuoso como um animal de estimação, com uma mente lenta, pesada e ao mesmo nublada como um verão de eletricidade carregado... uma pequena criatura que só recua, mas ao mesmo tempo repleta de senso de admiração.[1]

Waldo amava os livros dele, adorava os irmãos e tinha sonhos de grandeza, contudo era atormentado pela dúvida e pelo autojulgamento. A sua compostura em relação aos demais mascarava um temperamento apaixonado, as emoções extremas que nutria em si e uma boa quantidade de ansiedade social.

"Divago entre dúvidas para as quais a minha razão não oferece qualquer solução", escreveu ele em uma carta para a tia, Mary.[2] Uma figura dickensiana conhecida por um brilhantismo e algumas esquisitices, a solteirona Mary Moody Emerson foi a primeira mentora e influenciadora de Waldo, personificação da originalidade aos olhos do tímido sobrinho dela. Com um metro e oitenta e cinco de altura, Mary era uma calvinista impetuosa e autodidata; ela lia Cícero e Shakespeare logo no café da manhã, usava uma mortalha quando viajava e dormia em uma cama em forma de caixão, de tão ansiosa que era para voltar ao Criador. Mary se movia pelo mundo com uma energia preênsil admirada por Waldo. "Ela teve a infelicidade de girar com maior velocidade do que qualquer um dos outros piões", escreveu ele,[3] ainda que se considerasse preguiçoso, distraído e mal-humorado. Mary encorajava seu sobrinho introvertido a jogar fora a casca dele, a testar os próprios limites e mirar nos objetivos mais elevados. "Despreze as insignificâncias, eleve os seus objetivos [e] faça aquilo que você tem medo de fazer", ela disse ao jovem certa vez.[4]

Waldo aprendeu que se tornar você mesmo e buscar uma relação original com o universo são o propósito da vida humana. Ele passou a acreditar que o caráter é tudo, tanto pessoal quanto espiritualmente, além do fato de que um indivíduo, a menos que conheça a si mesmo, não será capaz de cumprir o seu propósito único na vida. Esse propósito transcende a convenção e a utilidade. "Não é... o fim principal do ser humano a feitura de uma fortuna e a geração de filhos cujo fim seja igualmente fazer fortunas, mas... o dever que ele tem de explorar a si mesmo", sustentou (*ASE*). Buscar a aprovação dos outros é algo inútil no que diz respeito a desenvolver o caráter pessoal; em vez disso, precisamos buscar orientação em nós mesmos, afinal há o "momento na educação de todo homem em que ele chega à convicção de que a inveja é na realidade pura ignorância; essa imitação é suicídio" (*AS*). O mandato a ser cumprido por alguém é a ação de trazer o que é *dele* para o mundo e colher os frutos do ser natural dele próprio. Isso só é possível quando ele se conhece profundamente como *de fato é*, fora dos holofotes da opinião pública.

O autoquestionamento de Waldo é um método insuperável para o crescimento pessoal. A prática de explorar questões filosóficas para abrir a mente e obter *insights* sobre a natureza da realidade remonta a um período muito anterior aos estoicos, quando os sábios da Índia fizeram pela primeira vez a pergunta "Quem sou eu?" como o ponto de partida na jornada da autodescoberta. Sócrates continuou essa prática com a advertência do famigerado "conheça a si mesmo" como uma porta de entrada para a vida analisada. Nós criamos a nossa realidade percebida por meio do espelho da casa de diversões do viés pessoal, por isso a autoanálise se faz necessária para a autoconfiança. É impossível "fazer do seu jeito" sem antes saber quem você é. Isso significa fazer o trabalho humilde de analisar as partes de si mesmo que você preferiria ignorar para integrá-las à sua consciência.

Ao observar Mary, Waldo aprendeu que, embora essa mulher difícil pudesse ser desanimadora, foi a disposição da tia de ser quem ela era e de permitir que os defeitos dela fossem o que eram que empregou tanta força e eficácia ao caráter dela. Mary não perdia tempo lutando para se conformar, enquanto o sobrinho era alguém inseguro para agradar as pessoas. Felizmente, Waldo superaria muito do comportamento autoatormentador dele e faria as pazes com as próprias peculiaridades. Passaria a ver as debilidades e defeitos que tinha em si como professores dele, como aspectos inerentes e necessários de seu caráter. Com o passar do tempo, desenvolveu a habilidade de examinar a própria paisagem interior através dos olhos de uma testemunha objetiva, de ver as deficiências que tinha não com um pesar trágico, mas como falhas cômicas de uma pessoa que na realidade é limitada.

Você é uma pessoa interessante

O artista pop Andy Warhol fez uma descoberta paralela depois de lutar contra a extrema autoaversão quando ainda era menino. Warhol, que me contratou como editor da sua revista quando cheguei a Nova York, começou a vida como uma criança afeminada, de rosto espinhento e melindroso em uma família de imigrantes poloneses da classe trabalhadora que haviam sido transplantados para Pittsburgh, na Pensilvânia. Já numa tenra idade, Warhol começou a fazer experimentações com personas sociais, na esperança de criar um personagem congruente com o artista homossexual que ele sentia que poderia se tornar algum dia. Da mesma forma como Waldo teve vislumbres de grandeza futura quando ainda era apenas um menino, Warhol teve uma consciência nascente da própria originalidade desde muito novo. Todavia, somente quando desceu de um ônibus Greyhound, na cidade de Nova York, em 1949, ele descobriu uma cena artística no centro da cidade repleta de colegas desajustados, dando espaço para que essa originalidade florescesse em sua genialidade.

Incentivado pelo grupo radical ao qual pertencia, Warhol começou a questionar as próprias crenças que estavam bloqueando o progresso dele no mundo das belas-artes. Ele transformou as próprias limitações flagrantes – uma habilidade inexpressiva para o desenho, habilidades sociais pobres e até a perda de cabelo prematura – em marcas registradas que passou a exibir sem quaisquer desculpas. A incapacidade que teve ao longo da vida de imitar os outros, aliada a uma força inata de caráter, acabou ajudando Warhol a reformular sua introversão em um estilo gnômico característico e a desenvolver a abordagem única da arte: traçar fotografias em telas em branco e depois pintar nas entrelinhas, como uma criança faz com um livro de colorir – algo que lhe traria sucesso internacional. Ele até reformulou a própria calvície como um ponto de interesse, cobrindo a cabeça com perucas multicoloridas que com toda certeza chamariam a atenção para si. Embora os críticos do artista vissem tais estratégias como meras afetações, elas foram essenciais para a genialidade de Warhol, que de fato converteu falhas em pontos fortes por meio da imaginação. Ainda que fosse apenas esporadicamente feliz, sofrendo de uma solidão romântica, Warhol sempre foi *ele mesmo* – fosse conversando com um chefe de Estado, fosse observando vigaristas tatuados sob flagrante delito. Não conseguia disfarçar sua originalidade inerente, assim como tia Mary não conseguia esconder o brilho singular que possuía.

Ambos viviam de acordo com o que Waldo descrevia como lei da "compensação". Todos nós somos contradições ambulantes feitas de partes incompatíveis e anômalas. É apenas por meio da adaptação e da imaginação que somos capazes de combinar as nossas partes rebeldes e díspares em um todo unificado, pelo menos é o que ensina Waldo. "Todo doce tem seu azedo; todo mal é bem" (*C*). Cada força dá origem a uma fraqueza correspondente, cada perda oferece algum tipo de ganho. Waldo comparava esse efeito gangorra aos ganhos paradoxais de um cego cuja audição se torna incrivelmente aguçada, ou de um financista que perde tudo apenas para reconhecer a escravidão às coisas materiais e apreciar o poder libertador das buscas espirituais. A compensação nos faz lembrar de que as fraquezas sempre vêm com outro lado, as falhas podem ser verdadeiros catalisadores de mudanças positivas uma vez que temos paciência e determinação o suficiente para encontrar a famigerada agulha em meio ao palheiro.

Para fazer a lei da compensação funcionar para você, é necessário identificar quais inseguranças, perdas, fraquezas e falhas mais tenta esconder do mundo e considerar como essas debilidades podem ser vistas de uma forma diferente. Deixar de reconhecer o potencial latente nos seus defeitos leva você apenas a evitar as suas limitações enquanto tenta imitar as virtudes dos outros. Em vez disso, procure imaginar os dividendos positivos que essas deficiências podem lhe proporcionar caso pare de julgá-las. Quando finalmente consegue ver as suas fraquezas dessa maneira, acaba ficando fascinado, em vez de desdenhoso, por tamanhas peculiaridades que diferenciam você dos demais. "Se as pessoas evitassem aquela linguagem e maneira gerais nas quais se esforçam para esconder tudo aquilo que é peculiar e dissessem apenas o que surge em primeiro lugar na mente delas, de acordo com a maneira individual de cada uma, todo ser humano seria alguém interessante", explicou Waldo.[5]

Em vez disso, por diversas vezes rejeitamos a nossa originalidade por nenhum outro motivo além de que ela é *nossa*. Essa aversão reflexiva aponta para uma desconfiança fundamental da inteligência espiritual que se movimenta por meio de nós. Tendemos a ignorar o fato óbvio de que uma fonte de poder mais criativa do que a mente individual está animando a nossa vida pessoal. "A mente comum ao universo é revelada ao indivíduo por meio da própria natureza dele", afirmou Waldo.[6] "A minha mente é em si a revelação direta que recebi de Deus." Ele nos instrui a observar aquele brilho de luz "que atravessa [a] mente de dentro para fora" e a confiar nessas intuições únicas "mais do que o brilho dos firmamentos revelados por bardos e sábios" (*AS*).

Isso exige que prestemos atenção a nossa orientação interior, confiando então na originalidade dentro de nós, em vez de nos curvarmos à maioria. A aquiescência é inimiga da autenticidade, ele alertou. Ainda assim, nós somos treinados a acompanhar a multidão, a não forçar nossos limites e experimentar coisas novas, a resistir à desobediência para então sermos bons jogadores de equipe e cidadãos exemplares. Ele afirma o seguinte a respeito dessa "educação incapacitante":

> [ela] tem o único objetivo de afundar o que existe de individual ou mesmo pessoal em nós. O livro, a faculdade, a escola de arte, a instituição de qualquer tipo, para com qualquer declaração de genialidade do passado. Eles me imobilizam, estão focados em olhar para trás, não para a frente. (*OAE*)

O teórico de sistemas Buckminster Fuller, cuja tia-avó Margaret Fuller era a amante platônica de Waldo, observou o seguinte: "Todo mundo nasce um gênio, mas o processo de viver os desgenializa".[7] Essa desgenialização começa nas salas de aula da juventude, em que a deferência e o autoencolhimento são reforçados e encorajados. Para lembrar que você é interessante, precisa resistir ao canto da sereia que leva você à imitação. Em vez de fazer uma fila na estrada mais percorrida pela maioria, vá para onde não há sequer um caminho trilhado e deixe um rastro para que outros também passem por ali.

Persiga a felicidade

Aumentar a sua consciência da existência dessa voz dentro de você permite que confie nas suas predileções. "Nenhum de nós jamais realizará algo de excelente ou importante, exceto quando ouvir aquele sussurro ouvido apenas por nós."[8] A ênfase de Waldo na intuição sobrepujada à instrução, na maior importância da adesão ao nosso conhecimento inato do que na erudição recolhida nos livros, é peça essencial para a autoconfiança. "Apreensões intuitivas" abrem a mente para mensagens da inteligência superior.

> Aquilo que cada pessoa é capaz de fazer de melhor, ninguém além do próprio Criador dela consegue ensiná-la. A nossa atitude espontânea é sempre a melhor. Você não pode, mesmo com as suas melhores deliberações e atenção, chegar tão perto de qualquer questão quanto o seu olhar espontâneo lhe permite. (*INT*)

A ação espontânea contorna a mente que duvida de si mesma; quando confiamos nessa fala interior, prosperamos.

Estudos sobre intuição dão embasamento aos ensinamentos de Waldo. A intuição é definida como a capacidade de conhecer algo sem a necessidade de um raciocínio analítico e preenche a lacuna entre as partes consciente e inconsciente da nossa mente. Eficácia e autenticidade também estão ligadas à intuição. Satu Teerikangas, pesquisadora finlandesa especializada na dinâmica da mudança estratégica, aponta que a intuição é estimulada quando "viajamos de um terreno cognitivo conhecido para outro desconhecido". Ao rejeitar ideias e suposições de segunda mão, provocamos uma mudança cognitiva que "força... máscaras usadas no cotidiano a serem arrancadas, convidando o eu autêntico a emergir", explica Teerikangas.[9] Essa afirmação ecoa a visão de Waldo sobre a genialidade pessoal, sobre a originalidade que é seu direito natural desde o seu nascimento. "Genialidade é acreditar em seu pensamento, acreditar que aquilo que é verdadeiro para você no seu coração particular é verdadeiro para todas as pessoas", ele nos afirma (*AS*). A escuta fiel da "voz mansa e delicada interior" amplia e define o seu poder criativo. "Parece ser verdade o fato de que quanto mais exclusivamente idiossincrática uma pessoa é, mais infinita ela se torna", observou Waldo.[10]

Aparentemente, mulheres têm uma vantagem distinta sobre meninos e homens quando se trata de intuição. O corpo caloso (substância branca que liga os hemisférios direito e esquerdo do cérebro) feminino é mais espesso do que o masculino. Essa vantagem permite que mulheres e meninas acessem com maior facilidade ambos os hemisférios cerebrais, os quais são capazes de integrar com maior facilidade emoções e sentimentos viscerais na tomada de decisões racionais. ("Eu, como sempre, venero a natureza oracular da mulher", Emerson escreveu em seu diário.[11]) Já os homens tendem a ser mais compartimentalizados quanto ao pensamento, menos flexíveis ao passar da lógica para a intuição e as formas mais integradas de conhecimento.[12]

Judith Orloff, psicóloga especializada em tratar empáticos e pessoas sensíveis, considera a intuição como o superpoder feminino e cita o caso de uma mulher com quem trabalhou que descobriu a própria intuição reprimida na hora certa. Diante de uma decisão profissional difícil, essa CEO estava tendo dificuldade em "pensar bem no problema a ser resolvido" para encontrar uma solução que fosse lógica. Em vez de forçar a tomada de tal decisão tão importante, ela foi aconselhada por Orloff a se perguntar em um momento de silêncio: "Esse é mesmo o melhor tipo de negócio para eu me envolver?". Esse voltar-se para dentro relaxou a sua mente cogitativa e tão buscadora da lógica, dando a essa empreendedora de alta octanagem a resposta pela qual tanto esperava. Orloff descreveu a forma como essa paciente "viu um flash do naufrágio do *Titanic*", vislumbre esse que disse à CEO tudo aquilo que ela precisava saber sobre qual opção deveria tomar. "Essa imagem, aliada ao pressentimento, foi um aspecto que a levou a desistir do negócio em questão, que acabou se mostrando um fracasso."[13]

Quando perguntaram para Mary Moody Emerson como ela conseguiu trilhar o próprio caminho em uma sociedade na qual as mulheres eram cidadãs de segunda classe, ela respondeu: "Dancei a música

tocada na minha imaginação [*sic*]".[14] Em uma entrevista sobre o próprio processo criativo, Andy Warhol confidenciou: "Quando preciso
pensar sobre isso, já sei que a imagem está errada... quanto mais você
precisa decidir [e escolher], mais errado fica".[15] Waldo era inflexível
quanto à crença dele no fato de que "nós sabemos melhor do que nós
mesmos" e que a genialidade é mais confiável do que o raciocínio.

> Precisamos apenas obedecer... e ao ouvir com humildade, ouvire-
> mos também a palavra certa... dentro de nós flui o fluxo cada vez
> maior de pensamentos que não sabemos de onde vêm. Não deter-
> minamos aquilo que pensamos; apenas abrimos os nossos sentidos,
> eliminamos ao máximo todas as obstruções dos fatos e deixamos
> Deus pensar através de nós. (*LE*)

Seguir essa inclinação divina é uma atitude que leva a pessoa à bem-
-aventurança. A luta exaustiva para *fazer as coisas acontecerem* também
é aliviada, como Waldo aprendeu depois de anos repletos de dúvidas.
"Waldo Emerson, você acredita mesmo que é capaz de se livrar dessa
perplexidade eterna de escolher ao colocar seu ouvido perto da alma e
assim aprender sempre o verdadeiro caminho?", maravilhou-se em seu
diário.[16] Essa escuta desperta a nossa inteligência primordial, as mensagens vindas desse despertar são na maioria das vezes uma revelação.

Sobre lugares selvagens

Waldo teria desprezado a superdomesticação da vida contemporânea.
Obcecados com conveniência e economia de tempo, acabamos consa-
grando um ideal de riqueza que desnuda a nossa existência da selvageria.
Não é de se surpreender que muitos estejam se sufocando com o excesso de experiências sintéticas, pré-fabricadas e não naturais, desprovidas

de um sabor autêntico. "O problema da existência do homem é único em toda a natureza", escreveu o psicólogo Erich Fromm.[17] "Ele saiu da natureza, por assim dizer, mas continua nela; ele é parcialmente divino, parcialmente animal; parcialmente infinito, parcialmente finito."[18]

Não devemos nos divorciar da coragem e do desafio da vida terrestre, pelo menos é o que Waldo nos lembra. Na nossa era tão tecnologicamente avançada, existe um desejo crescente por uma experiência *simples*, uma que seja crua e sem qualquer verniz para revitalizar a nossa existência supercivilizada. Os consumidores procuram por empresas selvagens, como a Outward Bound, a fim de obter a oportunidade de comungar com a natureza, com dentes e garras cheios de sangue. Com toda certeza essas empresas fornecem um serviço útil, ao mesmo tempo que atacam a fome espiritual do público, cobram altas quantias de dinheiro para que os clientes sejam deixados no meio do nada com uma mochila e uma garrafa térmica de cerveja, nada além disso. Esse desejo humano generalizado de domar a natureza (caso ela não transcenda completamente as exigências) compromete o caráter, alertou Waldo, e ao mesmo tempo gera pessoas derivadas, sem sangue, de segunda mão, imitações pálidas das próprias relações rudes. "Um rapaz robusto de New Hampshire vale mais do que cem desses bonecos da cidade", afirmou ele (*AS*), contrastando os recursos das crianças interioranas com a educação mimada das crianças urbanas.

Quer aceitemos essa dicotomia simplista, quer não, Waldo está fazendo uma observação importante. Quando permitimos que o eu animal esmoreça e ignoramos o chamado da natureza, sacrificamos uma parte essencial do que significa ser humano. Por isso, é crucial encontrar maneiras de nos *desdomesticarmos*, recuperando um pouco da selvageria na nossa vida. Independentemente de como o fazemos – cozinhando em público ao ar livre, tomando banho em um rio na floresta, num retiro ou desconectando os nossos dispositivos um dia por semana para lembrar como é não estar preso a máquinas –, essa desprogramação é fundamental para a nossa saúde mental e espiritual. Precisamos analisar aquilo de que abrimos mão em prol da eficiência e do conforto, de que forma podemos recuperar tudo o que perdemos com a cultura da conveniência.

Waldo ensina que a nossa orientação "aborígene" é inseparável da natureza, emergindo de uma fonte que não controlamos. A natureza é a nossa maior professora, ele insiste nisso, oferecendo lições de sabedoria que não podem ser acessadas em outro lugar (visão essa que exploraremos mais adiante). Waldo consolidou a sua reputação de blasfêmia colocando de fato o evangelho da natureza acima da Bíblia, nos encorajando a nos tornarmos verdadeiros devotos da natureza. Alinhando-nos aos ritmos da natureza, estamos visceralmente unidos ao presente, acalmando assim a mente e refinando a nossa consciência. O tempo passado fora do mundo feito pelo homem produz efeitos semelhantes aos da meditação; ambos oferecem uma imersão nua e crua nesse mesmo momento presente e a exposição dessa consciência despida à luz natural de uma atenção não filtrada. Constituem uma oportunidade de reabitar os nossos corpos e por meio disso explorar o nosso interior selvagem, o imediatismo da nossa experiência vivida.

Eis aqui uma experiência que você deve tentar. Encontre um local tranquilo longe das pessoas e defina um tempo cronometrado de cinco minutos. Agora, feche os olhos, descanse as mãos no colo e concentre a sua atenção na corrente de energia que circula por todos os seus membros: tronco, mãos e pés, atrás dos olhos, estômago e topo da cabeça. Observe as sensações que surgem no seu corpo como *sensações*, sem atribuir a elas rótulos mentais; perceba como essa consciência não verbal aguça a sua experiência sentida de estar no seu corpo. Note de que forma essa visão interior permite que você caia na zona do silêncio logo abaixo do monólogo ininterrupto do seu cérebro que incessantemente cogita. Quando o cronômetro emitir o som de término do tempo, abra os olhos e preste atenção em como a sua experiência corporificada mudou. Agora tente escrever sobre quaisquer pensamentos ou sentimentos que surgiram em você durante esse intervalo de tempo. Conectar-se com o seu ser natural dessa maneira traz à tona benefícios mentais, físicos e espirituais surpreendentes.[19] O corpo e a mente são energizados nesse estado de tranquilidade; o estresse desaparece e você se sente revigorado.

Essa exposição à natureza nos liberta dos nossos problemas criados pelo homem, incutindo um senso perdido de inocência, ou de alegria, sabendo que ainda estamos no grande jardim. "Na presença da natureza, um prazer selvagem percorre o homem, apesar das verdadeiras tristezas", explicou Waldo. "A natureza afirma: 'ele é a minha criatura, e [apesar de] todas as mágoas dele serem impertinentes, ficará feliz comigo'" (*N*). O deserto supera os nossos infortúnios humanos contra o pano de fundo da eternidade, lembrando-nos desse nosso jardim secreto, o espaço intocado interior que é unicamente nosso. Em *A Secret Life* [Uma vida secreta, em tradução livre], o poeta Stephen Dunn compara esse reino que fica fora das fronteiras com o espaço interior que você gostaria de ter "protegido mais se o governo dissesse que você é capaz de proteger uma única coisa".[20] Esse deserto interior é privado e resistente à domesticação de uma forma impossível de se atacar. A imersão na natureza o mantém vivo. Waldo aprendeu isso quando ainda era jovem, quando uma longa caminhada na floresta ao redor de Boston era o único remédio poderoso o bastante para aliviar a alienação dele. Santo Agostinho cunhou a expressão *solvitur ambulando* para descrever por que a peregrinação oferece consolo à mente turbulenta; caminhando por essas trilhas selvagens, Waldo foi capaz de abandonar a armadura intelectual dele, ouvir o sermão das árvores e explorar a fonte-raiz da sua genialidade.

Ele deixa claro que, para acessar a natureza, devemos cultivar a arte de estar sozinhos. Quando a solidão nos é negada, acabamos perdendo contato com o nosso mundo interior.

> Às vezes, o mundo inteiro parece estar em uma conspiração para importuná-lo com insignificâncias... amigos, clientes, crianças, doenças, medos, carências, a caridade, tudo isso bate ao mesmo tempo na porta do seu armário e diz: "Venha até nós". Contudo, mantenha-se como está; não entre na confusão deles. O poder que as pessoas possuem para me aborrecer sou eu quem dou a elas por meio de uma curiosidade fraca. (*AS*)

Contudo, costumamos abdicar da nossa solidão, preferindo a distração à solidão. Somos puxados entre forças opostas, uma atração biológica em direção ao apego, uma afiliação, cooperação e conexão social, uma solidão necessária para sintonizar o sussurro que só nós somos capazes de ouvir. Com a prática, a solidão se torna o único "lugar em que estamos menos sozinhos", nas palavras de Lord Byron.[21] A imaginação é estimulada pelo espaço vazio e pelo tempo dedicado a brincar sozinho; os interlúdios solitários são bons para fortalecer o caráter e ascender à *metamorfose* (Waldo preferia essa palavra a *transformação*). A solidão é importante sobretudo para os jovens, que precisam de um tempo sozinhos para ponderar, atrapalhar-se e imaginar a vida diante de si. A pesquisa revela que os adolescentes que não toleram ficar sozinhos não conseguem desenvolver o próprio talento criativo mais do que aqueles que apreciam a própria companhia, já que se requerem atividades solitárias para desenvolver os próprios talentos.[22]

Estudos também revelam que a conectividade on-line está tornando os jovens menos tolerantes à solidão, além de comprovadamente menos empáticos.[23] Em um experimento, quando lhes foram dadas as opções de não fazer nada por quinze minutos ou de receber um leve eletrochoque, quase metade dos jovens participantes escolheu a dor.[24] Paradoxalmente, a solidão também aumenta a nossa capacidade de intimidade, ao ensinar a pessoa a respeitar o espaço entre si e o outro. Como disse o psicólogo D. W. Winnicott: "A pessoa que desenvolveu a capacidade de ficar sozinha nunca está sozinha".[25] Isso confirma a conexão entre solidão e autoconfiança, entre selvageria e entendimento. Para que alguém compreenda algo é preciso haver uma autoconfrontação, o que sempre inclui um conhecimento profundo da nossa sombra.

Os presentes da sombra

A sombra é aquela parte fora dos limites da psique em que escondemos de nós mesmos aspectos que ameaçam o amor e a aprovação dos outros, que aumentam a probabilidade de o nosso grupo nos rejeitar. A sombra psicológica contém não só culpa, vergonha, medo e afins, como aspectos de originalidade e genialidade pessoais, aqueles traços inconformes que nos tornam tão únicos.

Waldo era ciente de uma forma dolorosa até da coragem necessária para navegar pelas nossas partes ocultas. Ele também sabia que uma pessoa, até chegar ao ponto de enfrentar as qualidades que considera mais ameaçadoras e confusas em si mesma, jamais será capaz de se tornar autossuficiente. E, mais uma vez, somos massas de contradições; ser humano significa ser hifenizado. Em qualquer dia, o ser humano médio é um fraco-forte, um generoso-mesquinho, um ambicioso-exausto, um afetuoso-repreensível, um corajoso-medroso. Ele nega a complexidade rica que possui evitando o conteúdo da própria sombra, roubando a profundidade e perspectiva de vida. Uma pintura sem sombra é superficial e incompleta; o caráter humano sem sua dimensão mais sombria também se vê drenado de poder e profundidade.

Por exemplo, eu conheço uma artista esforçada que parecia incapaz de descobrir a própria originalidade. As pinturas dela eram competentes, bem executadas, porém esquecíveis, carecendo de uma autenticidade, de ousadia. Essa pessoa bem-apessoada, bem-ajustada e de bom coração estava passando por um período terrível para entender o que estava faltando nela mesma. Até que certo dia, durante uma aula em um estúdio de arte, a professora dela se aproximou a fim de criticar a tela que ela pintava. Inclinando a cabeça, sugeriu – do absoluto nada – que aquela pintora novata experimentasse usar mais preto nas obras dela. Esse comentário a confundiu, mas resolveu tentar colocar o conselho em prática. Assim que a primeira pincelada de preto atingiu a tela, o trabalho dela começou a melhorar. As pinturas se tornaram mais ousadas, mais definidas, mais únicas, mais desafiadoras e muito mais evocativas. O preto se tornou uma assinatura de seu trabalho e essa ousadia crescente no cavalete gerou questionamentos para ela enquanto ser humano. Como agira na zona de conforto por toda a vida? Por que agradava tanto as pessoas? Por que construíra uma personalidade tão ensolarada e escondia os elementos mais sombrios presentes em si mesma, os conflitos, a raiva, a fome... justamente as partes que não faziam sentido? Tocar na própria sombra por meio da tela encorajou essa artista a fazer mais disso na vida. Com o passar do tempo, isso levou a um aprofundamento geral do sentimento em sua totalidade, a um maior compromisso com a autenticidade e à surpreendente percepção de que aquilo que ela mantinha escondido, envolto nas sombras do medo e da vergonha, também era a fonte de seu poder criativo.

Cem anos antes de Carl Jung popularizar a sombra psicológica, Waldo alertou contra a auto-higienização excessiva. Ainda que uma pessoa possa ser protegida em público, quando ela está sozinha deve ser capaz de abandonar as defesas e ilusões. Caso contrário, permanece uma estranha para si mesma e para a verdade do próprio caráter. "Nós não podemos obter metade das coisas e ao mesmo obter [o bem] mais do que podemos obter uma luz sem que haja sombra", escreveu Waldo. "Expulse a natureza com um garfo e ela volta correndo" (*C*). O conteúdo da sombra é imprevisível, todavia representa uma séria ameaça ao *status quo*, razão pela qual as sociedades encorajam os cidadãos a manterem os extremos deles para si mesmos e reprimir tudo aquilo que é selvagem, que é único. Quanto mais liberdade e veracidade, mais difícil é para a sociedade manipular as pessoas; a originalidade excessiva representa um perigo evidente e presente para as estruturas de poder que buscam nos controlar. Infelizmente, o que é bom para o grupo muitas vezes significa um completo desastre para o indivíduo que aspira atingir a autoexpressão; afinal, suprimir a sombra interfere no florescimento. Perdemos o acesso àquelas partes ocultas de nós mesmos que prosperam quando nos separamos. Já o bem-estar surge do ato de nos sentirmos inteiros, integrados. Como Jung bem observou: "Você não se torna iluminado imaginando figuras de luz, mas fazendo da escuridão algo consciente".[26] Waldo concordava com tal afirmação.

A fim de conhecer melhor as suas partes sombrias, você pode começar fazendo a si mesmo uma série de perguntas-chave: quais aspectos do seu caráter você esconde nas sombras? Quais aptidões, apetites, dons e poderes você esconde para pertencer a determinado grupo e ganhar a aceitação dos outros? Você "encolhe para caber" em ambientes onde precisa permanecer pequeno para sobreviver? Como a sua vida se beneficiaria caso essas partes rejeitadas fossem restauradas e incorporadas ao seu caráter? Waldo quer que abramos a porta do porão e olhemos com atenção para aquilo que um dia enterramos; esconder nada, investigar a escuridão e fazer uso do que a sombra tem a nos ensinar.

Integração leva à autoconfiança. Quanto mais você for capaz de aceitar o seu caráter variado mais poderá se juntar à raça humana sem quaisquer reservas; derrubando o muro da autoevitação, você não se sentirá mais tão separado dos demais. Ao remover os obstáculos à sua autenticidade e iluminar as suas partes sombrias, percebe que tem um caminho natural pela frente. Waldo escreveu que uma pessoa

> é como um navio no rio; ele corre contra obstruções de todos os lados, com exceção de um, desse lado todas as outras obstruções são removidas e ele navega de forma serena sobre um canal cada vez mais profundo em um mar infinito. (*LE*)

Cada um de nós possui um "princípio de seleção" que atrai para nós aquilo que é genuinamente nosso. Nas palavras do teólogo Howard Thurman, "O que é meu reconhecerá o meu rosto".[27] Waldo escreveu que, em virtude dessa "natureza inevitável, a vontade privada é dominada [apesar dos] nossos esforços ou [das] nossas imperfeições, a sua genialidade falará sobre você e a minha sobre mim. Devemos ensinar aos outros aquilo que somos, mas de modo involuntário" (*O*). Dessa forma, abrimo-nos à nossa generosidade natural. "Pensamentos entram na nossa mente por caminhos que nunca deixamos abertos, pensamentos saem da nossa mente por caminhos que nunca abrimos por vontade própria" (*O*). Deparamo-nos com a verdade de que a nossa mente individual é inseparável daquela única mente de Deus, aquela misteriosa refulgência refratada pelas lentes da perspectiva pessoal. Esse ponto de vista é o que nos torna únicos. A forma como vemos as coisas é fruto de quem somos e do que temos a oferecer ao mundo.

EM RESUMO

O autoconhecimento é o primeiro passo para a autoconfiança. Ao aumentar a consciência da sua verdadeira natureza, sintonizando-se com a sua orientação interior, você acelera o processo de se tornar você mesmo. Ao ouvir o sussurro que só você consegue ouvir, descobre que é interessante, que as suas contradições lhe dão profundidade. Peculiaridades, afinidades, excentricidades e perdas contribuem para o crescimento e para a originalidade do caráter. Quanto mais se sentir confortável em ser único, mais capaz será de seguir a sua bem-aventurança. Você é atraído para o deserto do seu ser, para aquela dimensão natural, não domesticada e presenteada por Deus, em que encontra sustento, inspiração e refúgio. Essa parte selvagem também contém a sua sombra, cela psicológica na qual esconde a sua vergonha, as suas feridas e os seus medos, bem como os seus dons inerentes. Você não pode ser completo sem a sua sombra. Para que a autorrealização seja possível, é necessário recuperar aquilo que enterrou.

Sobre perspectiva

Você é a forma como vê as coisas

"As pessoas parecem não perceber que a opinião delas sobre o mundo é também uma confissão do próprio caráter."

O laboratório da experiência

Na primavera de 1825, um mês depois de se matricular na Escola de Teologia de Harvard, Waldo foi acometido por uma doença oftalmológica, provavelmente ligada à tuberculose. Ele foi obrigado a abandonar os estudos, parar de ler e escrever por vários meses, então se submeteu a duas operações de catarata. Essa perda repentina da visão parece ter despertado o futuro ministro de 22 anos. Incapaz de se enterrar nos livros, Waldo foi forçado a ficar sozinho, a desfrutar apenas da própria companhia de uma forma que era desconfortável e ao mesmo nova para ele. Na solidão dessa semicegueira, confrontou aspectos de si mesmo difíceis de enfrentar, como ciúme, depressão, falta de poder, raiva e até mesmo o espectro da bissexualidade, que ele subjugara até ali com atividades cerebrais. Essa convalescença se tornou uma iniciação à autorreflexão e à vulnerabilidade extrema.

Privado da visão, Waldo ganhou uma consciência mais profunda de como a perspectiva de uma pessoa é suscetível a condições e experiências mutáveis. Ele percebeu que o nosso ângulo de visão está sempre mudando, da mesma forma como a troca de filtros na lente de uma câmera; que a vida não passa de um experimento, antes de qualquer coisa, acontece no laboratório dos sentidos. Pintamos a realidade com nossas cores subjetivas e tingimos nossas percepções com preconceitos, julgamentos, medos e desejos exclusivos de nossa situação. Não somos meros espectadores presos dentro dos caleidoscópios da nossa mente, mas os diretores de fotografia dos nossos filmes de vida, ajustando as câmeras através das quais vemos tudo. Embora tenhamos pouco controle sobre *o que* percebemos, temos uma influência considerável sobre *como* vemos essas mesmas coisas. "Não determinamos o que pensamos. Apenas abrimos os nossos sentidos, removemos ao máximo todas as obstruções dos fatos e deixamos que Deus pense através de nós", escreveu Waldo (*INT*). Isso é algo que nos torna mais perspicazes, separando impressões e interpretações dos próprios eventos em si. Como ele explicou,

> a vida é uma sucessão de humores como colares de contas; conforme passamos por eles, revelam-se lentes multicoloridas que pintam o mundo com uma tonalidade própria delas e cada uma mostra apenas aquilo que está no foco dela. (*E*)

O olho subjetivo é inconstante e nada confiável; em outras palavras, as distorções dele precisam ser escrutinadas.

Esse componente alucinatório é complicado sobretudo quando se trata da forma como nos vemos. Em nenhum lugar somos mais ilusórios do que no domínio da autoavaliação. No instante em que nos familiarizamos com os nossos treinos de humor e com a maneira que colorimos a nossa experiência, percebemos então como esses filtros policromáticos alteram a nossa autoimagem, destacando determinados traços, obscurecendo outros. Percebemos como os nossos pontos cegos interferem no autoconhecimento e intensificam essa sensação de separação do nosso entorno. "Há uma ilusão de ótica sobre cada pessoa com a qual nos deparamos", como já disse Waldo.[1] Essa dismorfia pode ter a colaboração de um processo conhecido como *recentralização* ou *repercepção*, que expande o nosso ponto de vista para incluir, ainda que não para ser limitado por, a nossa perspectiva. Isso nos ensina a ver os nossos pensamentos, as nossas emoções e reações como padrões transitórios de atividade mental, em vez de confundi-los com representações precisas da realidade. "As pessoas só veem aquilo que estão preparadas para ver", observou Waldo. As expectativas ampliam ou mesmo limitam a percepção, afinal "a saúde dos olhos parece exigir para si um horizonte" (*N*).

Conhecer os limites do seu horizonte permite ampliá-lo. Uma aluna minha, profissional formidável, inteligente e bem-sucedida no auge dos seus cinquenta e poucos anos, tem um medo mortal de perder o controle. Quando os planos flutuam ou as pessoas mudam de ideia, ela se despedaça, é como se o mundo dela tivesse se tornado uma selva caótica e ela virado a presa involuntária. Essa pessoa confiante parece perder por completo o rumo (na realidade, perder a si própria) diante da incerteza. Embora seja alguém ciente de que tais reações exageradas decorrem de memórias de abandono na infância, esse conhecimento racional pouco significa, porque as emoções, como todos sabem, são amplamente imunes à razão (enigma esse que exploraremos mais adiante). No caso da minha aluna, a psicoterapia não ajudou muito; em vez disso, ela aprendeu a aliviar a ansiedade expressando os pensamentos e sentimentos dela no papel. A autorreflexão em meio a "colapsos" que ela tem a ajuda a recuperar a compostura. E lentamente ela está aprendendo a mudar a forma *como* vê as situações, a questionar as próprias narrativas paranoicas que cria e a transformar as reações automáticas de aversão em lições objetivas de atenção plena – ou *mindfulness* se preferir.

"O que é a vida senão o ângulo de visão sob o qual se vê as coisas?", Waldo questionava. "A vida consiste naquilo que o ser humano pensa o dia todo" (*HNI*). Os nossos mundos são delimitados pelo ângulo sob os quais olhamos para os objetos, e esse mesmo ângulo determina o que consideramos real ou não. As coisas nas quais focamos a nossa atenção vêm à tona para nos definir. No caso da minha aluna ansiosa, a preocupação dela com o abandono reduz sua visão à de uma criança assustada quando sente incertezas. Escrever a ajuda a se afastar desse cenário, a analisar a perspectiva dela e a reduzir o impacto das emoções destrutivas. Ela está aprendendo a ver através de ilusões, aguçando seu ângulo de visão, provando a afirmação de Waldo de que "o mesmo mundo é um inferno e um paraíso", dependendo de como você olha para ele. A nossa tarefa aqui é prestar atenção em como criamos o nosso sofrimento através da "visão errada" e questionar de que forma vemos as coisas. Por exemplo, você percebe o mundo com olhos amorosos ou desconfiados? Você projeta traumas familiares nas pessoas ao seu redor? Você é alguém adversário ou compassivo, defensivo ou aberto a novas informações? Você procura o melhor ou o pior nas pessoas e o quanto tem disposição para mudar de opinião? E por fim: você confia na sua orientação interior ou se submete a opiniões externas?

Waldo percebeu que os erros dele eram resultado de uma tentativa de imitar os outros. "Todos os erros que eu cometo decorrem de abandonar a minha posição e tentar ver qualquer que seja o objeto do ponto de vista de outra pessoa", escreveu ele em seu diário.[2] É claro que isso não significa que você não possa ter empatia ou aprender com outras pessoas. Contudo, você não confunde o seu ponto de vista com perspectivas periféricas. O ato de abdicar da responsabilidade por seu ângulo de visão e culpar os outros por seus erros só aprofunda o autoengano.

A sua visão de mundo reflete mais sobre você do que a realidade objetiva. "A razão pela qual o mundo carece de unidade e está quebrado, amontoado, é porque o homem está desunido em si mesmo" (*N*). As sociedades são compostas de indivíduos que em grande parte se mostram cegos para as próprias ilusões, condenados a repetir os padrões destrutivos até que aprendam a mudar a forma como veem e pensam. Felizmente, a natureza nos fornece o hardware necessário para fazer isso.

Seu cérebro é plástico

Quando ainda era criança, ao crescer na zona rural do Alabama, Trisha Mitchell não tinha ideia de que mudar a perspectiva sob a qual via as coisas poderia salvar a vida dela. Filha caçula de uma mãe solo de 22 anos e com seis filhos, Trisha era uma garota ágil, alegre e de olhos azuis que sobrevivera a repetidos traumas dentro da própria casa durante a infância. Abusada sexualmente pelo padrasto antes de completar 10 anos, Trisha jurou segredo quanto ao ocorrido sob pena de morte. Ela subsistiu em um estado de hipervigilância, aterrorizada, bastante familiar aos sobreviventes de abuso infantil, presa em um universo paralelo, impotente em um mundo em que ninguém seria capaz de salvá-la.

"Por muito tempo, eu não sabia que havia outra forma de viver", foi o que Trisha me contou quando a visitei em sua residência em St. Petersburg, Flórida. Estávamos sentados no pátio dessa casa de madeira rústica, cercados por trepadeiras de hibisco laranja. Era difícil encontrar aquela garota vitimizada na radiante mulher de 68 anos na qual Trisha se tornara, com olhos brilhantes de um azul-turquesa e um sorriso que exibia covinhas. Enquanto Trisha me contava a história dela, eu relutava para preencher a lacuna ontológica entre a mulher encantadora sentada diante de mim bebendo vinho tinto, controlada e sofisticada, e a criança cuja infância difícil quase a matou. Por sorte, Trisha havia conseguido escapar daquela cidade do Alabama e criar diferentes carreiras de sucesso, primeiro como modelo, depois como pintora e designer de interiores. Eu lhe perguntei de que forma ela conseguiu emergir desse cenário devastador com corpo, mente e espírito intactos. Depois de considerar cuidadosamente a minha pergunta, Trisha me olhou nos olhos e respondeu: "Passei a prestar atenção no que era bonito".

"Você pode me contar mais sobre isso?", pedi.

"Aprendi a ver as coisas de uma maneira diferente. Quando comecei a pintar, a lente através da qual eu me via mudou. Eu não era mais uma vítima ou aquela garotinha abusada sexualmente, mas a mulher com um pincel e o poder de transformar nas mãos. Por meio de cada pincelada, conto a minha verdade. Essa é a minha linguagem visual, a da cor. As obras de arte são pontes para a minha cura emocional."

Ao pincelar cores como índigo, escarlate ou verde-amarelado em suas telas, Trisha conseguia sentir a experiência da própria realidade mudando, curando-se aos poucos, em um processo que acha difícil descrever em palavras. Esse filtro alterado a ajudou a atualizar a própria história, sem impor óculos cor-de-rosa. Em vez disso, ela lembrava, "a luz, de uma forma ou de outra, a cor, na realidade, está sempre presente mesmo nos momentos mais sombrios". Eventualmente, com a ajuda de um bom terapeuta, ela foi capaz de sair da narrativa de trauma na qual vivia, em preto e branco, sabendo que a história de ser uma vítima não precisava defini-la ou mesmo definir o curso das coisas para o resto da vida. Bessel van der Kolk, especialista em traumas, escreve que a capacidade de mudar a própria história é o que separa as pessoas capazes de se curar do trauma daquelas que não conseguem fazer isso.[3] Trisha Mitchell provou isso na própria vida. A recusa dela em ficar presa em uma narrativa vitimizadora, inundada por autopiedade e arrependimento, a ajudou a mudar a maneira como ela vê as coisas. "Sinto compaixão por aquela garotinha", Trisha me disse. "Só que não sou mais ela. A história dela não me coloca para baixo como antes."

A capacidade do nosso cérebro de se reprogramar por meio da prática, conhecida como neuroplasticidade, prova aquilo que filósofos e sábios afirmam há milênios: o fato de que a evolução é um processo contínuo e de que o cérebro pode ser remodelado por meio da intenção. Mudar pensamentos e comportamentos habituais acelera essa neuroplasticidade. Ao contrário da falácia de que nascemos com um número fixo de células cerebrais que só diminui com o passar do tempo, o corpo humano produz cerca de cem mil novas células cerebrais por dia. O nosso organismo está programado para a transformação. Práticas reflexivas, como a meditação e a escrita expressiva, são especialmente boas para aumentar uma mudança positiva. Uma série de estudos importantes usando pessoas que meditam no longo prazo revelam melhorias surpreendentes na conectividade cerebral nas regiões associadas a concentração, compaixão, equanimidade e felicidade.[4]

Não é nenhuma grande surpresa a afirmação de que os pensamentos positivos levam à flexibilidade cognitiva, a uma maior capacidade de atenção, ao processamento mais rápido e a uma mudança de foco do "eu" para o "nós"; ou o fato de que o pensamento negativo diminui a coordenação e o equilíbrio, prejudicando a nossa capacidade de trabalhar com os outros. Waldo alertou contra a falsa positividade (falaremos mais sobre isso depois), mas não se pode negar que o pensamento positivo oferece um combustível superior para o crescimento. Quanto mais você se concentra em pensamentos negativos, mais neurônios e sinapses o seu cérebro cria para dar suporte a esses processos de pensamento negativo.[5] É por isso que, quando se trata do crescimento pessoal, com frequência o mal leva ao que existe de pior. Waldo apontou isso com uma imagem impressionante. "Existem aqueles que possuem o instinto do morcego, o de voar contra cada vela acesa e apagá-la", escreveu (*CL*). Antecipar o desastre, buscar a imperfeição, focar erros e insatisfações levam você a ver "através de um vidro escuro", a perder a visão mais clara e brilhante das coisas.

Aumentar a sua consciência sobre essa tendência torna mais fácil resistir à atração dos pensamentos sombrios. Você aprende a seguir a sequência da percepção em vez da ação e da realidade autocriadas; a atenção plena ajuda você a se tornar menos reativo, menos sujeito à tirania da mente. No *Dhammapada*, que Waldo conhecia bem, Buda descreveu essa lei de causalidade.

A mente é a precursora de todas as coisas.
Se alguém fala ou age com uma mente impura
O sofrimento decorre disso, como a roda que segue a pata do boi.

A mente é a precursora de todas as coisas.
Se alguém fala ou age com uma mente pura
A felicidade decorre disso, como a sombra que jamais vai embora.[6]

Nós estaríamos presos a nossas respostas condicionadas caso fôssemos privados da autoconsciência, sofreríamos uma lavagem cerebral por conta das nossas crenças e não teríamos consciência alguma da testemunha interna cuja perspectiva mais ampla é capaz de libertar a mente.

Como já mencionei nestas páginas, chegar ao ponto de conhecer essa consciência de testemunha é algo fundamental para a autossuficiência. Essa faculdade de testemunhar determinada coisa está associada à metacognição – em outras palavras, a capacidade do cérebro de pensar sobre os nossos pensamentos e sentimentos, de observar a nós mesmos de fora para dentro. O testemunho interno torna possível a dissipação das nossas ficções e nos engaja naquilo que Waldo chamou de "escuta humilde", o que nos sintoniza com a orientação interior. Quando interrompemos os nossos padrões habituais de pensamento, nosso cérebro é alterado automaticamente; na realidade, cada mudança na cognição altera o funcionamento do cérebro.[7] "A mente, expandida para uma nova ideia, jamais retorna à sua antiga dimensão", era o que teria dito Waldo. Os estoicos estavam atentos à neuroplasticidade, bem como ao funcionamento da testemunha interna. Nas palavras de Marco Aurélio: "As coisas em que você pensa determinam a qualidade da sua mente. E a sua alma assume a cor dos seus pensamentos".[8]

Esse testemunhar aponta você de volta para si mesmo como o árbitro da investigação verdadeira. E a verdade já existe em nossa mente, sugeriu Waldo, ela só precisa ser trazida à consciência. Escrever é uma ferramenta incomparável para isso. Colocar pensamentos e sentimentos rudimentares no papel muda o seu cérebro e ensina a viver.

Escreva

O diário de Waldo foi o companheiro mais próximo dele desde seus 14 anos. Ele chamava o "livro dos lugares-comuns" dele de *The Wide World* [O mundo vasto, em tradução livre], e isso lhe proporcionou o espaço privado para examinar sua paisagem interior, para explorar os mistérios do próprio ser. Waldo valorizava tanto essa prática que uma das primeiras perguntas que fez ao conhecer Henry David Thoreau foi: "Você mantém um diário?". Ele se inspirou no tão amado por ele Montaigne, cujas reflexões implacáveis no diário tornaram-se parte integrante dos seus clássicos *Essays* [Ensaios, em tradução livre]. Embora Waldo não tivesse a completa ausência de vergonha de Montaigne, disfunção erétil e hábitos de higiene íntima jamais fizeram parte de seu leme literário, pois aspirava a uma transparência comparável nas próprias revelações pessoais. Examinando o caráter dele sob tantos ângulos diferentes quanto possível e relatando com sinceridade aquilo que observava, procurou desvendar seu coração e sua mente nas páginas de *The Wide World*.

Escrever um diário é uma ferramenta catalítica e acessível na jornada da descoberta pessoal. Os benefícios abrangentes da escrita expressiva se revelam surpreendentes. Demonstrou-se que apenas quinze minutos por dia de escrita autodirigida reduzem significativamente o estresse, aumentam a função imunológica, diminuem a dor crônica, melhoram a inteligência emocional, diminuem a incidência da ansiedade e da depressão, além de acelerar até mesmo a cicatrização de feridas.[9] De acordo com James Pennebaker, psicólogo pioneiro no campo da escrita expressiva,[10] o ato de colocar em palavras a experiência interna é conhecido por aumentar os níveis de felicidade, reduzir o absenteísmo no trabalho, aumentar as médias das notas escolares, melhorar o desempenho esportivo e elevar as nossas habilidades sociais. Ao reservarmos um tempo para olhar para dentro de nós e expor o que está escondido ali dentro *para nós mesmos*, aliviamos a pressão da ruminação, abrimos caminho para mudanças positivas. Assim como desabafar para um amigo de confiança pode melhorar o seu humor quando você está se sentindo mal, exteriorizar uma turbulência oculta pode neutralizar o conflito e oferecer a distância emocional necessária para que o entendimento disso ocorra.

Eu descobri o poder de escrever um diário durante a minha infância, um período difícil da minha vida. Cresci em uma família na qual a violência e a perda sempre estiveram presentes, voltei-me para dentro de mim mesmo desde muito jovem em busca de consolo e orientação, coisas ausentes no meu entorno. A partir do quarto ano, comecei a despejar a minha confusão, a minha tristeza e a minha mágoa em um diário e descobri que, embora as condições externas pudessem não mudar, sempre me sentia melhor depois de escrever. Um mínimo de clareza substituía a confusão. Ao ser capaz de discernir as razões por trás dos meus sentimentos, pude entender como eles coloriam os meus pensamentos. Esse diário secreto se tornou o meu campo de testes, o meu refúgio, o único lugar em que as coisas indizíveis podem ser ditas. Pude recuar, ligar os pontos, resolver conflitos e até mesmo aprender com os meus erros. O registro no diário desperta o testemunho que auxilia você a encontrar o caminho de volta para casa quando está perdido.

Escrever também ajuda a encontrar significado naquele lugar em que não parecia existir nenhum. Os seres humanos são animais em busca de significado; sem um senso de propósito perdemos a direção, o vigor e a vontade de persistir. A nossa necessidade de encontrar sentido na vida é comparável aos impulsos por sexo, abrigo e segurança, pelo menos aparentemente.[11] Construímos significado ao criarmos histórias, incluindo a narrativa sobre aquilo que a nossa vida significa. Tornamo-nos mais interessantes *a nós mesmos* ao investir experiência com um valor mais profundo. A caneta ou o teclado se torna a luz do nosso espeleólogo, aquilo que nos guia por entre a caverna da nossa mente, iluminando tudo o que descobrimos. Uma das primeiras coisas que uma pessoa com hábito de manter um diário e que seja perceptiva nota, caso esteja de fato prestando atenção, é o fato de que esse alguém singular que ela chama de si mesma é elusivo, polifônico e ilusório. Em vez de um Mágico de Oz orquestrando a vida por trás da cortina da mente, ela encontra um composto mutável, impressões, memórias, expectativas, projeções, opiniões e até mitos, todos mascarados como um "eu" autônomo. Escrever a ajuda a penetrar nessa máscara em forma de narrativa e expor o Eu maior por trás dela.

Além da "História sobre mim"

Waldo ensinou que para além dos limites da personalidade também existe um Eu, uma presença espiritual que transcende tempo, lugar e biografia. Muitas vezes, essa inteligência metafísica excede os limites da percepção consciente de uma pessoa. Perceber que a personalidade que você assumiu como o seu Eu é uma fração da sua verdadeira identidade é um passo importante na direção da autossuficiência.

Waldo nos encoraja a abrir a cortina da narrativa e a nos familiarizar com esse "gigante" interior. Não devemos ser enganados por histórias que se mostrem autolimitantes a ponto de esquecermos a "infinitude do homem privado". Ao confundir o brechó da vida material com tudo aquilo que somos, esquecemos a nossa natureza essencial e a consciência tão ampla que nos contém. Esse erro universal atinge a parte essencial dos nossos males; nos vemos fascinados por oferendas superficiais, confundimos o ouropel das coisas com o ouro verdadeiro do autoconhecimento. A nossa confusão nos transforma em meros fingidores, devotos de uma cultura obcecada por imagens que lucra com a nossa ignorância. A onipresença da "síndrome do impostor", caracterizada por sentimentos de falsidade e vergonha, atesta essa confusão. Nas sociedades em que a existência da nossa identidade espiritual é negada, faz-se necessário um esforço concentrado e contínuo para nos libertarmos dessa lavagem cerebral.

Entender de que forma a auto-história se torna tão arraigada é algo bastante útil. Por volta dos 18 meses de idade, os bebês começam a se perceber como entidades separadas, sujeitos autônomos em um mundo composto de outros sujeitos, alguns dos quais cuidam enquanto outros se opõem a eles. Justamente por meio dessa suposta separação, a criança se torna consciente de si mesma de uma maneira diferente, levando ao que Albert Einstein descreveu como uma "ilusão de ótica da consciência".

E para nós essa ilusão é uma espécie de prisão, restringindo-nos aos nossos desejos e às nossas afeições pessoais por algumas pessoas mais próximas de nós...

[A criança] experimenta a si mesma, os próprios pensamentos e sentimentos, como algo que está separado do restante.[12]

À medida que a linguagem se desenvolve, a criança passa a compor histórias para descrever, materializar, o *eu* objetificado que ela considera ser o seu verdadeiro eu. A individualização continua com cada insistência de que a menina é *isso*, mas não *aquilo*. Com cada negação, outro limite imaginário é estabelecido entre o *eu* e o *não eu* dela; a criança fica ainda mais isolada, tropeçando ainda mais na direção da inautenticidade. Essa história serve para dar sentido à existência dela, ao mesmo tempo que divide sua identidade em facções opostas de bom e mau, um tabu permissível, seja um ou outro e nós-eles; o que oculta a integridade original dessa mesma criança. Esse processo de narrar, rotular e tornar as coisas binárias a ajuda a moldar uma versão de si mesma que provavelmente conquistará para ela amor e aceitação por parte dos outros (daí a formação da sombra psicológica), evitando a expulsão daquele grupo do qual faz parte. No instante em que ela atinge a idade adulta, essas histórias se solidificam em uma carapaça, tornando-se uma identidade fixa, que adere da mesma forma como tiras de gaze em uma boneca de papel machê, sólida por fora, mas oca por dentro; sempre ausente, nunca real por completo. E é dessa forma que as sementes da síndrome do impostor passam a ser plantadas.

Waldo sabia que as histórias que contamos para nós mesmos estão fadadas a endurecer (quando não são questionadas) até o ponto de virarem uma prisão egoísta. Ele também estava ciente de que a maioria das pessoas se importa pouco ou nada em rasgar os véus da ilusão pessoal a fim de revelar quem elas são além da própria história. Na *Matrix* da vida contemporânea, uma minoria escolhe a pílula vermelha da revelação em vez da azul da complacência. Mudanças inesperadas na vida, sobretudo as dolorosas, podem vir a ser uma bênção no caminho rumo à autossuficiência justamente por esse motivo. *Catástrofe* vem da palavra grega que significa "virar-se"; a crise torna mais difícil o ato de esconder a verdade e é dessa maneira que acelera o crescimento pessoal. Quando você perde as suas ficções tão queridas, é forçado a olhar para além da sua história padrão, tendo que se abrir a novas perspectivas e possibilidades para considerar o mundo com olhos sóbrios. A dificuldade é um trampolim para intensificar a autenticidade quando você a usa da forma correta. Ver a sua narrativa desmoronar diante dos próprios olhos prova o quão arbitrárias são as suas ficções pessoais. O impulso de autonarrar se destaca com relevância, mostrando como a sua mente cria histórias de um jeito reflexivo, assim como os pássaros cantam e as maçãs crescem em uma macieira. Você reconhece essas ficções como *ficções*, o que também lhe dá a liberdade de mudá-las.

Quando integra a sua identidade espiritual ao caráter que representa no mundo, você se percebe como alguém pessoal *e* transcendental. Você é único e inseparavelmente conectado a todos os seres sencientes deste planeta. Em outras palavras, como criaturas híbridas nós nunca podemos estar contidos em um eu que se mostre narrativo. Esse reconhecimento nos abre ao mistério inefável da nossa verdadeira identidade. Como Waldo explicou,

> aquele que é materialista... acredita que a vida dele é sólida, [que ele] sabe onde está e o que faz. Todavia, como é muito fácil mostrar a ele que também é um fantasma caminhando e trabalhando entre

outros fantasmas; que ele precisa apenas fazer uma ou duas perguntas além das suas perguntas diárias para assim descobrir que o [eu]
dele sólido está ficando cada vez mais obscuro e impalpável diante
dos próprios sentidos dele. (*T*)

Ao romper o teto do nosso senso de identidade fixo, ganhamos
acesso a uma visão mais ampla. Deixamos de nos identificar rigida-
mente com as nossas histórias, passamos a ser capazes de interpretar
diferentes caráteres do mundo com maior entusiasmo e imaginação,
sabendo que o nosso eu composto não nos define. Ficamos com muito
menos medo de perder o prestígio ou de sacrificar a nossa reputação.

Transcender as ficções permite que uma pessoa se veja como um ser
em constante evolução, um verbo em vez de um substantivo, um indivíduo que muda de forma em vez de uma personalidade de papel machê
coberta de histórias intratáveis. Embora dotada de uma quantidade de
vontade pessoal, ela percebe que está sujeita às leis universais e às forças
que estão além da sua conta. Embora possa parecer sólida a olho nu, uma
análise mais atenta revela que na realidade é fluida e está sob mudança
constante. Essa fluência muda a autoimagem dela e a forma como se
relaciona com a própria mente. Torna-se evidente que ela não controla
os pensamentos, ainda que a autoindagação possa com toda certeza es-
tabilizá-la na torrente mental.

Eu me lembro de uma epifania de três décadas atrás, durante o
meu primeiro retiro de meditação silenciosa. Eu já estava lutando com
os meus pensamentos por quase uma semana, brigando para controlar
a minha mente e fazer com que ela se concentrasse na respiração conforme o professor instruíra. Eu me sentia frenético, preso, desencoraja-
do e com raiva; só queria esquecer a meditação de uma vez por todas.
Até que, certa manhã, pulei a sessão antes do amanhecer e fugi para a
floresta onde ninguém me veria. Ao parar próximo de um riacho, ob-

servei a água deslizando sobre as rochas cobertas de musgo e espiralando em redemoinhos ao longo da costa. E ali, enquanto eu permanecia sentado em silêncio, a minha atenção se suavizou e pareceu ir embora, deixando-me em algum lugar além da minha mente, como se eu tivesse me sentado na margem da consciência. Os pensamentos distantes continuaram a fluir ao fundo, mas eu já não estava mais de pé na correnteza. Estava ciente daquela lacuna entre o pensar e o ser, sabendo que não estava gerando aqueles pensamentos; mas eram eles que estavam borbulhando vindos de algum outro lugar. Essa experiência me revelou duas coisas de forma bastante clara: que a mente pensante tem uma mente que é própria dela; e que não é necessário se afogar no dilúvio cognitivo. Esse intervalo tão breve me provou que as tentativas de controlar os nossos pensamentos estão condenadas ao fracasso. Contudo, podemos nos retirar do fluxo da mente e testemunhar a comoção dela de uma distância calma. Saber que você não cria os seus pensamentos ajuda a não os levar para o lado pessoal. Isso também afrouxa o seu controle sobre a história do eu, incluindo o controle sobre as suas opiniões tão queridas; faz de você alguém mais receptivo a novas ideias e oportunidades quando elas surgem.

Irracional e imprevisível

A incapacidade de controlar os nossos pensamentos é algo particularmente incompreensível, uma vez que os humanos são *rationis capax*, de vez em quando, capazes de se autoguiarem por meio da razão. Nós somos equipados de forma única para observar a nossa mente (e às vezes até mesmo tomar decisões sensatas), mas também somos impotentes sobre a nossa irracionalidade e a nossa imprevisibilidade inerentes. Quando se trata dos impulsos por trás do nosso comportamento, nunca estamos no banco do motorista. O psicólogo Jonathan Haidt compara esse dilema à luta de um *mahout* (razão) montado no elefante teimoso da emoção.[13] O *mahout* chuta e grita, mas não consegue forçar o grande paquiderme a ir para onde quer. O ego acha isso algo desmoralizante, no entanto as limitações da razão são uma dádiva de Deus. Imagine a rapidez com a qual um ego defensivo e movido pelo medo tiranizaria a mente caso a razão fosse onipotente; a rapidez sob a qual o nosso mundo interior se transformaria em uma ditadura completa, banindo pensamentos subversivos, apagando contradições, paradoxos e até nuances da psicologia humana. Dada a escolha, esse mesmo ego paranoico erradicaria tudo aquilo que ameaçasse a soberania dele e o *status quo*; não obstante, isso nos privaria da oportunidade de evoluir, de desafiar crenças, de resolver conflitos contínuos, de abandonar padrões ultrapassados ou inclusive de alimentar novas ideias.

Waldo estava ciente dos limites da razão e nos aconselhou a administrar a nossa mente da mesma forma que faríamos com crianças desobedientes, fornecendo orientação, limites e bom senso sem esmagar o nosso espírito no percurso. A tentativa de nos intimidar com a razão mata a receptividade e interfere na nossa inteligência superior. Embora não sejamos capazes de controlar os nossos pensamentos e sentimentos, podemos aprender a regular as nossas respostas, uma vez que o elefante da emoção nua e crua tenha passado por nós. Nós temos a capacidade de produzir um clima mental que seja aberto, igualitário e autoconsciente. Isso continua sendo o nosso ás psicológico na manga, ainda que não seja fácil de se conseguir. "Não é grande aquele que consegue alterar a matéria, mas aquele que pode alterar o meu estado de espírito", admitiu Waldo (*OAE*). Ele valorizava o equilíbrio mental e o frescor da perspectiva, além da maleabilidade necessária para que a metamorfose de fato ocorresse. "Existe prazer no ato de pensar que o tom particular da minha mente neste exato momento pode ser novo no universo", escreveu ele, e "que [eu posso] levar uma nova vida".[14]

Essa sabedoria estoica se tornou cada vez mais elusiva na era digital. A capacidade de pensar por nós mesmos, de exercitar a razão e de estabilizar o nosso ponto de vista contra esse dilúvio da tecnologia da informação é mais difícil e necessária do que nunca. Considere a nossa capacidade de foco como algo em queda livre. Um estudo de Harvard feito com duzentos e cinquenta mil indivíduos usando um aplicativo da web para iPhone mostrou que o tempo médio de atenção dos americanos encolheu a um nível catastrófico. Os sujeitos relataram gastar 46,9% de seu tempo pensando em algo diferente daquilo que estavam fazendo.[15] O conhecimento de que a ruminação arruína o bem-estar, a conexão entre déficit de atenção e infelicidade crescente se revela como algo óbvio. "Uma mente humana é uma mente errante; uma mente errante é uma mente infeliz", isso de acordo com o principal pesquisador do estudo.[16]

O cérebro recebe aproximadamente onze milhões de bits de informação por segundo, cuja maioria aparentemente é composta de pensamentos repetitivos que pouco têm a ver com o momento presente. Nessa nossa era impulsionada pela tecnologia, percorrer esse miasma de bytes de informações, memes e metadados se torna uma tarefa assustadora que sabota a nossa capacidade de prestar atenção. Os influenciadores culturais fazem fortunas manipulando as nossas emoções e nos distraindo com trivialidades. Muito antes do Snapchat, do TikTok e da "síndrome do objeto brilhante", estado de distração causado pela crença de que existe algo novo que vale a pena perseguir, Waldo alertou contra o ato de desperdiçar a nossa atenção com coisas desimportantes. Ele recomendou encontrar "uma hora bem gasta por dia" (*CDI*) para recuperar o nosso foco, sintonizar a consciência da testemunha que sabe mais do que nós. Ao nos afastarmos dessa multidão enlouquecida, abrimos espaço para que esse eu livre e desobediente navegue pelas influências de oposição com foco e integridade.

EM RESUMO

A perspectiva cria a sua realidade. A narração da mente interfere na visão clara. Essa voz que cria histórias cria uma ilusão de separação que deve ser vista para dessa forma estar presente por completo. Nós só alcançamos essa clareza por meio de uma variedade de métodos que envolvem a sua consciência testemunhal, seja registro em diário, meditação ou terapia, seja oração ou autoquestionamento. A autoindagação estimula a neuroplasticidade (capacidade do cérebro de se reprogramar por meio de prática) e ajuda você a escapar do aprisionamento dentro da história do "pequeno eu". A escrita expressiva é uma ferramenta particularmente poderosa para obter entendimento; ao colocar os seus pensamentos e sentimentos no papel, você exterioriza experiências rudimentares, aprofunda a objetividade e abre caminho para o surgimento de uma perspectiva de testemunha que é imparcial. Essa mesma testemunha, neutra e observadora, não é perturbada por contradições. Ela sabe que você é previsivelmente irracional, paradoxal, contraditório e inconsistente, mas não o julga por isso. A sua identidade autocriada, composta de opostos, representa apenas as partes de quem você é de fato.

Sobre não conformidade

Construa o seu mundo

"Ser você mesmo em um mundo que está constantemente tentando tornar você outra coisa é a maior conquista que se pode obter."

A sociedade não é sua amiga

Waldo era alérgico a autoridades em geral e estava convencido de que a sociedade não era algo digno de confiança. As sociedades conspiram contra o bem-estar dos seus cidadãos, minando a independência, provocando a decadência moral e promovendo "uma mediocridade suave e um contentamento esquálido" (*AS*). Quando os cidadãos resistem à própria soberania e ao mandato de pensar por si mesmos, eles se tornam peões em vez de agentes do próprio destino. Waldo nos exortou a rejeitar tamanha subjugação.

Portanto, deixe-nos… jogar na face dos costumes, do comércio e dos títulos o fato resultado de toda a história, o de que existe um grande Pensador e Ator responsável trabalhando onde quer que um homem esteja trabalhando. Logo, o maior ato de moralidade é ser um não conformista. (*AS*)

Este Pensador-Ator (a nossa testemunha interna) é capaz de tomar as próprias decisões e comandar as nossas condições de vida. Marco Aurélio concordava com essa postura. "Nada é tão propício ao crescimento espiritual quanto essa capacidade de análise lógica e precisa de tudo aquilo que nos acontece", escreveu ele.[1] Para muitos que preferem que lhes digam o que fazer, isso pode se revelar um fardo pesado, como reconheceu Waldo. "A maioria dos homens de todos os tempos, e até os heróis em determinados momentos eminentes, são imbecis, vítimas da gravidade, do costume e do medo", escreveu ele (*POD*). A conformidade nos transforma em presas da nossa cultura dominante, independentemente do quão corrupta essa cultura possa vir a ser. Somos instruídos a evitar os "incógnitos elegantes" dos grupos sociais, dos partidos e das seitas "projetados para salvar um homem da irritação do pensamento".[2] Waldo sustentava a premissa de que a humanidade, uma vez deixada por conta própria, acabará gravitando na direção do verdadeiro e dos bons; ele rejeitou o pessimismo de seus antepassados puritanos. A inconformidade estimula a genialidade natural de uma pessoa detentora de pensamento livre.

Henry Thoreau, amigo dele, era prova viva desse ditado. Henry era o protótipo de Waldo no que se trata do indivíduo livre e autossuficiente. Catorze anos mais novo do que Waldo e indiferente aos costumes da sociedade educada, Henry era um homem magro com olhos cinzentos melancólicos, tinha um nariz adunco e cabelo castanho que era uma bagunça desgrenhada. Solteiro convicto que compensava uma aparência inexpressiva ao assumir um comportamento indiferente e até brusco, Henry exibia um desdém geral pelas maneiras e pelos costumes da sociedade educada. Ao contrário de Waldo, não era autoconsciente e não se preocupava com o que as pessoas pensavam dele. Henry não tinha "uma partícula sequer de respeito pelas opiniões de qualquer homem ou mesmo grupo de homens, apenas prestava uma homenagem à própria verdade dele", como Waldo escreveu em seu diário.[3] "Thoreau me oferece em carne e osso... a minha ética. Ele é muito mais real e praticamente obedece mais a essa ética todos os dias do que eu."[4] A confiança inflexível de Henry na própria orientação e determinação de não se conformar ou imitar os outros deixava Waldo maravilhado e até com inveja. Ele "andava lado a lado com seus dias e [não sentia] vergonha", escreveu Waldo sobre o amigo, "afinal, ele não adiava a vida dele, simplesmente a vivia".[5]

Viva de uma vez por todas também era o mantra de Waldo, inspirando-se no amigo colega de quarto. "Conheça bem o seu osso; roa, enterre, desenterre e roa mais uma vez", escreveu Henry em uma carta escrita de Walden Pond,[6] onde construiu uma pequena cabana na propriedade de Waldo. Ainda que Henry fosse errático, desagradável e com frequência rude, ninguém jamais duvidou do caráter ou da sinceridade dele. "Às vezes, o céu pinta um personagem raro como alguém desajeitado e odioso, assim como a rebarba protege a fruta", conforme notou Waldo.[7] Henry era exatamente o homem que parecia ser, algo que nem sempre podia ser dito sobre Waldo, que por vezes era várias pessoas ao mesmo tempo, muitas das quais ele não gostava.

Henry o ensinou sobre a simplicidade. A conexão quase xamânica de Thoreau com a natureza e o conhecimento vasto sobre flora e fauna foram uma revelação para Waldo, um homem mais velho.

Meu bom amigo Henry Thoreau tornou mais esta tarde solitária em uma ensolarada com a simplicidade e as percepções claras dele. Quão engraçada é a simplicidade neste mundo tão fraudulento e charlatão.[8]

Thoreau também era presciente quanto àquilo que estava por vir na nossa cultura voltada para o exterior e tão obcecada pela mídia, na qual a confiança na aprovação externa por diversas vezes supera a busca interna por respostas. "Quanto mais a nossa vida interior falha, com mais constância e desespero vamos aos correios", escreveu Henry. "Você pode ter certeza de que o pobre sujeito que sai com o maior número de cartas nas mãos, orgulhoso da extensa correspondência dele, por muito tempo não tem ouvido falar sobre si mesmo."[9]

A procura por uma orientação interior fortalece o espírito. A autossuficiência depende da capacidade de dizer não sem oferecer quaisquer desculpas ou explicações. A ciência comportamental confirma a conexão entre a inconformidade e a autorrealização. Os inconformados tendem a ser mais felizes, mais fortes e até mesmo funcionam melhor do que aqueles que acompanham a multidão. Em um estudo que analisou as respostas biológicas à ameaça pessoal de dizer não à maioria das pessoas, os pesquisadores descobriram que, quando o objetivo era se *encaixar* com aqueles que poderiam discordar deles, as respostas cardiovasculares dos participantes eram consistentes com o estado de estar diante de uma *ameaça*: tremores, frequência cardíaca acelerada, níveis reduzidos de oxitocina. Já quando o objetivo dos sujeitos era *ser um indivíduo* em um grupo que poderia discordar deles, as respostas cardiovasculares eram consistentes com o *desafio*: fluxo sanguíneo melhorado, eficiência cardíaca, aumento da oxitocina. Em outras palavras: o bem-estar depende muito se a pessoa está sendo motivada pelo medo da não aceitação ou pelo desejo de defender as próprias crenças. "A experiência do desafio funciona mais ao se sentir revigorado do que sobrecarregado", escreveu um dos autores desse estudo. "É consistente com o ato de ver algo que se pode ganhar em vez de focar aquilo que pode ser perdido."[10]

Mesmo assim, a inconformidade tem um custo. Afinal, é mais difícil nadar contra a maré, mesmo quando isso pode trazer grandes benefícios. Em outro experimento focado na pressão de grupo, dados mostraram que, quando as pessoas foram encorajadas a concordar com informações incorretas, com a maioria e com respostas que sabiam estar erradas, surpreendentes 32% dos participantes cederam à pressão. O desejo humano de evitar o confronto torna a pressão dos colegas uma força ainda mais poderosa. Gostamos de pensar que ver é acreditar, no entanto as descobertas do estudo revelam que "ver é acreditar naquilo que o grupo diz que você deve acreditar".[11] Temos um impulso inato de manter as aparências e queremos que os outros nos vejam como seres bons, mesmo quando ser "ruim" é frequentemente a melhor opção. "Pessoas boas não devem obedecer muito bem às leis", alertou Waldo (*POL*). Isso é uma reminiscência de John Lewis, ativista dos direitos civis e congressista que pressionou outros ativistas a se meterem nas "boas encrencas". A desobediência é algo crucial em tempos de injustiça. Ao sermos assediados pela desigualdade racial, pela injustiça econômica e por uma miríade de males sociais vindos de escalas superiores, aprendemos que a inconformidade é essencial para manter a nossa integridade. Contudo, essa mesma integridade é um trabalho interno, não um desempenho a ser revelado para os outros.

Não seja uma pessoa bondosa demais

Um barbudo de trinta e poucos anos chamado Joe descobriu isso por si só. Joe era um engenheiro de TI bem-sucedido quando entendeu que escolhera a vida errada. "Eu me sentia preso e estava piorando", diz ele.[12] Ele estava sentado dentro do carro dele em Moab, Utah, explicando por que decidira abandonar uma carreira promissora e um estilo de vida burguês para se tornar um nômade em 2014. Ao se ver sessenta horas por semana em um trabalho que mal cobria as despesas de vida, notou que havia chegado a hora de se meter em problemas e se concentrar em seguir a felicidade.

"Primeiro, eu percorri do México ao Canadá pela rodovia Pacific Crest Trail. Era algo que eu queria fazer já havia algum tempo." Essa experiência mudou a vida dele e o levou a desistir do apartamento que tinha, alugar uma caixa postal e colocar o pé na estrada. Joe dirigiu pelos Estados Unidos no ano seguinte, em busca de espaços abertos que fossem amplos e de novos tipos de pessoas para além daqueles limites impostos por seu trabalho corporativo. Quebrar as regras e obedecer aos impulsos dele mudou Joe profundamente. "Há um ditado aqui que diz que caminhar vai arruinar sua vida da melhor forma possível", disse. "Eu descobri que é o meu caso."

Ao enfrentar as pessoas que o avisaram de que ele estava cometendo um erro, Joe começou a se sentir ao mesmo tempo "mais independente e mais conectado". Ao questionar o sonho americano – "primeiro o trabalho, depois a vida" –, ele ficou surpreso ao descobrir que sempre foi livre. "Acontece que realmente não existem regras sobre como uma pessoa deve viver", disse. "Eu queria *muito* mais ter excedente de tempo do que de dinheiro." Ele fez uma pausa a fim de digerir isso. "Acredite ou não, você não precisa pagar aluguel para ter um lugar para dormir." Joe hoje reveza entre acampar, cuidar de uma casa, morar no carro dele e passar o tempo em locais espetaculares como esse acampamento perto do parque nacional Arches.

E, ao longo de todo esse caminho, ele está se conhecendo melhor. "Tem sido mais fácil e até mais simples do que eu esperava. Mais versátil também." O estilo de vida nômade de Joe o forçou a "cair na real", reduzir as necessidades que tinha e a viver com mais honestidade, mais próximo da terra. "O que eu digo às pessoas que estão pensando em fazer isso é o seguinte: não tentem reproduzir a sua vida antiga quando estiverem na estrada." Este é um ponto crucial. "Você não pode colocar uma casa de três quartos em uma minivan. Permita que as coisas sejam novas. Confie que aquilo que você descobrirá aqui é diferente. As chances são de que isso será muito melhor."

Ser um inconformista significa abandonar essa nossa fixação em sermos vistos como um povo "bondoso". Em uma nação cristã, alimentada pelo mito de que todos nascemos pecadores, é uma tarefa difícil. Uma vez desmamados da doutrina tóxica de sermos criaturas caídas porque habitamos corpos de animais, somos condicionados a duvidar de nós mesmos. "Aquele que quer colher as palmas imortais não deve ser impedido de fazer isso em nome da bondade, mas sim explorar se isso é bondade", alertou Waldo (*AS*). Ele detestava a sinalização de virtude da forma como é conhecida hoje, sempre esteve atento às tentativas reflexivas da sociedade de manipular a consciência dos cidadãos. A cultura do cancelamento prospera nesse ciclo negativo. Ela presume o pior das pessoas, faz a misericórdia recuar, define os indivíduos pelos piores erros cometidos e promove um ideal de virtude que é insustentável, prejudicial até. Waldo teria achado hipócrita, até ridículo, o nosso hábito de posar por trás de fachadas justas e lançar granadas de vergonha na direção uns dos outros, como se fôssemos inocentes. O esforço para higienizar a imagem social de alguém é um anátema para a autoconfiança. "A sua bondade deve ter pelo menos alguma vantagem, senão ela não é bondade nenhuma", ele nos lembra (*AS*). Além disso, "um pouco de maldade é bom para ganhar músculos" (*POD*).

Demonstrações de propriedade não o tornam virtuoso. A forma como uma pessoa vive a sua experiência diária revela a verdade sobre o caráter dela. Waldo detestava a hipocrisia acima de qualquer coisa, principalmente a das pessoas "boas" que usam máscaras virtuosas em público enquanto são canalhas a portas fechadas. A benevolência iludida pela culpa social é algo prejudicial à nossa integridade. Ele citou o exemplo da caridade pública, reconhecendo as "mil sociedades do socorro" que surgiram em todo o país e advertiu quanto ao fato de que, se a caridade não começa no coração, ela é uma forma de suborno moral. "Embora eu confesse, com vergonha, que às vezes sucumbo e oferto o dólar, esse é um dólar perverso que logo terei a hombridade de reter", confessou (*AS*). Mas claro que Waldo não estava protestando contra a generosidade, e sim enfatizando um ponto sobre a fraude. A hipocrisia é perpetuada por conformistas que fazem o bem por motivos egoístas. Quando "os homens praticam o que se chama de boa ação, como exemplo de coragem ou mesmo de caridade da mesma forma como pagariam uma multa em expiação", eles traem a própria integridade com isso. "Não quero expiar, quero viver", insistia, rejeitando a necessidade de penitência. "A minha vida não é um eterno pedido de desculpas, mas uma vida" (*AS*).

Vale a pena se questionar com que frequência você se desculpa pelas escolhas que faz pela sua vida. Quanto tempo e energia são gastos se preocupando com a opinião dos outros? Você se rotula como uma pessoa pecadora, enquanto finge ser melhor do que realmente é? Essas são perguntas úteis a serem consideradas ao pensar sua abordagem sobre a bondade. Waldo acreditava que o excesso de consciência é um mau sinal para uma pessoa (como "ligar para frivolidades"). Ninguém gosta de alguém que ostenta demais. A adesão de Picayune a regras sem sentido e floreios de uma virtude pública não constituem retidão. Waldo insistia no fato de que falsas demonstrações de benevolência muitas vezes sinalizam que ofensas piores estão sendo encobertas por meio disso. A consciência autêntica é o resultado da localização da virtude interior.

De onde vem o seu poder? E de onde vem a minha autoridade? Da minha inconformidade. Eu nunca ouvi a lei do seu povo ou o que eles chamam de evangelho e perdi meu tempo. Sempre me conten-tei com a minha pobreza rural simples, eis então a doçura. (*CAR*)

A regra da maioria nunca deve substituir o seu senso inato de igual-dade e de justiça, sobretudo porque a realidade consensual é algo tão mu-tável e arbitrário, limitado pelo tempo, pelo lugar e pela cultura. Cabe ao indivíduo se manter inconformado quando a sociedade contradiz aquilo que ele sabe ser o correto. Em outras palavras, você primeiro deve confiar na sua experiência. "Nenhuma lei pode ser sagrada para mim que não seja a da minha natureza", explicou Waldo. "O único correto é aquele que vem da minha constituição; o único errado é o que é contra ela" (*AS*).

Ele aconselhava uma aceitação radical das escolhas que fazemos e um amplo espaço quando se trata de tolerar as nossas contradições. A inconsistência é uma virtude, não uma falha trágica; "uma consistên-cia tola não passa do duende das mentes pequenas", como ele escreveu (*AS*). Afinal, não existem linhas retas na natureza; a vida prossegue de forma gradual, por meio de caminhos misteriosos. "A viagem do melhor navio é um zigue-zague de cem amuras", lembra ele (*AS*). Os ritmos da natureza são contrapontísticos, sincopados, excêntricos; ela expande e contrai, sobe e desce; começa e pausa, o faz no exuberante processo natural de prosperar. É impossível subdividir a realidade em colunas que sejam organizadas da mesma forma como em uma planilha do Excel; a contradição está para sempre inserida na equação humana.

Eis aqui um ponto essencial. Nós não podemos responder com sabedoria às demandas de mudança da vida quando nos concentramos na consistência sobre a espontaneidade. Somos "previsivelmente irra-cionais" quanto ao nosso comportamento por razões cruciais (o incon-formismo e a irracionalidade estão ligados entre si).[13] Nas palavras de um filósofo, "Um macaco que sob qualquer circunstância conceba uma banana como o bem maior estará em desvantagem constante quando comparado a uma criatura capaz de avaliar a importância de uma banana dependendo das circunstâncias".[14] O mesmo se aplica à inconsistência humana. Ser previsível em excesso em um mundo que é imprevisível se revela uma desvantagem mortal; o hábito pode facilmente cegar uma pessoa às mudanças críticas no terreno. Waldo recomendava a rebeldia como contramedida para equilibrar esse modo de rebanho de se comportar, de se encaixar e de se repetir. A rebeldia é a juventude dentro de nós, a criança espiritual irrepreensível.

Seja uma pessoa jovem e impetuosa

As virtudes da juventude – a espontaneidade, a flexibilidade, a curiosidade, o bom senso, essa ânsia por novos começos – são preciosidades e devem ser protegidas como tal, ensinava Waldo. Os jovens têm muito mais probabilidade de *não* aceitarem um não como resposta porque alguém, em algum lugar, por motivos que podem ou não ser válidos, estabeleceu a lei para as gerações que viriam depois.

A criatividade, o que inclui a arte de se tornar você mesmo, requer uma vontade de se mexer *na direção* do desconhecido, em vez de se afastar dele. Sem forçar limites, sem impetuosidade e sem correr riscos ninguém consegue realizar o potencial que tem, nem concretizar as ideias originais que nascem em si. Waldo glorificava a fecundidade juvenil, ideal encontrado em todas as tradições espirituais. A criança mística vem sendo celebrada ao longo dos tempos como um arquétipo da liberdade e da eflorescência. Quando confiamos nessa parte não treinada de nós mesmos, amadurecemos espiritualmente; "a Criança é o pai do Ser Humano", como escreveu Wordsworth.[15] O eu-criança incorpora o crescimento evolutivo e a franqueza inocente que só as crianças possuem, antes que a curiosidade seja entorpecida pelo hábito, que a autenticidade seja apagada pela obediência. A juventude traz consigo abertura, vitalidade, fome de experiências; também gera uma receptividade ao mistério, à revelação. Em Mateus 18:3, Jesus explica aos seguidores a lição a seguir: "Em verdade vos digo que, se não mudardes e não vos tornardes como as crianças são, jamais entrareis no reino dos céus". A menos que retenhamos um pouco dessa inocência infantil e cultivemos aquilo que os budistas zen chamam de "mente de principiante", perderemos o contato com a nossa inteligência superior e com a verdade nativa de quem nós somos. Até que abandonemos essa máscara de sabe-tudo da idade adulta, não conseguiremos desfrutar da plenitude de apenas ser.

Waldo fixou a atenção dele no valor espiritual da juventude, em parte porque nunca o experimentou durante a infância. Há uma melancolia na escrita de Waldo em relação à juventude, principalmente sabendo o que sabemos sobre a seriedade dele quando ainda era menino, o fardo tão prematuro de responsabilidade que carregava. Esse desejo de impetuosidade também contribuiu para a estranha atração quase romântica por Henry. Waldo ansiava pela extroversão dos irmãos e colegas dele, a disposição espirituosa deles de ostentar as regras. "Esses cérebros fervilhantes, esses radicais admiráveis, esses adoradores antissociais, esses falastrões que falam sobre o sol e a lua", para ele, eram invejáveis (*T*). Ele acreditava que essa ausência de preocupação juvenil é necessária para que desabrochemos como adultos. "Quando o dever sussurra baixinho: 'Você tem que', o jovem responde: 'Eu posso'." Afinal, "a primavera florescerá apenas para os jovens". Ele escreveu que "a paixão reconstrói o mundo para os jovens" e "torna todas as coisas vivas, significativas" (*COR*).

A natureza nos instrui a sermos jovens, flexíveis, livres do passado.

Uma pessoa abandona os anos como uma cobra abandona a própria pele; em qualquer período da vida ela é sempre uma criança na floresta, uma juventude eterna. (*N*)

O entusiasmo infantil, palavra derivada do grego que significa "cheio de Deus", nos liga ao poder eletrizante e ingênuo de Eros, denominado *veriditas* por Hildegard de Bingen, mística alemã do século XIII. O contato com a força perene do universo revive o indivíduo, o ajuda a prosperar e afasta a inércia que aumenta com o passar da idade. Ao escolhermos a evolução em vez da submissão, mergulhamos no desenrolar do futuro, que se opõe à corrente tradicional. "O mundo odeia o fato de que a alma se torna, ela não é; pois essa premissa é algo que degrada o passado para sempre, que transforma todas as riquezas em pobreza", escreve Waldo (*AS*). A natureza contradiz a estagnação social com sua recusa extravagante de parar de evoluir; ela simplesmente não ficará paralisada no mesmo lugar. O verde da vida sempre apela para o futuro. Uma pessoa que aspira à autossuficiência (e à excelência) deve virar as costas para tudo o que está morto e se foi, deve resistir ao impulso de se apegar ao passado. Ela aprende a cultivar a juventude, a mobilidade, a alegria e o contentamento de estar viva. O poeta E. E. Cummings ecoou esse sentimento de uma forma linda:

> Você deve ser alegre e jovem acima de tudo. Pois se você é jovem, qualquer vida que usar se tornará você; e se você está feliz, o que quer que esteja vivo, você mesmo se tornará aquilo.[16]

Essa alegria alimenta a fonte da juventude, ela nos cura da necessidade de sermos "bondosos" e tira esse manto da vergonha dos nossos ombros. Com ela também abandonamos a necessidade de sermos populares ou de impressionarmos os outros com os nossos encantos extraordinários.

Deixe a popularidade para as bonecas

Nesta era de popularidade competitiva (quantas curtidas você conseguiu no Instagram hoje?), fica difícil resistir ao canto da sereia de insinuação nessa nossa campanha constante para fazer amigos e influenciar as pessoas. Os titãs da mídia social lucram com essa necessidade insaciável de atenção, adaptando os algoritmos para alimentar a fome por cliques, reações e emoticons de beijo. Muitos se parecem com adolescentes empoleirados nos teclados, esperando para descobrir se estão "in" ou "out" naquele dia, se estão sendo celebrados ou esquecidos.

Esse complexo industrial de popularidade exacerba a "falácia da insignificância" sobre a qual Colin Wilson escreveu há cerca de setenta e cinco anos; de acordo com ela, a pessoa média "foi condicionada pela sociedade a não ter autoconfiança na sua capacidade de realizar qualquer coisa que tenha um valor real".[17] Em um esforço para escapar dos sentimentos de inutilidade, essa mesma pessoa imita as estratégias dos outros para o sucesso, enquanto esconde aspectos de si mesma que podem ameaçar a aceitação em praça pública. Waldo teria ficado chocado com essa cultura imitadora que nos transformou em uma nação de *voyeurs* vorazes, que lutam de forma desesperada para acreditar que somos importantes. Waldo reconheceu esse perigo incipiente no próprio tempo em que viveu ("A maioria dos homens se sente como um mosquito no traseiro da sociedade", ele escreveu em algum lugar), mas dificilmente teria sido capaz de prever a destrutividade desse perigo na era da mídia social.

Quando a Apple anuncia o mais novo equipamento milagroso, os clientes acampam em massa na calçada das lojas físicas para garantir que não perderão nada. Esses símbolos de status visam aumentar a autoestima dos consumidores, no entanto, e na maioria das vezes, os deixam se sentindo mais carentes e menos confiantes do que antes. O escritor Andrew Harvey avalia esse jogo de trapaça com bastante clareza. "A cultura moderna se alimenta de uma ansiedade e de uma depressão que ela mesma nutre cuidadosamente com uma máquina de consumo que deve nos manter gananciosos, inseguros, tudo isso para a sobrevivência dela mesma", escreveu ele. Harvey compara as vítimas do consumismo a "pessoas rastejando por um deserto infinito, morrendo de sede; tudo o que essa cultura nos oferece em troca é um gole de água salgada desenvolvido para nos deixar com ainda mais sede".[18]

A inconformidade é uma arma poderosa contra tamanha manipulação. "A inveja é a ignorância, a imitação é o suicídio", escreveu Waldo (*AS*). Além disso, "deixe a popularidade para as bonecas" (*CTR*). Emburrecer-se para estar em sincronia com o menor denominador comum é uma má ideia. "Se você tentar ser algo que não é… vai acabar sendo um patético diletante", observou Epiteto na Atenas do século I.[19] A falta de vergonha, virtude essa subestimada na vida espiritual, é necessária para nos ajudar a rejeitar as convenções em favor da autoconfiança. Despojados da autoconsciência e do desejo de competir, beneficiamos a nossa vida espiritual à custa do ego arrogante. Ainda que a popularidade possa sofrer um golpe, nós nos livramos da necessidade de impressionar os outros.

Aprendemos muito com os exemplares espirituais da história, homens e mulheres desavergonhados (com frequência, representados como trapaceiros ou tolos), que saíram da matriz moral para então reivindicar a própria liberdade. Diógenes de Sinope, que antecedeu Epiteto por vários séculos, recusou-se a cobrir o corpo nu, exibindo de forma descarada as partes íntimas bem diante das pessoas e de Deus, enquanto residia em um barril em plena via pública. Diógenes foi um dos fundadores da escola cínica de filosofia, que celebrava a falta da vergonha (*avaioeia*) como uma forma de oposição ao *nomos* da sociedade: leis, costumes e convenções sociais que os cidadãos dão como coisas certas, mas que na realidade são arbitrárias.

A falta de vergonha de Waldo, ao contrário de Henry, estava escondida sob uma máscara de reserva americana. Na privacidade da mente dele, era um verdadeiro orgiasta da transgressão e do risco. "Quero quebrar todas as prisões", confessou em uma das passagens do diário dele, "[mas] eu ainda não conquistei a minha casa".[20] O mundo "chicoteia [um inconformista] com o desagrado dele" (*AS*), no entanto o impulso de agradar às pessoas precisa ser resistido. Um exemplo disso retirado da própria vida de Waldo surgiu depois do discurso incendiário que ele fez na Escola de Teologia de Harvard (sobre o qual falaremos mais tarde), quando ele não só não se arrependeu, como também ficou encantado por ter causado tamanho escândalo. "A mim parece muito claro que se eu viver os meus vizinhos devem esperar muito mais polêmicas, talvez mais difíceis de serem suportadas", ele se gabava. Ao rejeitar os apelos dos conselheiros de confiança dele, que "importunavam" Waldo com "as antigas e queridas doutrinas da Igreja e imploravam para que ele salvasse a alma imortal dele por meio da contrição", ele se manteve firme. "O que eu tenho a ver com a sacralidade das tradições, se eu viver com base no meu interior?"[21] O discurso incendiário que o impediu de entrar no campus de Harvard por décadas se revelou como a declaração espiritual de independência de Waldo. É possível permanecer você mesmo independentemente das influências externas, pelo menos é o que ele nos diz.

No mundo é fácil viver de acordo com a opinião do próprio mundo; já na solidão é fácil viver segundo a nossa opinião; contudo, a pessoa tida como grandiosa é aquela que no meio da multidão mantém a independência da solidão com uma doçura perfeita.[22]

Os franceses chamam essa qualidade de *je m'en foutisme*: recusa desavergonhada de se importar com o decoro. E felizmente essa qualidade pode ser ensinada; a pessoa mais convencional é capaz de aprender a desafiar as convenções e a seguir o que o coração dela dita como certo. Quando Joe, o nômade, rasgou o contrato de aluguel e ignorou o conselho dos colegas, ele estava exercitando o músculo do *je m'en foutisme*.

Quando Henry ultrapassou a propriedade social, como fazia com frequência, na maioria das vezes para horror daqueles que o conheciam, estava na realidade dando voz ao espírito desavergonhado dele. Devemos nos tornar conscientes quanto à nossa vergonha antes que consigamos transcendê-la, entretanto isso requer paciência, coragem e força. A vergonha destrutiva infecta e prejudica a nossa vida (ao contrário da saudável, que serve a um propósito social positivo, resultado de certo delito ou dano). Já o autoperdão é necessário para curar a vergonha tóxica e nos libertar da autoconsciência.

Até o dia da morte dele, Henry permaneceu sendo o modelo de Waldo de uma pessoa feliz por ser impopular. Depois que Henry morreu de tuberculose aos 44 anos, Waldo não media palavras ao elogiá-lo. Ele admitia que as virtudes de Henry "às vezes iam ao extremo" e que a "franqueza perigosa" dele lhe rendeu o apelido de "aquele terrível Thoreau". Waldo lembrou aos enlutados de Henry que o amigo

> não havia seguido nenhuma profissão; jamais se casara; morava sozinho; nunca havia ido à igreja; jamais votara na vida; ele se recusava a pagar um imposto sequer ao estado; não comia carne, não bebia vinho, nunca soubera qual era o gosto do tabaco. Ele não havia tido tentações contra as quais lutar, nenhum apetite voraz, nenhuma paixão, nenhum gosto por insignificâncias elegantes.[23]

Henry era consistentemente inconsistente e era dessa maneira que conseguia ser tão honesto. A personalidade dele era desafiadora, ao mesmo tempo que orgânica, tendo se desenvolvido a partir do caráter grosseiro que tinha. A natureza é complexa e multifacetada, propensa a extremos paradoxais, assim como os seres humanos. O paradoxo se difunde no nosso universo, por isso dominava os ensinamentos de Waldo.

EM RESUMO

Para ser livre, você precisa ser um inconformista. Este resiste ao desejo de ceder o poder que tem aos outros; recusa-se a sacrificar quem é por causa da popularidade. A sociedade não é sua amiga, porque o objetivo dela é proteger a própria existência. A sociedade é inimiga dos inconformistas. Logo, é crucial analisar por que e quando você é obediente, além de não adaptar a sua consciência a fim de se adequar à moda da época. Tentar ser bonzinho demais é um erro; porque essa é uma falsa virtude (incluindo aqui a sinalização de virtude em si), não ajuda ninguém. Você pode confiar na sua bondade inerente, que naturalmente estimula a generosidade para com os outros. Não existe nada pior do que um presunçoso hipócrita. Você não vai querer perder as suas qualidades infantis, a franqueza, a impetuosidade, a curiosidade, a teimosia, que tanto preservam a sua autenticidade. No caminho do atingimento dessa autossuficiência, a fome de atuar para obter a aprovação dos outros é prejudicial e torna-se mais viciante nestes nossos tempos de TikTok.

Sobre contradição

Tudo tem dois lados

"Há um defeito em tudo o que Deus criou."

Trabalhando com o paradoxo

Waldo aplicou a Terceira Lei do Movimento de Isaac Newton, a de que "para cada ação na natureza existe uma reação igual e oposta", ao universo da psicologia. Para cada qualidade ou traço que você possui, existe pelo menos um atributo oposto e igual, por isso é necessário acomodar ambos. Visto que as "nossas forças surgem das nossas fraquezas", a pessoa sábia precisa aprender a coexistir com as fraquezas dela. "Nenhum homem jamais teve um ponto de orgulho que não fosse prejudicial para ele, logo, nenhum ser humano jamais teve um defeito que não lhe fosse útil em algum lugar." Ser multifacetado não deve ser motivo de vergonha, "um ser humano grandioso está sempre disposto a ser pequeno" (*C*).

Justamente as qualidades às quais resistimos em nós mesmos podem ser cruciais para a nossa integridade. As contradições nos fazem entrar em contato com a realidade complexa e ao mesmo tempo são benéficas para o crescimento pessoal. "Enquanto ele se sentar na almofada das vantagens, ele vai dormir", observou Waldo sobre a pessoa média. "Quando ele for pressionado, atormentado, derrotado, então tem a chance de aprender alguma coisa" (*C*). Compreender esse paradoxo gera força e aceitar que "há um defeito em tudo o que Deus criou" (*C*) faz cair por terra as nossas tentativas de sermos seres monolíticos e colabora para que reconciliemos a nossa natureza dividida. A tensão dos opostos nos dá a espinha dorsal; reclamar sobre falhas e inconsistências é uma perda de tempo colossal. Muito melhor do que isso é descer do pedestal e aceitar as condições que nos foram oferecidas.

Quando uma ministra episcopal chamada Andrea Martin era uma criança em tratamento para Discrepância no Comprimento das Pernas [LLD na sigla em inglês], uma condição na qual um membro do corpo é mais comprido que o outro, a hora de dormir era a mais dolorosa do dia. "Eu ficava deitada ali até o amanhecer, sendo esmagada sob a agonia", Andrea me contou quando eu a visitei na reitoria em Connecticut, onde ela era a pastora júnior. Mal-humorada, autodepreciativa e extremamente inteligente (ela se formou na Escola de Teologia de Yale), Andrea é uma mulher pequena com cabelo curto e manca que passou por quinze complexas cirurgias quando ainda era menina, vivendo metade de cada ano presa dentro de um corpo pré-moldado de gesso. Foram incontáveis cirurgias excruciantes de alongamento de pernas e esses procedimentos geradores de dores profundas físicas e mentais continuaram até ela completar 21 anos.

"A dor emocional era pior do que a física", contou Andrea. "A minha mãe costumava dizer: 'Andrea, agora a sua luta exterior é muito difícil. Mas todo mundo tem desafios, dores e lutas que nem sempre são tão visíveis assim'", sabedoria essa que acabou a levando à vocação como sacerdotisa. "Existe uma enorme pressão sobre as pessoas para que tenham tudo sob controle, ou pelo menos pareçam ter, mesmo quando estão desmoronando por dentro", continuou ela. "O meu trabalho é olhar para além do exterior, para o coração e para a alma de alguém, sabendo que aquilo que está dentro pode ser muito diferente do que eles apresentam por fora."

Grande parte do trabalho clerical dela envolve ajudar os paroquianos a reconciliarem suas partes incompatíveis e reconhecerem como as fraquezas, os medos e os erros contribuem para a integridade singular de cada um. Andrea me explicou que a imaginação desempenha um papel fundamental nesse processo de cura. Para ilustrar isso, ela me contou sobre um amigo médico que era artista nas horas vagas e fazia esculturas únicas usando o lixo descartado do hospital onde trabalhava; usava velhos filmes de raios X, tubos intravenosos, gaze, moldes quebrados, provando com isso que nada precisa ser desperdiçado nesta vida tão imperfeita, não importa o quão inútil algo possa parecer. "Essa é uma ótima metáfora para a esperança e como Deus age em nosso favor", explicou Andrea. "É como a arte fundamental. Você pega todas as coisas ruins, dor, constrangimento, raiva, saudade, além daqueles momentos surpreendentes de graça, e os transforma em algo original, em algo único que então se torna a sua vida." Quando incorporamos as nossas partes quebradas e "colaboramos com esse espírito criativo e redentor, coisas incríveis podem acontecer", como ela bem sabe pela própria experiência dolorosa dela.

Em uma nação em que o perfeccionismo é passatempo cultural, encorajando-nos a nos mantermos em padrões impossíveis de serem atingidos, o paradoxo e a contradição quase não são vistos com tanta generosidade. A nossa dificuldade em tolerar a contradição está ligada a um viés cultural que é distinto. Em um estudo que comparou as atitudes americanas e as chinesas em relação à complexidade, os pesquisadores descobriram que os orientais têm maior capacidade de reconciliar os opostos que aparentam ser incompatíveis, porque a visão que eles têm da realidade é inerentemente paradoxal.[1] Segundo os autores do estudo, os americanos tendem a nutrir um pensamento binário e acham mais difícil tolerar a ambiguidade. "Os americanos querem descobrir qual lado está 'certo'", eles descobriram, falhando na tentativa de analisar o certo e o errado como avaliações culturais relativas. O viés oriental, por outro lado, é *dialético*, abordagem matizada que se esforça para preservar os elementos básicos de perspectivas que são opostas enquanto localiza um meio-termo disso. Já os americanos erram pelo lado da lógica; nas ciências sociais isso é chamado de modelo de *diferenciação*, o que significa uma orientação que polariza as perspectivas contraditórias em um esforço para determinar qual é a mais correta entre elas. Vemos um exemplo flagrante desse estilo binário de diferenciação no impasse de Washington que prejudica a nação, no qual o mandato de estar certo muitas vezes supera a obrigação cívica de servir o povo.

O viés asiático se revela mais sábio e eficaz em um mundo globalizado, cada vez mais diversificado, onde as condições mudam vinte e quatro horas por dia, sete dias por semana, onde os opostos sempre existirão. Em um nível individual, Waldo nos encoraja a aceitarmos os nossos eus dialéticos em prol da autenticidade. "Todo ser humano na vida precisa *agradecer* pelos defeitos que tem" (grifo meu), ele insiste nisso (*C*). Porém, isso é algo mais fácil de ser dito do que colocado em prática, claro. Como uma pessoa pode sentir gratidão por qualidades em si mesma que ela considera desagradáveis ou mesmo embaraçosas, atributos esses que lhe causam sofrimento e a fazem se sentir como se fosse uma estranha? Como é possível transformar defeitos em aliados, otimizar os nossos paradoxos e "transformar limões em limonadas", como afirma o ditado popular?

Eu mesmo fui confrontado por um enigma da mesma forma como um garoto solitário desesperado para se conectar à internet, no entanto, sem nenhuma das ferramentas padrão de atração. Tímido, desprivilegiado e desconfiado dos outros, eu acabei descobrindo que ao fazer perguntas, expressando interesse por pessoas que de outra forma me ignorariam, eu era capaz de atraí-las para mim e sentir que eu era necessário. Aprendi que as pessoas ansiavam por contar as histórias delas, caso alguém as ouvisse, então eu fazia o papel de um repórter mirim, incitando os outros a se revelarem, persuadindo vizinhos, conhecidos e os quase estranhos a revelarem os segredos deles para mim em particular. Essa estratégia funcionava surpreendentemente bem; eu nunca parecia ficar sem perguntas ou mesmo sem interesse em saber o que motivava as pessoas. Uma curiosidade nascida da alienação se tornou um verdadeiro trunfo mais tarde na minha carreira como jornalista, na qual me especializei em entrevistar as pessoas sobre assuntos difíceis; mais tarde como escritor de memórias, quando consegui fazer com que esse talento de interrogar muito bem se voltasse para mim mesmo. E por fim, essa necessidade de fazer perguntas, de descobrir a verdade por trás das máscaras sociais, levou-me a desenvolver um método de escrita que ajuda os outros a explorarem as próprias histórias secretas e a contar a verdade sobre quem de fato são.

Em outras palavras, uma qualidade neurótica e obsessiva que poderia muito bem ter me transformado no bêbado da cidade, incomodando estranhos no bar, no fim se tornou algo de valor na minha vida. Eu vi com meus próprios olhos como uma fraqueza pessoal dolorosa pode ser transformada em um trunfo, assim como Waldo ensinou.

Todo excesso causa um defeito; todo defeito gera um excesso. Todo doce tem seu azedo; todo mal é bom. Toda faculdade receptora de prazer tem uma penalidade igual para o abuso que comete. (*C*)

Em si mesmo, ele canalizara extrema introversão, a "possibilidade porco-espinho de contato", para a vocação de escritor, salvaguardando a distância emocional de que necessitava para observar a natureza humana com uma clareza espantosa, por meio de um afastamento filosófico. Waldo criou forças a partir de fraquezas ao longo de toda a vida; mesmo depois da morte de Ellen, mesmo nas profundezas de dor e da solidão que sentia, ele descobriu "a leveza e a liberdade" que também o animaram, como escreveu à tia Mary. A transformação *por meio* do paradoxo é algo possível quando você utiliza o poder da compensação.

O outro, na realidade, é você

No nosso mundo polarizado, o paradoxo revela que além da binaridade do nós *versus* eles existe uma terceira possibilidade (a autotranscendência) capaz de neutralizar a oposição irreconciliável. Waldo alertava para o fato de que a superidentificação com os grupos e as opiniões deles só leva à ignorância e ao conflito contínuos. Quando grupos internos são formados, os externos são criados automaticamente; os tambores de guerra tribais começam a bater e ninguém escapa sem se sujar de sangue. O teólogo judeu Martin Buber descreve esse dilema da seguinte forma: "Com as palavras nós *versus* eles, o mundo se dividiu em dois, [entre] os filhos da luz e os das trevas, as ovelhas e os bodes, os eleitos e os condenados".[2]

Durante grande parte da história humana, era melhor presumir o pior vindo de estranhos e de grupos externos. A "alteração" social ajudou a nossa espécie a sobreviver, por isso o tribalismo é tão profundamente atraente. Todavia, o narcisismo do grupo e o autofavoritismo há muito tempo duram mais do que a utilidade que têm. O "nós contra eles" é o nosso albatroz ético mais esmagador em um mundo que é nuclear. A noção de que os outros são menos merecedores de tudo do que nós mesmos, apenas porque *eles não são nós*, é um artifício que precisa ser descartado. Contudo, a nossa tendência ao "outro" também tem um lado positivo paradoxal: a criação de inimigos tornou a cooperação entre grupos uma atitude obrigatória caso os humanos quisessem sobreviver enquanto espécie. A nossa beligerância sempre exigiu inteligência social, exigiu a invenção da ética e da moralidade. Como o primatologista Frans de Waal bem coloca, "a conquista mais nobre da humanidade, a moralidade, possui laços evolutivos com o nosso comportamento mais básico... a guerra. O senso de comunidade exigido pelo primeiro foi fornecido pelo segundo".[3]

Seja como for, a lealdade ao grupo é uma faca de dois gumes, as opiniões de Waldo sobre a desobediência civil surgiram justamente da consciência disso. Jurar lealdade a sistemas sociais corruptos é por si só corromper, como já mencionado nestas páginas, tornando necessário desafiar as demandas da sociedade e as colocar na balança a fim de serem pesadas com os valores individuais. A autossuficiência exige que equilibremos a obediência cívica com a virtude privada, o decoro público com a consciência pessoal. Os papéis desempenhados na sociedade exigem atitudes de equilíbrio que por diversas vezes parecem antitéticos. Essa "dupla consciência", como Waldo a descreveu, o desempenhar de diferentes papéis em diferentes situações, a depender das demandas do momento, é exigente, complicado. Como criaturas sociais nós somos chamados todos os dias a alterar as nossas posturas, os nossos estilos e as nossas inflexões para assim refletir as mudanças ocorridas nas circunstâncias.

> Um homem deve cavalgar de maneira alternada o cavalo da sua natureza privada e da sua natureza pública, da mesma forma como os cavaleiros de um circo se lançam com agilidade de cavalo em cavalo, ou mesmo plantam um pé no lombo de um e o outro pé no lombo de outro. (*F*)

A habilidade de se metamorfosear se faz necessária e não é algo problemático, desde que saibamos que isso está acontecendo. O perigo só surge quando confundimos o ato com o acrobata. No momento em que desempenhamos os nossos papéis de modo intencional, conscientes de que estamos adotando diferentes papéis para cumprir responsabilidades alternadas, esse número circense se torna menos desorientador. A lealdade ao grupo distorce a autoimagem, contudo, ela deve ser reconhecida para que possamos nos autocorrigir. Quando você está protegido pela bandeira de um ou outro grupo, fica mais fácil ser grandioso, inflar a sua identidade conforme o status do seu time. O narcisismo de grupo afirma que, caso o seu grupo seja maravilhoso, como consequência você deve ser maravilhoso por ser um membro dele. Embora poucos de nós se sintam à vontade para afirmar algo como: "Eu sou o maioral!" é perfeitamente normal gritar sobre a supremacia da sua religião, por exemplo, ou proclamar que os Estados Unidos é o melhor país do mundo. Isso faz de você um patriota, não um sociopata.

O psicólogo Erich Fromm, que sabe muito sobre sociopatia enquanto refugiado judeu do Terceiro Reich de Hitler, explica isso. "Um indivíduo, a menos que ele esteja mentalmente muito doente, pode ter pelo menos algumas dúvidas sobre a imagem narcísica pessoal dele. Já o membro de um grupo não tem nenhuma, uma vez que o narcisismo é compartilhado pela maioria ali", escreveu.[4] Dividido em campos opostos, "o outro" passa a não ser mais visto como uma pessoa inteira. Tamanho estereótipo justifica a violência e torna a criação de inimigos algo inevitável. Algumas semanas depois dos ataques do 11 de setembro, eu entrevistei o mestre espiritual Eckhart Tolle, que explicou esse processo de uma forma bastante incisiva. "Quando as pessoas se tornam conceitos, fica possível tratá-las da maneira que bem quisermos", disse Eckhart, sentado do lado de fora da cabana onde morava no interior do estado de Nova York. "É o rótulo, o conceito em si, que é a causa." Ele parou por um minuto, olhando para as copas das árvores que nos cercavam. "É assim que essas atrocidades são possíveis entre nós, seres humanos."

Na época de Waldo, a abominação à escravidão exemplificava essa desumanidade em uma escala chocante. Ele não sentia nada além de desprezo por essa instituição.

Não vejo como uma comunidade bárbara é capaz de constituir um Estado. Acredito que devemos nos livrar da escravidão ou então nos livrar da liberdade. *(CPC)*

W. E. B. Du Bois, historiador social e ativista, adotou a ideia de Waldo sobre a dupla consciência para descrever a experiência afro-americana. "É uma sensação peculiar, uma dupla consciência", escreveu Du Bois, "essa de sempre olhar para si mesmo através dos olhos dos outros, de medir a própria alma usando a régua de um mundo que olha com desprezo ou inveja em forma de diversão".[5] Embora seja impreciso comparar o sentimento de alienação de uma pessoa nascida livre com o de pessoas escravizadas, determinados paralelos psicológicos não podem ser negados. Quem entre nós nunca se sentiu preso, confinado por um papel a ser interpretado ou uma persona inadequados? Quem nunca foi condescendido por pessoas que nos consideram inferiores ou deixam de nos enxergar por quem somos e nos oferecer aquilo que nos é devido? É raro o indivíduo que nunca, em algum contexto ou outro, fosse ele profissional, romântico, intelectual, econômico, racial, sexual ou religioso, sentiu-se como um cidadão de segunda classe ou mesmo foi pressionado a acomodar em si os desejos da maioria. Quase todo mundo sabe como é ser diferente, como é ser rejeitado por quem somos, como é ser forçado a encolher para caber dentro de nichos sociais, ser submetido a microagressões mesmo quando expressas maquiadas de humor. Aparentemente, existe uma única piada universal: a do "nós e eles", conhecida como piada polonesa. "Os flamengos contam piadas valonas", como escreve um pesquisador, "os ingleses piadas irlandesas, os hutus piadas tutsis e o povo de Tóquio conta piadas sobre o de Osaka".[6] Não importa quem você seja, o que você possua ou quanto poder você detenha, chegará um momento em que o outro será você. É só então que você aprende a ter compaixão e a arte estoica de transformar os desafios a seu favor.

Vire o obstáculo de cabeça para baixo

Marco Aurélio escreve em *Meditações* que "a natureza pega cada obstáculo, cada impedimento e o contorna, o transforma em prol do próprio propósito, incorporando-o a si mesma". Como parte da natureza, nós temos a capacidade de imitar esse processo, transformando contratempos em oportunidades de evolução. E ele ainda continua:

> O nosso poder interior, quando obedece à natureza... transforma os obstáculos em combustível. Aquilo que é jogado sobre o fogo é absorvido, consumido por ele, fazendo com que as chamas subam ainda mais altas... o impedimento à ação faz a ação avançar. O que está no seu caminho se torna o caminho.[7]

Essa reversão requer um pensamento crítico, além de imaginação. A capacidade de obter um pensamento abstrato nos permite imaginar resultados e estratégias alternativas uma vez que somos confrontados com condições adversas. A disposição de mudar a nossa perspectiva determina se a adversidade será vista como inimiga ou como potencial aliada. Quando as dificuldades são percebidas como momentos de aprendizado, quando a nossa resistência reflexiva à adversidade é questionada, nós deixamos de ser vítimas das circunstâncias. Em vez disso, nos tornamos alquimistas emocionais com a capacidade de transformar materiais escuros no ouro do entendimento.

Use um exemplo comum para compreender tal coisa. Você está em um jantar durante alguma comemoração quando seu tio menos favorito começa a vomitar as opiniões políticas onerosas dele, apontando-as para você (o liberal volátil da família) em particular. A cada citação absurda que ele faz sobre "notícias falsas", a cada teoria da conspiração ridícula, sua pressão arterial aumenta de modo contínuo. Se você estivesse a sós com esse ignorante, responderia ao absurdo fanático e isento de fatos dito por ele, no entanto, todos os olhos na mesa estão voltados para você. Se morder essa isca e então retaliar, o que você adoraria fazer, o restante do jantar em família provavelmente será arruinado. Os ânimos se exaltarão e com isso o bom humor presente vai se esvair por completo. Contudo, em vez de contra-atacar, você se lembra das suas lições estoicas e começa a virar esse obstáculo de cabeça para baixo, a fim de navegar por esse contratempo de forma cuidadosa. Você se pergunta: como eu posso neutralizar esse momento tão volátil sem jogar uma molheira na cabeça dele? A resposta: focar o bem maior. Cercado por seus familiares queridos, você contempla o quanto a sua afeição por eles supera o seu desgosto por esse ser tolo e encrenqueiro. Logo, você percebe que a melhor forma de demonstrar esse amor é exercitar a paciência e o autocontrole, ignorar esse quase tambor de guerra do conflito político e seguir o caminho certo. Enquanto o seu tio tagarela se mantém comprometido com as opiniões malucas dele, você toma o cuidado para evitar contato visual e avança devagar em direção à sobremesa. Quanto menos raiva você demonstrar, mais rapidamente o discurso violento e mordaz dele vai desaparecer. Eis mais um desastre em família evitado com sucesso. Você percebe a gratidão e o respeito da família para com você, sente-se com mais força, mais seguro de si por ter seguido a sua orientação interna.

"A vida se reveste de condições inevitáveis, das quais os insensatos procuram se esquivar", aconselhou Waldo. "Sempre existe essa circunstância vingativa nos atacando de um jeito desprevenido" (*C*). Mas felizmente nós não somos impotentes contra a oposição, sabemos que podemos escolher as nossas respostas. Bernardo de Clairvaux, santo de Borgonha no século XI, expressava-se da seguinte maneira: "Nada pode me prejudicar exceto eu mesmo. O mal que eu sofro, que carrego comigo, é culpa minha e eu só sou um verdadeiro sofredor quando causo o meu sofrimento".[8] A escolha determina o resultado, e mais uma vez, mesmo as condições mais desprezíveis têm a capacidade de levar a um entendimento e uma sabedoria surpreendentes.

Para escolher dessa forma tão consciente, é preciso que se faça uma pausa, é necessário se afastar dos seus sentimentos, avaliar a situação com clareza, verificar o que isso significa para você, analisar as próprias suposições, quais dos meus pensamentos são confiáveis, quais deles não são, e assim imaginar o caminho ideal a ser seguido. De que forma você pode resolver o conflito em questão com objetividade, humildade, experiência e humor? Como você pode vir a ser capaz de virar esse desafio de cabeça para baixo a fim de revelar as soluções imprevistas e que ao mesmo tempo são inesperadas? Lembrar dessa soberania em relação às suas respostas liberta você da mera reatividade. Você aprende a modular as suas reações instintivas, a evitar os danos que elas podem causar.

Carne e espírito

Nenhum desafio é mais paradoxal do que desemaranhar os nós dos nossos impulsos biológicos, emocionais e espirituais. Muitas vezes a nossa mente rejeita aquilo que o nosso coração mais deseja, aquilo que o nosso corpo deseja pode ser um anátema para a consciência. Somos ornitorrincos éticos, enigmas vivos equipados com partes incompatíveis e diferenças irreconciliáveis. A sabedoria é encontrada no caminho do meio, o chamado meio-termo áureo, navegando nas nossas faculdades díspares com apreciação plena quanto aos respectivos valores dela. Entretanto, como é possível harmonizar os nossos tons discordantes? É possível que criemos uma composição original com a capacidade de refletir de forma verdadeira quem somos? Ou estamos fadados a estar em constante conflito, divididos entre os desejos antagônicos que disputam a supremacia? Essa dança complexa entre a carne e o espírito era algo que confundia Waldo tanto quanto confunde o resto de nós.

Na vida pessoal dele, Waldo era uma verdadeira obra aberta quando se tratava de questões de liberdade carnal. Ainda que rejeitasse a ortodoxia cristã negativa em relação ao corpo típica do período em que ele vivia, nunca conseguiu silenciar por completo a voz calvinista da tia Mary, que o alertava sobre o fato de que o corpo era a fonte de todo e qualquer mal. De acordo com as escrituras, aquele que meramente imagina o pecado carnal já é culpado por esse pecado como se o tivesse cometido. Quando Waldo, aos 18 anos de idade, confessou ter "um apetite desagradável que não vou saciar" no diário dele, com toda certeza acreditava que a masturbação era a mão do diabo indo a lugares em que não deveria.[9] Contudo, ele não podia negar a natureza romântica e apaixonada inerente a si, fosse fazendo rapsódia sobre os encantos das mulheres ou sonhando com algum menino da escola. Um colega de classe de Harvard, chamado Martin Gay, pareceu ter causado uma impressão especial nele. "Começo a acreditar na doutrina indiana da fascinação visual", escreveu Waldo em determinada passagem do diário dele.

O olho azul frio de [M] o conectou de uma forma tão íntima aos meus pensamentos e às minhas visões que não só uma dúzia de vezes por dia, como muitas vezes à noite, eu me encontro completamente envolvido em conjecturas sobre o caráter e inclinações dele. Já trocamos dois ou três longos olhares profundos. Seja ele alguém sábio, fraco ou supersticioso, preciso conhecê-lo.[10]

Não sabemos nada sobre o que se passou entre Waldo e Martin. O que podemos saber com certeza é o fato de que Waldo desenvolveu ao longo da vida dele o hábito, bastante comum entre quem é sexualmente reprimido, de dourar a pílula do desejo sexual com ideais luminosos. Ele resistiu à carnalidade por si só e compartilhava da tendência estoica de olhar para questões eróticas com ceticismo. Quem pode esquecer o conselho um tanto peculiar de Marco Aurélio para não se prender ao prazer sensual?

Como é bom quando você tem carne assada para comer... bem diante de você... para impressionar a sua mente, eis aqui o cadáver de um peixe... um pássaro ou mesmo um porco... e seu manto de bordas roxas é o cabelo da ovelha embebido em sangue de marisco! Já a relação sexual não passa de mera função de uma membrana e um jato de muco ejetado.[11]

Quando Walt Whitman ainda era um poeta desconhecido, pediu conselhos a Waldo sobre como transformar o primeiro livro dele, *Folhas de relva*, em um sucesso comercial depois de a obra ter obtido uma recepção inicial bastante morna. Waldo o encorajou a apagar as seções "Filhos de Adão", que eram homoeróticas e extraordinariamente gráficas, isso se ele esperasse apaziguar os ânimos dos críticos (Whitman recusou seguir tal sugestão). Descontrolado como estava no quarto recluso da imaginação dele, Waldo era bem apresentável na vida real. O idealismo romântico o levou a acreditar que o sexo sem alma é vazio e triste, que a cópula por si só não passa de uma busca inferior. Apenas quando Eros está casado com o amor, ele é capaz de cumprir o propósito divino dele, pelo menos era nisso que ele acreditava. Deixado à própria sorte, o corpo em busca de emoções só leva ao desastre. Porém, quando o sexo se torna um canal para o coração, ele então ganha uma riqueza de significado. O ato animalesco se torna um símbolo pungente de união quando inclui as nossas faculdades "superiores".

Sobre o tema em relação a gênero e papéis sexuais, no entanto, ele estava muito à frente do tempo em que vivia. "Hermafrodita é... o símbolo da alma terminada", escreveu ele.[12] Waldo sabia que a anatomia sozinha não era capaz de determinar a identidade de um indivíduo; tanto a feminilidade quanto a masculinidade coexistem em todos nós. Um homem sem consciência da natureza feminina que possui é tão incompleto quanto uma mulher não familiarizada com os traços masculinos que possui em si. Ele escreveu o seguinte: "As melhores pessoas se casam com os dois sexos presentes em si mesmas", na vida ele gravitava em torno dos rebeldes contra os papéis de gênero convencionais.[13] A amizade apaixonada dele com Margaret Fuller foi um exemplo notável disso e será explorada em detalhes mais adiante. Margaret foi criada por um pai que lhe dera as vantagens por tradição reservadas apenas aos homens. Ela foi a primeira mulher a entrar na Biblioteca de Harvard (mesmo não podendo se matricular como estudante). "Não existe homem completamente masculino [nem] mulher que seja puramente feminina", concordou Margaret.[14] Ela trouxe à tona esse feminismo radical para a amizade dos dois. A presença livre de Margaret emocionava Waldo quando ele mesmo não se deixava abater pelos avanços dela. A amizade deles era em suma um casamento de opostos que refletia a duplicidade que ambos compartilhavam entre si.

Embora a transexualidade fosse um conceito desconhecido para ele, parece ser provável que Waldo teria defendido o direito dos indivíduos de descobrirem o gênero por conta própria. Ele estava ciente de que a interação entre carne e espírito é pessoal, paradoxal, e que as categorias se sobrepõem na natureza. Kate Bornstein, ativista e autora de *Gender Outlaw* [Gênero fora da lei, em tradução livre], coloca desta forma: "As definições têm tanta utilidade quanto os sinais de trânsito facilitam uma viagem: elas apontam as direções. Porém, você não chega no destino quando fica parado embaixo de algum desses sinais, esperando que ele lhe diga o que fazer".[15] Ao permitir que as nossas partes díspares surjam, permitindo assim que a duplicidade seja o que ela é, nós passamos a desfrutar com isso de um senso de totalidade integrado, polifônico e confortável com o paradoxo. Questionamos as tentativas indiscriminadas de reduzir os indivíduos a rótulos, a papéis a serem desempenhados. Como Andrea Martin, a pastora com deficiência na perna, me disse o seguinte: "O próprio espírito rompe o corpo e cria uma história para si". Nós ganhamos confiança e resiliência nessa expansão ao rejeitar o viés do pensamento binário.

EM RESUMO

Nós somos indivíduos híbridos, bilaterais, repletos de inúmeras dimensões e múltiplos desejos, muitos desses contraditórios. O paradoxo está entretecido na nossa natureza e no próprio tecido da vida em si. Todavia, o paradoxo não é um problema. A nossa resistência ao paradoxo causa sofrimento. No momento em que você adota uma maneira dialética de ver, da forma como é favorecido nas culturas orientais, a oposição sendo simplesmente aquilo que ela é, nem boa nem ruim, abre caminho para todas as partes tortas dela. Waldo nos lembra do fato de que somos espaçosos (na realidade, uma infinitude), com espaço de sobra para facções em guerra, para vicissitudes. Ao entrar nesse reino não dual, você deixa de ser ameaçado por sua estranheza; você reconhece o fato de que o outro é, na realidade, você. Essa consciência torna você maior, não menor; essa tensão "nós contra eles" começa a esmorecer. Você aprende a não projetar a sua sombra nos outros, em vez disso, assume a responsabilidade por si mesmo com todas as suas imperfeições. Você se dá conta de que para cada fraqueza existe também uma força; de que toda escuridão contém alguma luz; e de que cada situação com a qual você se depara, por mais desafiadora que ela seja, tem um potencial de crescimento. Você aprende a virar o obstáculo de cabeça para baixo, mudando com isso a forma como vê as coisas, à qual está apegado, usando então a sua imaginação e fazendo novas escolhas por meio disso. Esse holismo se estende à carne, ao espírito e à separação imaginária entre as suas partes físicas e metafísicas, indivisíveis. Perceber a unicidade da experiência cura o sofrimento da separação, bem como o julgamento que sentimos em relação às nossas contradições.

Sobre resiliência

Sem autoconfiança, o universo fica contra você

*"Quando você finalmente toma uma decisão,
o universo conspira para que ela aconteça."*

O custo de viver

Nós subestimamos o impacto da confiança na nossa capacidade de florescer. A *autoconfiança* deriva da mesma raiz latina da *fé* e se baseia em ter confiança em nós mesmos e na nossa disposição de defender as nossas decisões. A confiança também é a chave para a resiliência, além da nossa capacidade de manter o curso escolhido durante os altos e baixos da vida.

A autoconfiança também tem um custo humilhante. Até que você faça as pazes com os seus desvios, as suas decepções e os seus retrocessos, você não pode se ancorar espiritualmente. A verdade fortalece mais do que bons clichês, porém, de modo simultâneo protegem seu ego enquanto preparam você para uma possível queda. A veracidade nos cinge em tempos de desafio, não há possibilidade nenhuma de evolução sem fracasso, ensinou Waldo. O crescimento é gradual, incremental, marcado por passagens de progresso quase invisíveis pontuadas por saltos súbitos para a frente. Sem humildade, falta a nós a paciência necessária para construir resiliência. Waldo notou de que forma a grandiosidade diminuía a confiança dos colegas dele e decidiu diminuir as expectativas que ele tinha em relação a eles. "Eu sou grato pelas pequenas misericórdias", admitiu.

"[Aquele] que espera tudo do universo… fica desapontado quando alguma coisa é menos do que a melhor", enquanto aquele dotado de objetivos mais realistas está sempre "cheio de gratidão pelos bens moderados" (*E*). A gratidão por tudo o que recebemos nos impede de nos vermos caídos no arrependimento. A confiança jamais tem o auxílio do foco naquilo que não temos ou mesmo pelo apego ao passado. Apenas ao se fundamentar *no que de fato é*, você aprofunda a sua resiliência e a sua autoconfiança. "Chegar ao fim da situação, encontrar o destino da jornada em cada passo dado na estrada, viver a maior quantidade de bons momentos, isso é sabedoria", escreveu Waldo (*E*). A autossuficiência é aprendida quando se está presente por completo.

Quando estive em Chicago, conheci uma jovem chamada Adisa Krupalija, modelo de percepção do que significa o momento presente. Emigrante da ex-Iugoslávia, Adisa escapou das Guerras dos Bálcãs com a família depois de passar semanas escondida em um porão. Até que por fim, os Krupalija foram levados de avião até um campo de refugiados paquistanês, antes de receberem asilo dos Estados Unidos. Atualmente, Adisa tem uma carreira próspera como advogada e diz ser grata pelo que a guerra lhe ofereceu, apesar da necessidade de deixar o país natal.

"E como você fez isso?", perguntei a ela.

Adisa sorriu e tomou um gole do café expresso diante de si. "Eu sempre fui independente", respondeu ela. "Não importava o que acontecesse, sempre tentei me concentrar naquilo que eu poderia aprender com qualquer situação. Mesmo no acampamento, eu pensava como aquilo poderia me melhorar enquanto pessoa. Muitas pessoas estavam desanimadas, olhando para tudo o que haviam perdido, mas tudo que eu conseguia pensar era: nossa, eu vou poder aprender inglês! Agora eu vou conseguir ver o mundo fora da minha pequena cidade."

Eu a estudei em busca de sinais de autoengano, de uma espécie de branqueamento feito pela cultura estadunidense, mas Adisa parecia estar dizendo a verdade. "Sabe, quando você passa por algo desse tipo, uma parte de você muda para sempre."

"E que parte seria essa?"

"A parte de mim que se recusou a se conformar. Isso em mim nunca foi como em outras pessoas. A parte que está sempre me forçando para ser diferente, a seguir o caminho mais difícil. A me desafiar a ser mais forte."

"Isso soa como pressão demais para alguém da sua idade."

Adisa admite que isso acaba sendo cansativo. "Mas no fim acaba ajudando muito. Isso me dá tenacidade; uma tolerância alta a mais para não só mudanças como tempos difíceis."

Sacudida para fora da zona de conforto dela, Adisa percebeu o quão maleável de fato era. Além disso, essa vida funciona em ciclos. O fracasso e a perda desencadeiam ambos novos inícios. Como o próprio Waldo escreve: "A nossa vida é um aprendizado para a verdade de que em torno de cada círculo outro pode ser traçado". Não existe "final na natureza, mas todo fim é um começo". A nossa vida também é circular e a natureza dela é se manter sempre em frente. "Sempre existe outra aurora que nasce ao meio-dia; sob cada abismo, existe um abismo mais baixo que se abre", nos diz (C). Saber que "outro abismo se abre", que a mudança é algo interminável e que o mistério sempre prevalecerá nos inocula contra o medo do desconhecido, dando a nós a confiança de que estamos preparados para o pior. Os psicólogos chamam isso de *autoeficácia*, o que não é exatamente a mesma coisa que *autoestima*. A autoestima denota a capacidade de *sermos* felizes por quem somos sob a nossa pele. Já a autoeficácia aponta para a crença na nossa capacidade de *fazer* aquilo que nos propomos a fazer e de nos atualizarmos no mundo. A autoeficácia leva a termos fé na nossa resistência.

O pesquisador Albert Bandura estabeleceu essa distinção na década de 1970. Ele estudava cognição social quando notou um mecanismo muito negligenciado e que desempenha um papel importante no desenvolvimento humano. Esse mecanismo era a crença profundamente variável do indivíduo na própria capacidade de influenciar os eventos da vida dele. Bandura descobriu que pessoas dotadas de um *"locus* interno de controle" tendem a acreditar que aquilo que acontece com elas é bem influenciado pelas próprias habilidades, ações e pelos próprios erros; enquanto indivíduos com um *"locus* externo de controle" tendem a imaginar que forças externas, uma chance aleatória, fatores ambientais e as ações de outras pessoas são os principais responsáveis pelos eventos que ocorrem na vida deles.[1]

Não é de causar surpresa o fato de que as pessoas com um *locus* interno de controle experimentem uma autoeficácia muito maior se comparadas àquelas que acreditam serem meras marionetes do destino. Ainda que a autoconfiança sozinha não garanta o sucesso, "a autodescrença com certeza gera o fracasso", descobriu Bandura.[2] E para tornar as coisas ainda mais complexas, pessoas com baixa autoestima podem ter níveis elevados de autoeficácia. Patricia Carew, analista de sistemas na British Columbia, é uma dessas anomalias. Aos 61 anos de idade, Patricia é mãe solteira de duas filhas chinesas adotivas, ela é uma mulher profundamente respeitada e bem-sucedida na área em que atua, além de ser o tipo de pessoa que você gostaria de ter na sua equipe caso estivesse preso em uma ilha deserta.

Patricia também luta contra a baixa autoestima e uma autoimagem abalada que ela está fazendo todo o possível para fortalecer com terapia. Na realidade, ela é um estudo de opostos. Por fora ela é um modelo de autoconfiança e tenacidade. Leal e obstinada de uma forma feroz, Patricia é capaz de tomar decisões difíceis e sem qualquer influência de emoção quando necessário, não engole sapo de ninguém e é notavelmente generosa, gentil e calorosa. Já por dentro, ela é autocrítica e implacável consigo mesma, incapaz de se conter. "Posso fazer qualquer coisa por outras pessoas, me coloco em um tatame se for preciso pelas pessoas que amo", ela me contou. "Sou uma mãe tigresa com as minhas filhas e eu me certifico de que elas recebam tudo aquilo que merecem." No entanto, a desconexão dela entre autoeficácia e autoestima pode ser algo bem difícil de se administrar. "Quando se trata de fazer as coisas por mim, acho quase impossível", admite Patricia. "Estou dando o meu melhor para aprimorar esse aspecto, mas autoestima é uma merda."

A autoconfiança está ligada a outra qualidade que Waldo mantinha em alta consideração: o entusiasmo. Derivado do equivalente em grego para "cheio de Deus", o entusiasmo é um poder espiritual que vem do ato de estarmos alinhados com o nosso propósito. Quando jovem, Waldo se julgava de forma bastante dura por não ser suficientemente entusiasmado; ele acabou naufragando na falta de autoestima e autoeficácia. "Todos no meu entorno são diligentes e serão amados, enquanto eu sou indolente e serei insignificante", lamentou ele em determinada passagem do seu diário.[3] Ele invejava a vitalidade e o abandono dos amigos dele. "Nada grandioso jamais foi alcançado sem entusiasmo", acreditava Waldo. "O modo de vida é maravilhoso [porque] ele se dá pelo abandono" (*CIR*).

Waldo reconhecia o fato de que a resiliência e o arrependimento são contraindicados. "Terminem cada dia e deixem ele para trás", dizia ele às filhas.[4] Reconhecer os erros sem sentir vergonha e assumir o crédito por aquilo que você faz, assim como a culpa, promove a autoconfiança autêntica. Aproveitar o *locus* de controle interno permite que você enfrente os contratempos com entusiasmo em vez de fazer isso com autopiedade. O que cria equilíbrio e equanimidade, concluiu Bandura, aumentando assim a capacidade de se recuperar do fracasso. Quando o sucesso surge no seu caminho, você fica feliz em obtê-lo. Quando surgem dificuldades, algo que inclusive sempre acontece, você aprende a vê-las como oportunidades de autocompaixão. Isso ajuda a guiá-lo na direção de uma abordagem ganha-ganha diante das incertezas da vida.

A confiança gera novas possibilidades. "Se o homem solteiro se firmar de um jeito indomável quanto aos seus instintos, e ali permanecer, o mundo imenso virá ao encontro dele", prometeu Waldo (*OAE*). A intenção magnetiza as oportunidades, os relacionamentos e a inovação. O montanhista escocês W. H. Murray colocou da seguinte maneira: "Até que alguém esteja comprometido, existe hesitação, a chance de recuar, o que sempre resulta em ineficácia", escreveu ele.

> [Mas] no momento em que alguém se compromete de forma definitiva, a Providência também se mexe... todo tipo de coisa ocorre para ajudar alguém que de qualquer outra maneira jamais teria ocorrido. Uma sucessão de eventos decorre da decisão, levantando a nosso favor todos os tipos de incidentes e encontros imprevistos, de assistência material, que ninguém jamais teria sonhado que pudesse acontecer.[5]

A ruminação leva ao pensamento excessivo e a uma investigação interminável sobre *o porquê* de as coisas serem da forma como são, o que costuma ser uma completa perda de tempo.

O porquê não existe na natureza

Buscar respostas definitivas para questões complexas que não podem ser respondidas em definitivo é uma missão tola. Ainda que devamos nos esforçar para entender as nossas motivações, as causas últimas nunca podem ser determinadas. Estamos sujeitos a inúmeras variáveis externas ao longo da vida; as nossas certezas são, na melhor das hipóteses, meras hipóteses. Lutar para responder a perguntas irrespondíveis rouba a resiliência de uma pessoa justamente porque *o porquê* não existe na natureza. A pergunta por que é uma construção humana que pressupõe um universo lógico em que um mais um é igual a dois e os resultados finais podem ser previstos. Não existem explicações conclusivas de por que as coisas acontecem no mundo real; a realidade é determinada por uma fonte misteriosa cujo mecanismo por trás do funcionamento transcende a lógica e a razão.

Para demonstrar que os resultados nunca podem ser previstos, os estoicos usaram a imagem de um arqueiro. Ele faz tudo aquilo que pode fazer para atirar com precisão, como observou Cícero. Ele amarra bem o arco, escolhe as flechas com cuidado e estuda o vento, o estado do clima. Mesmo assim, pode vir a perder o alvo. No exato instante em que a flecha deixa os dedos dele, ela cai fora do controle do arqueiro, sujeita a forças que estão além do alcance dele.[6]

Ao decidir sobre um curso de ação, o sábio estoico o executa da melhor maneira possível, sabendo que não consegue controlar o resultado. E assim ele se sujeita aos aspectos "externos" fora do controle dele, baseia o sucesso das próprias ações (assim como o próprio valor) no quão bem ele se preparou. Nas palavras de Sêneca,

> A pessoa sábia considera a intenção, em vez do resultado, em todas as situações que venham a surgir. Os inícios estão sob o nosso poder; já os resultados são julgados pela sorte, à qual eu não concedo nenhuma jurisdição sobre mim... a morte nas mãos de um ladrão não é uma condenação.[7]

Aceitar as nossas limitações nos ajuda a economizar energia. Entregar-se ao desconhecido nos ensina a não sermos vítimas; em vez disso, nós nos tornamos agentes de mudança com opções limitadas em mãos. Com pouco conhecimento sobre por que estamos aqui, sobre de onde viemos ou para onde vamos, permanecemos enigmas para nós mesmos. Waldo compara esse dilema existencial ao ato de se encontrar em uma escada sem ter a mínima ideia de como se chegou lá. "Nós acordamos [ao nascer] e nos encontramos em plena escada", escreveu ele. "Existem escadas logo abaixo de nós, pelas quais parecemos ter subido; há escadas logo acima de nós, muitas delas sobem a ponto de desaparecerem de vista" (*E*). Ele nos conta que junto com o nascimento surge uma espécie de amnésia. Ao se voltar para a mitologia grega, ele sugeriu que cada um de nós recebe uma overdose de um elixir para apagamento da memória antes de nascer.

> A genialidade... que está à porta pela qual entramos e nos dá o *Léthês* [grego para esquecimento] para beber, a fim de que não contemos histórias, foi misturado com muita força e não conseguimos nos livrar da letargia. Como fantasmas, nós nos perdemos pela natureza e não deveríamos saber de novo o nosso lugar. (*E*)

Não é de se admirar que a pergunta *por que* muitas vezes seja tão infrutífera? A natureza jamais revela as cartas dela por completo, nem totalmente o que ela tem escondido na manga. Quando se trata de autossuficiência, o *como* é um questionamento melhor do que *por que* quando se trata de assuntos que dizem respeito a crescimento pessoal. Estudos comportamentais evidenciam que, quando nós nos concentramos no *como*, tendemos a ter mais sucesso. A "orientação para o objetivo" é muito mais eficaz quando inclui a "orientação para a implementação". Em determinado estudo, pesquisadores fizeram testes com um grupo de viciados sob tratamentos de recuperação em uma clínica de reabilitação. Os indivíduos foram divididos em dois grupos. Ao primeiro foi solicitado para que criasse um currículo pessoal para empregadores antes do final do dia. Já o segundo grupo foi instruído para fazer a mesma coisa, porém acompanhado de um plano de implementação. As diferentes taxas de sucesso entre os dois grupos foram impressionantes. Embora nenhum participante do primeiro grupo tenha concluído um currículo até o final do dia, 80% do segundo grupo entregou o currículo no prazo.[8] Responder à pergunta *como* oferece a tração e os recursos necessários para o sucesso nas tarefas.

E no fim das contas, a vida está em ação. Uma orientação de implementação ajuda a superar as hesitações e as dúvidas. Conforme Waldo bem destacou:

> Estamos sempre à beira de uma noção de pensamento na qual não nadamos... o ser humano ou adia para depois ou lembra do antes; ele não vive no presente, mas com o olhar voltado para trás lamentando o passado, ou mesmo desatento diante das riquezas que o cercam, fica na ponta dos pés para ver o futuro. Ele não conseguirá ser feliz e forte até que também viva com a natureza no presente, acima do tempo. (*AS*)

Um *locus* interno de controle nos impede de passar a responsabilidade pelo nosso comportamento para o ambiente em que estamos. Não somos mais vítimas ou meros espectadores indefesos. A nossa vida está acontecendo *através* de nós, não *para* nós, percebemos isso; buscar respostas definitivas para *o porquê* é inútil. Ainda que erros e absurdos sem dúvida se insinuem, o amanhã precisa ser saudado como um novo dia, com um espírito disposto, livre de um constante olhar para trás.

Logo, reserve um momento para se perguntar: você costuma culpar o mundo pelos seus problemas? Você se enfraquece fugindo das responsabilidades? Você age sob o equívoco de que, se pudesse descobrir *por que* as coisas aconteceram, por que você é a pessoa que é hoje, finalmente ganharia controle da sua vida? Quando nos perdemos em especulações como essas, nós nos tornamos meras marionetes das circunstâncias.

Poder e circunstância

Waldo rejeitava a noção tradicional de destino. Em vez de ver o destino como parte de um projeto predeterminado da vida de uma pessoa, ele o via como um composto de múltiplos fatores. Existe hora e local de nascimento, posição social, inteligência, entusiasmo, carisma e a qualidade de uma escolha; acima de tudo, o destino é gerado pelas respostas de um indivíduo às condições dele. "Precisamos considerar duas coisas: poder e circunstância", sugeriu Waldo. A circunstância denota as condições que são dadas. "A natureza é aquilo que você pode fazer. Existe muita coisa que você não pode fazer" (*F*). Já a autoconfiança exige que primeiro se reconheçam os fatos. O pensamento mágico é contraproducente; as fantasias da existência sem limites ou de ser salvo pela boa sorte não ajudam em nada. Ele acreditava que "pessoas superficiais" acreditam na boa sorte, enquanto "pessoas fortes acreditam em causa e efeito". O mundo "rude e grosseiro" não vai "nos acostumar mal ou mimar", Waldo nos lembra (*F*); nós não estamos mais isentos das leis da natureza do que outros animais estão. No entanto, somos detentores de poderes extraordinários de imaginação e de adaptação. "A água naufraga o navio e afoga o marinheiro como se faz com um grão de areia", escreveu ele. "Mas... se você aprende a nadar, arruma o casco do seu navio, a onda que então o naufragou por ele será fendida e o carregará como se você fosse a própria espuma dele, uma pluma e uma força" (*F*). A navegação hábil requer uma intenção concentrada e humildade diante dos poderes avassaladores da natureza. Essa mesma interação sábia determina o nosso destino. "Na alma, para sempre vai brotar o impulso de escolher e de agir", escreveu Waldo. "*Uma parte do Destino é a liberdade dos homens* [grifo meu]. O Intelecto anula o Destino. O quanto um homem pensa é o quanto ele é livre" (*F*).

Nós também devemos permitir a vulnerabilidade. Na visão de autossuficiência de Waldo, essa vulnerabilidade é inseparável do poder pessoal. "A nossa força cresce a partir das nossas fraquezas. Adquirimos a mesma força que superamos" (*CAO*). A fortaleza aumenta em proporção direta a quanta dificuldade nós conhecemos. Na realidade, o heroísmo é uma característica universal, não a província de uma elite de poucos. Ele sugere que os heróis não necessariamente são mais corajosos do que o restante de nós. Eles não passam de "corajosos com cinco minutos a mais". Isso sugere uma abordagem bastante diferente da força daquilo que estamos acostumados a viver na América machista. Um sobrevivente de depressão clínica me disse a mesma coisa durante uma conversa: "Existem duas ideias sobre o que é coragem com as quais eu gosto de brincar", disse o autor Andrew Solomon. "A pessoa corajosa é aquela que corre e vai para a linha de frente porque não sente medo? Ou a pessoa corajosa é aquela que está petrificada de medo, mas mesmo assim faz alguma coisa? Talvez não tanto quanto a primeira, mas o faz contra o peso do próprio medo?" Outra voz sobre paradoxos segundo o coração de Waldo, a pesquisadora Brené Brown, elabora melhor esse aspecto paradoxal. "A vulnerabilidade não é uma fraqueza", Brené deixa isso claro, "e a incerteza, o risco, a exposição emocional que enfrentamos todos os dias não são opcionais".

A nossa disposição de reconhecer e lidar com a nossa vulnerabilidade determina a profundidade da nossa coragem, determina a clareza do nosso propósito. O nível em que nos protegemos de sermos vulneráveis é uma mensuração da nossa desconexão.[9]

A vulnerabilidade libera o poder que desperdiçamos tentando parecer destemidos. Essa energia só fica disponível para nós usarmos quando deixamos de lado o orgulho e o ego, quando deixamos de ser "moradores de uma dureza pequena", como disse Waldo, quando nos abrimos para a inundação divina, para a inundação da vida que flui ao nosso redor.

EM RESUMO

Aceitar a sua complexidade aumenta a sua autoconfiança. O paradoxo faz parte do custo de viver. Ao ser humilhado pelos desafios da vida, você se fortalece no momento em que descobre que está equipado para superar as adversidades usando meios hábeis. Você aprende a colocar o "*locus* de controle" dentro de si mesmo, em vez de ser mera vítima das circunstâncias, aprende a exercer o poder de escolha sobre como as condições afetam você. Uma vez que você tenha alcançado a compreensão suficiente sobre uma situação, a pergunta *por que* se torna irrelevante, raramente sendo a responsável por guiar você para onde precisa ir. Responder o *como* é muito mais benéfico, pois ele busca inspiração, motivação e resiliência. Observando a natureza você nota esse princípio em ação; a natureza está sempre respondendo às condições da forma como elas são, sem retroceder para descobrir de que forma elas ficaram desse jeito. Da mesma forma, quando você compreende em retrospectiva o tanto de tempo e energia preciosos que foram desperdiçados, aprende a prestar mais atenção ao que está presente, a fazer a próxima coisa necessária. O poder e as circunstâncias precisam ser levados em consideração, ao saber aquilo que você é capaz de mudar e o que não é, ao se alinhar com as forças maiores.

Sobre vitalidade

Um fluxo de energia percorre você

"Uma pessoa é condutora de um fluxo inteiro de eletricidade."

Localizando a fonte

Waldo previu que a vida moderna traria uma desconexão desastrosa do mundo natural, como já mencionado nestas páginas, e que uma perda prejudicial de integridade e equilíbrio ocorreria. "Quando a vida humana sob disfarce de civilização ignora as leis da natureza... nós falhamos e caímos no caos", reconheceu. Entretanto, o "gigante quebrado" da humanidade ainda poderia "ser revigorado ao tocar a mãe terra" (*H*). Ao ecoar a crença estoica de que a natureza é a fonte verdadeira da virtude humana, ele temia que ao nos distanciarmos da ordem natural isso levasse à nossa queda. Nós "desconfiamos e negamos interiormente a nossa simpatia pela natureza [e]... possuímos e ao mesmo tempo negamos a nossa relação com ela de maneira alternada", lamentou ele (*N*).

Quando nós nos divorciamos da Mãe Terra, sacrificamos a vitalidade e a integridade. É apenas ao nos casarmos com a criação orgânica que recuperamos a nossa solidariedade. Essa reaproximação reacende o nosso "desejo furioso pelo todo" (*MON*); caso contrário, vivemos "em divisão, em partes, em partículas", separados do "silêncio sábio; da beleza universal, à qual cada parte e cada partícula está igualmente relacionada". Ao recuperar essa conexão sagrada, nós experimentamos um mundo "cuja beatitude é acessível a nós [e é] autossuficiente e perfeita em todos os momentos" (*O*). Tal retorno ao lar aquieta a mente que tanto clama, que nos mantém ansiosos e fragmentados. "Na floresta... eu sinto que nada pode me acontecer na vida", escreveu Waldo, "nenhuma desgraça, nenhuma calamidade (deixando os meus olhos) que a natureza não seja capaz de reparar" (*N*).

O impacto do poder de cura da natureza pode se revelar surpreendente. A natureza nos lembra do fato de que nós pertencemos (e somos *inteiros*) nesta era tão divisível de polarização. Dominique Mann, escritora que trabalhou na Casa Branca durante o mandato Obama, aprendeu isso sozinha quando criança, ela cresceu em Sharon, no estado de Massachusetts, 48 quilômetros ao sul de Old Manse em Concórdia.[1] Sendo ela uma garota negra em uma escola de ensino médio de maioria branca, Dominique passou anos suportando violência racial e humilhação nas mãos dos colegas de classe. Para se consolar, ela fazia longas caminhadas na floresta com a mãe, algo que a ajudava a restaurar a paz de espírito. Havia lá uma rocha especial que Dominique visitava, lugar esse em que ela podia "pausar a vida" e aliviar "a dor de um mundo que me faz crescer rápido demais".

"A natureza fortaleceu a minha resiliência como mulher negra birracial", ela escreve, trazendo tranquilidade para a mente perturbada "com cada leve sopro da brisa, do riacho gotejante e do farfalhar da vida selvagem". Hoje em dia, Dominique se volta para a natureza com frequência cada vez maior, sobretudo desde o assassinato de George Floyd e da explosão do movimento Black Lives Matter [Vidas Negras

Importam, em tradução livre]. A natureza "promove a justiça", ela acredita nisso, e também ajuda a curar o trauma geracional, oferecendo um "bálsamo que parece quase instintivo". Quando o mundo feito pelo ser humano a faz se sentir invisível, a natureza a fundamenta, abraçando-a "como uma parte dela".

"Parecia que a minha humanidade não era vista. Só que nas profundezas das florestas exuberantes... ou mesmo entre os ursos marrons do Alasca, eu sabia que as folhas não iriam murchar intencionalmente longe de mim; a brisa não decidiria que eu não a merecia", escreveu ela. A natureza se tornou o portal de Dominique Mann para a consciência superior, a restaurando ao lugar natural dela no universo.

Conforme a vida moderna passou a se tornar mais virtual, a necessidade de consertar a nossa relação com a natureza aumentou em urgência. A tentação de levar uma vida conceitual de segunda mão precisa ser resistida, ensina Waldo. Desperdiçar a nossa herança é uma perda trágica.

> Toda criatura racional tem a natureza inteira como seu dote e propriedade. Ela pertence ao ser humano, se ele quiser. Ele pode se despojar disso; pode se esgueirar para um canto e abdicar do próprio reino, como a maioria das pessoas faz, mas essa mesma pessoa tem direito ao mundo por sua constituição. (*N*)

A gratidão pelo nosso direito inato nos enriquece. Assumir nosso lugar de direito nessa teia da criação gera um senso de unidade. "Na proporção da energia do pensamento e da vontade, ele toma o mundo para si mesmo", Waldo nos diz (*B*).

Essa conexão espiritual está ligada à nossa biologia. De acordo com Andreas Weber, biólogo e filósofo alemão pioneiro na área de biopoética, "tudo tende a, ou anseia por, [essa] conexão".[2] Segundo a biopoética, os seres vivos só podem ser compreendidos por meio da vitalidade que compartilham com o resto da criação. Todas as coisas vivas demonstram o mesmo "esforço básico na direção de uma experiência de si mesmo por meio do outro que seja mais profunda, a parte essencial da nossa vitalidade". Esse mesmo princípio permeia o mundo natural, pelo menos de acordo com Weber. "Desde a célula mais simples até o ser humano mais evoluído, o impulso de se conectar predomina", escreve. Antes de tudo, a vida é um "processo compartilhado de transformação e produtividade mútuas".

Esse princípio de mutualidade sustenta a nossa existência. A criação acontece dentro daquilo que Weber chama de "espaço poético", algo que Waldo denominou como a natureza, e ela é compartilhada por todos os seres. Infelizmente, a oposição à natureza feita pelo ser humano, predominante desde o Iluminismo, ameaça acabar com essa experiência compartilhada. No entanto, tamanha divisão não algo é inevitável. Weber acredita que seja possível um novo "avivamento" capaz de curar essa falsa dualidade entre nós e a natureza. Ele compara tal transformação potencial com a mudança na física moderna que se seguiu depois da descoberta de que um observador está emaranhado a qualquer sistema que esteja sendo observado por ele. Esse "emaranhamento acontece de forma emocional e experimental por meio da vivência compartilhada com outros seres vivos", aponta Weber, o que provoca uma "mudança profunda na nossa percepção da realidade". Essa mesma percepção ilumina a unidade de todas as coisas, independentemente de quão separadas elas possam parecer.

O mundo não é dois

A dualidade é um fenômeno criado pelo ser humano, algo que Waldo sabia muito bem. Não existem fronteiras intransponíveis entre os fenômenos da natureza. Além disso, a não dualidade (característica central da filosofia perene) é um aspecto importante da autossuficiência, ainda que Waldo jamais tenha usado essa frase.

A não dualidade nos revela que todas as coisas na natureza estão indissociavelmente ligadas, que a matéria e o espírito compartilham a mesma fonte (assim como os seres humanos e Deus); e que você e eu, eu e o outro, *não somos dois*. Apesar da aparência de multiplicidade e de diversidade, a realidade é uma só; toda forma física emerge do mesmo fundamento do ser. As coisas que parecem ser opostas são antitéticas apenas no que tange à aparência; fundamentalmente, elas estão unidas para sempre. Igual a tantas verdades transcendentais, a não dualidade parece se colocar contra o senso comum. Como esta escrivaninha sobre a qual estou escrevendo pode ser inseparável da mão que a rabisca? Como formas diferentes podem ser compostas da mesma substância disforme, de que maneira esse conhecimento impacta a forma como vivemos?

Descobertas na mecânica quântica dão suporte para a visão compartilhada por Waldo e pelos místicos desde o início dos tempos; a de que o mundo subatômico e invisível é eterno tanto unitário quanto em fluxo, disforme e ao mesmo tempo articulado em uma miríade de formas.[3] Espiritualmente, o nosso desafio é permanecer conscientes dessa unidade enquanto ela se confunde com o universo tão diverso. Como sugeriu o poeta sufi Rumi: "Viva no lugar de onde você veio, mesmo que tenha um endereço aqui".[4] Áreas como o emaranhamento quântico, apelidado de Ação Fantasmagórica à Distância por Einstein, sugerem o fato de que as menores partículas estão ligadas umas às outras mesmo quando estão separadas por grandes distâncias.[5] A noção irracional de que formas distantes (incluindo os seres humanos) se comunicam com frequência umas com as outras de formas misteriosas é um exagero para os materialistas científicos. Todavia, as implicações disso sobre a maneira como vivemos são consideráveis. Waldo escreveu o seguinte,

> O ser humano é um correlato da natureza, cujo poder consiste na multiplicidade das afinidades dele e no fato de sua vida estar entrelaçada com toda a cadeia dos seres orgânicos e dos seres inorgânicos. (*N*)

Detalhes na natureza, sejam eles grandes ou pequenos, universalmente estão unidos. "Uma folha, uma gota, um cristal, um momento temporal, tudo está relacionado com o todo e participa da perfeição desse todo", escreveu ele (*N*). Reconhecer essa unidade é algo que nos desperta do transe da dualidade sob o qual parecemos estar separados do mundo, presos na ficção de um eu que é autônomo.

E para entender como nós somos enganados tão facilmente pelas aparências, é preciso considerar de que forma se cria a ilusão da dualidade. Na tentativa dele de dar sentido ao mundo, o hemisfério esquerdo do cérebro busca a diferença, a separação, criando assim categorias nas quais as informações possam ser agrupadas. Esse aspecto da cognição isola as árvores em detrimento da visão da floresta. Ainda que esse tipo de foco seja para se navegar pelo mundo material, o lado feliz dessa divisão do cérebro perde a unidade, perde a interconexão, criando então uma aparência de realidade baseada em limites imaginários e em separações falsas. Acordar para essa não dualidade ameaça a soberania imaginada do ego, contudo, e por isso, o misticismo (consciência transcendental em geral) jamais foi amplamente popular. Mas a ciência está descobrindo o nosso blefe ao revelar a unidade para além das dualidades do cérebro e a necessidade de uma perspectiva transpessoal (bem como pessoal) na apreciação do universo holístico. Da mesma forma como uma bateria alcalina requer dois terminais opostos para produzir uma única corrente de eletricidade, matéria e espírito se correspondem de uma maneira semelhante, de acordo com Waldo.

"O método de avanço na natureza é a transformação eterna", ele nos lembra (*CON*). A metamorfose acontece por meio da conjunção dos opostos. Reconhecer a não dualidade dissolve as barreiras mentais e promove uma forma abrangente e mais compassiva de se movimentar no nosso mundo tão diversificado. Deixamos de nos ver como sujeitos atomizados à deriva em um universo de outros seres apartados; em vez disso, nós nos tornamos parte de um todo que é compartilhado. Quando a venda autoprotetora do ego é removida, percebemos então que o nosso eu separado (o "pequeno eu") é menos uma entidade discreta do que um "princípio de seleção", que se cruza com outros princípios de seleção em um universo indivisível.

"Uma regra de um tipo de arte, ou a lei de uma organização, vale para toda a natureza", escreveu Waldo (*N*). Porém, a consciência da unidade não exige o sacrifício da nossa singularidade ou da nossa originalidade. A natureza se deleita com a variedade, ela quer que você seja você e eu seja eu. Como Waldo apontou, a individualidade não é o problema em questão; coração e mente só ficam empobrecidos quando nós esquecemos aquilo que existe em comum por debaixo. Essa "mentira da mente" parece nos dividir, embora sejamos feitos do mesmo material cósmico. Waldo descreveu a existência de "esférulas", feixes luminosos de energia que se movem a velocidades incríveis, "cada um atrai ou repele todos os outros campos na região dele". Os físicos chamam essas propriedades subatômicas de quanta.

Mas de que forma a consciência não dual afeta a maneira como vivemos? Os benefícios potenciais são impressionantes. Só para começar, aprofundar a nossa consciência de interconexão fortaleceria o nosso compromisso com a justiça social. Reconhecer-nos enquanto partes indivisíveis de um todo sem costura também é algo que pode ajudar bastante a aliviar a nossa alienação. A não dualidade tem a capacidade de acabar com os nossos maus-tratos ao planeta, de elevar a nossa política, de neutralizar o racismo, ou conflitos raciais/tribais de forma geral, e acelerar a nossa mudança para cuidados de saúde que sejam integrativos. Uma visão holística pode muito bem ser o "remédio para todos os abusos" sofridos, sugeriu Waldo. É a cura para "todo erro de pensamento ou de prática... a convicção de que sob todas as aparências existem determinadas leis eternas que chamamos de natureza das coisas". A consciência de que aquilo que é "mais elevado está presente na alma do ser humano" também pode nos curar da desesperança, com o conhecimento de que

> o Ser Supremo não constrói a natureza ao nosso redor, em vez disso ele a desenvolve através de nós, da mesma forma como a vida da árvore lança novos ramos para fora de si e que saem pelos poros dos velhos. Como uma planta sobre a terra, o ser humano repousa sobre o seio de Deus; ele é alimentado por fontes infalíveis e conforme necessidade atrai um poder inesgotável. (*N*)

Aprendendo com a natureza

A natureza oferece lições surpreendentes de resiliência, de impermanência, de equilíbrio, de vivacidade, de luta e de transformação. Esses aprendizados são fundamentais para o currículo da autossuficiência, muito mais vitais do que as informações que obtemos a partir dos livros. "O que não chamamos de educação é mais do que aquilo que chamamos disso", acreditava Waldo (*ASE*). A tutela sobrenatural de Deus por meio da natureza oferece a nós tudo o que precisamos para viver uma vida que seja desperta. "O que é uma fazenda senão um evangelho mudo?" perguntou ele (*N*). A fazenda ensina lições de vida essenciais: levar consigo apenas o necessário, prestar atenção aos detalhes, cultivar a interconexão e habitar o nosso lugar no planeta com propósito, com respeito. "Que emoções nobres dilatam o mortal quando ele entra nos desígnios da criação, quando ele sente por meio do conhecimento o privilégio de SER! A beleza da natureza brilha no próprio peito dele" (*N*).

Às vezes, a natureza nos instrui de formas misteriosas. Anos atrás, eu tive uma experiência em uma floresta de sequoias que me revelou como funciona esse ensino. Eu estava em um acampamento próximo do lago Crater, em Oregon, com uma futura ex-namorada. Nós tivemos uma briga arrasadora que me deixou furioso a ponto de eu estar tremendo. Antes que começássemos a nos esbofetear, eu me afastei e me vi em um bosque de sequoias imponentes que ladeavam o caminho que levava até o lago. Eu estava preso nos meus pensamentos, atacando essa idiota, e continuei fazendo isso enquanto caminhava por essa trilha arborizada, ignorando as árvores gigantescas ao meu redor. Continuei a fazer isso por alguns minutos, perdido em meio às minhas fantasias assassinas, até que de repente eu percebi com verdadeiro choque: a minha raiva havia desaparecido. Nenhum traço dela permanecia no meu ser. Intuitivamente eu sabia que aquele bosque de sequoias curara minha mente turbulenta de algum jeito, substituindo raiva por tranquilidade. A presença ancestral da floresta poderia estar sussurrando para mim: "Esqueça essa idiota. Por acaso nós parecemos preocupadas?". Nada desse tipo jamais havia acontecido comigo antes (nem nunca mais aconteceu desde então), no entanto, essa dose de "remédio arbóreo" me ensinou uma série de lições que eu jamais esqueci: a de que a raiva é algo mutável, poroso e passageiro; a de que o silêncio de fato cura a mente; e a de que estar na companhia da natureza quando você está deprimido é melhor do que tomar Prozac, uma bebida ou vingar-se.

Waldo coloca isso de forma mais eloquente. "A influência moral da natureza sobre cada indivíduo é aquela quantidade de verdade que ela mesma ilustra para ele", escreve.

Quem pode estimar algo assim? Quem adivinha quanta firmeza a rocha batida pelo mar ensinou para o pescador? Imagine só quanta tranquilidade foi refletida pelo ser humano ao contemplar o céu azul, sobre cujas profundezas imaculadas os ventos sempre conduzem bandos de nuvens tempestuosas e não deixam qualquer vinco ou mancha nelas. Quanta diligência, providência e afeto nós podemos captar a partir da pantomima dos brutos. (*N*)

A palavra "brutos" se refere àquelas criaturas desprovidas de palavras cujas virtudes são mais bem apreciadas por meio de metáforas. Ao usar artifícios antropocêntricos, nós aprendemos a traduzir a enciclopédia da natureza para os termos humanos. "Os instintos da formiga são muito desimportantes, consideradas formigas [mas] no momento em que um vislumbre de relação é visto se estendendo a partir dela para o homem… essa trabalhadora árdua pequenina é vista como uma monitora, um pequeno corpo com um coração poderoso" (*N*).

O currículo primário da natureza é o silêncio. A linguagem fixa engessa rótulos na realidade e interfere por meio de uma experiência direta. Passar um tempo em meio à natureza aprofunda o indizível; nós ficamos mais à vontade com a *incognoscibilidade* das coisas. Sem a interferência da linguagem, a mente narradora fica em suspenso; somos capazes de ver as coisas de uma nova forma. "Quando eu contemplo uma paisagem rica, recitar corretamente essa ordem e essa sobreposição dos estratos é menos para o meu propósito e mais para saber por que todo pensamento de multidão se perde em um mar tão tranquilo de unidade", explicou ele (*N*). Em outras palavras, é possível analisar um pôr do sol, entendê-lo sob a ótica meteorológica, cromática e com isso perder o ponto cósmico dessa experiência. Waldo nos impulsiona a desconstruir a nossa alienação, a entender quando a análise nos cega e a transcender "essa [tendência] tiranizadora na [nossa] constituição, que cada vez mais separa e classifica as coisas" (*N*). Essa mesma transcendência permite o acesso ao nosso nível superior de emoções, contemplação, admiração, reverência, alegria, deleite, elevação, amor, faculdades pertencentes ao lado direito do cérebro sobre as quais saberemos mais adiante. Sob o silêncio dela mesma, a natureza nos treina quanto à admiração e contemplação, portais através dos quais aquilo que é mundano se torna por fim milagroso.

Além desse capacete psicológico da preocupação egocêntrica, existe uma ampla extensão na qual o nosso "horizonte interior se estende por quilômetros", pelo menos é o que a natureza nos revela. A visão expandida traz à tona uma maior consciência. E mais uma vez, "A saúde dos olhos parece exigir um horizonte [e nós] nunca ficamos cansados, desde que enxerguemos longe o bastante" (*N*).

Nós também somos revividos pela beleza. A alma precisa dela para prosperar. Natureza e beleza são indissociáveis, afirma Waldo. A beleza desperta gratidão, desperta celebração, ela então nos lembra do milagre da vida e nos incita a valorizar a nossa herança. "É melhor expressarmos o nosso espanto ao passar por este mundo, mesmo que seja apenas por um instante", escreveu Waldo em determinado trecho do diário dele, "antes de sermos engolidos pelo fermento do abismo. Eu então vou levantar as minhas mãos e dizer Kosmos".

Kosmos é a palavra grega que denota um tipo particular de beleza, dotada de partes iguais de ordem e de beleza em si. Quando ele encontra o Kosmos, "um deleite selvagem [percorre] através do homem, apesar das verdadeiras tristezas" (*N*). Essa mesma beleza reduz a dor à sua verdadeira proporção. Talvez seja por isso que o romancista

Dostoiévski acreditava que "a beleza salvará o mundo".[6] Sem beleza, nós esquecemos quem somos; o entorpecimento toma conta de tudo, depois vem a autopiedade, quando então somos afastados do esplendor dela. Waldo não tinha paciência para a tendência humana de se chafurdar nos poços do desespero autocriado. A zona morta do exílio autoimposto do jardim sagrado não interessava nem um pouco a ele.

Na realidade, os julgamentos mais severos de Waldo eram reservados aos queixosos, aos ingratos e aos *voyeurs* pomposos, afogados no próprio drama solipsista. "A miséria do ser humano parece uma petulância infantil, quando exploramos a provisão constante e pródiga criada por ele para sustento e deleite nesta grande bola verde que o flutua pelos céus" (N). Em vez de lamentar pelos nossos infortúnios, é melhor aprender a ter as mesmas perseverança, agilidade, adaptação, generosidade, simplicidade e resistência da natureza. Por meio das lutas terrestres dela, a natureza nos ensina que a metamorfose está em curso, que as formas desaparecem e que os processos regentes à vida humana estão presentes em toda a criação. O exemplo dela oferece sabedoria cujas proporções são bíblicas.

> Desde o primeiro princípio de crescimento na superfície de uma folha, até a floresta tropical e a mina de carvão antediluviana, toda função animal, desde a existência da esponja até Hércules, deve sugerir ou trovejar ao ser humano as leis do que é certo e do que é errado, ecoando então os Dez Mandamentos. (N)

Nós só somos capazes de reconhecer esses mandamentos porque compartilhamos da mesma inteligência de Deus, da Única Mente sendo expressa por meio da consciência individual.

Uma única mente

As pessoas apegadas a uma visão dualista da existência imaginam Deus (caso acreditem que o divino de fato existe) como um ser habitando um universo muito, muito distante, que supervisiona a nossa vida terrena a partir de uma ampla distância intergaláctica. Essas mesmas pessoas rejeitam a sugestão de que a mente humana participa da Mente de Deus e que a inteligência individual é inseparável da fonte eterna dela. Como as mentes tagarelas e repetitivas das pessoas podem ser iterações advindas da Mente divina? É o que elas questionam. Waldo chegou a essa questão, mas ao contrário. De onde mais os dualistas imaginam que a inteligência deles vem? "O rio de pensamentos... corre do mundo invisível direto para a mente dos homens", explicou ele (*BLC*), uma prova indubitável de que "existe uma mente comum a todos os seres humanos individuais" (*H*).

Os estoicos concordavam com isso. "Aquilo que conecta um ser humano a todos os seres [não é] o sangue ou o nascimento, mas a mente [uma vez que] ela individualmente é Deus e de Deus", escreveu Marco Aurélio.[7] Isso não significa que nós controlamos os nossos pensamentos; mas em vez disso, como se fôssemos hóspedes em uma estalagem à beira do caminho, nós observamos as idas e as vindas da mente sem saber de onde vem o conteúdo dela. Waldo nos lembra bem que temos conhecimento dessa efluência divina, só que não sobre as origens dela.

> Quando observo aquele rio caudaloso que, de regiões que não vejo, derrama por um tempo suas correntes sobre mim, vejo que sou um aposentado, não uma causa, mas um espectador surpreso dessa água etérea... Desejo e olho para cima, e me coloco na atitude de recepção, mas de alguma energia estranha as visões vêm. (*O*)

Essa energia alienígena é transpessoal, emitida pela Mente universal. Ao reconhecermos os limites do nosso controle, nós deixamos de nos sentir responsáveis por aquilo que não somos capazes de controlar. A responsabilidade excessiva é uma das principais razões do nosso sofrimento, como apontou Epiteto.

A principal tarefa na vida é a seguinte: identificar e separar assuntos para que eu possa dizer a mim mesmo com clareza quais são os fatores externos que não estão sob o meu controle e quais deles têm a ver com as escolhas que eu de fato controlo.[8]

Nós abandonamos a ficção dolorosa de que somos os donos do universo e cooperamos de forma mais intencional com as forças espirituais. Aprendemos que os "nossos trabalhos dolorosos são desnecessários e infrutíferos" (*LE*) e que "apenas na nossa ação fácil, simples e espontânea nós somos fortes". Isso nos livra de "um vasto conjunto de cuidados", além das tentativas de "empurrar o rio" para onde, de uma maneira egoísta, nós queremos que ele vá. É muito melhor

se colocar no meio da corrente de poder e da sabedoria que anima todos aqueles que flutuam por esse rio e dessa forma você se vê impelido sem qualquer esforço à verdade, ao contentamento correto e perfeito. (*LE*)

Entregar o controle excessivo é algo que se faz necessário para o crescimento criativo. Toda pessoa criativa sabe que, quando está empacada com algum projeto, mostra-se muito mais eficaz parar de se pressionar, aquietar-se e esperar que uma resposta "caia do céu", como diz um amigo artista. Quando para de tentar forçar a musa e aperta o botão de pausa, você se abre para o fluxo divino. Abre caminho para que a genialidade e a nova inspiração cheguem até você vindas da fonte misteriosa. O compositor Igor Stravinsky plantava uma bananeira no chão para "limpar o cérebro" quando via sua criatividade bloqueada. O pintor Salvador Dalí tirava cochilos "hipnagógicos" para acessar o estado entre o sono e a vigília quando perdia controle da direção artística. A romancista policial Agatha Christie tomava um banho quente enquanto comia frutas sempre que ficava presa criativamente em um livro. Existe uma história sobre Steve Jobs, fundador da Apple, que encharcava os pés descalços na água do vaso sanitário, trancado no banheiro da empresa, quando precisava desligar o estresse e sintonizar a Única Mente.[9]

A solidão também é uma ferramenta útil para esse processo, sobretudo na presença da natureza. Uma vez lá, você descobre que "o Altíssimo habita em [você]... que as fontes da Natureza estão na [sua] própria mente", escreveu Waldo (*O*). Afastar-se do ruído externo amplifica o sussurro interno. Ao alcançar as suas correntes profundas, você consegue tocar as profundezas da consciência da qual todos nós compartilhamos, o reservatório da inteligência divina. É aqui que residem a verdade, a beleza e a sabedoria, nessa dimensão atemporal. É por isso que poetas, sábios e artistas têm a capacidade de falar conosco através de milênios, é dessa forma que as obras deles permanecem relevantes e relacionáveis. No trabalho deles você ouve ecos daquilo que já sabe. "Em cada obra genial, nós reconhecemos os nossos pensamentos rejeitados. Eles se voltam para nós com uma certa majestade alienada", escreveu Waldo (*AS*). Quando você recebe "o influxo da mente Divina na [sua] nossa mente", os seus pensamentos subjetivos se fundem com as "ondulações do mar da vida" (*O*), levando você para além de si mesmo rumo à expansão aberta da autotranscendência.

Uma vez lá, você encontra a testemunha cuja consciência irrestrita conecta você à Única Mente. Ao falar *sotto voce*, a testemunha lembra que "dentro do ser humano jaz a alma do todo" (*O*). Nós então somos encorajados a confiar nessa inspiração interior enquanto rejeitamos as tentativas externas de controlar a nossa mente. Contudo, por diversas vezes nós abandonamos os nossos estados mentais para os outros. Epiteto zomba de nós por essa fraqueza.

> Se uma pessoa entregasse o seu corpo para algum transeunte, você ficaria furioso. No entanto, você entrega a sua mente para qualquer um que apareça em seu caminho, para que assim eles possam abusar de você, deixando-a perturbada e confusa, você não tem vergonha disso?[10]

Waldo concordava com essa crítica.

> No mundo, é fácil viver de acordo com a opinião do próprio mundo. É fácil viver sozinho na solidão; no entanto, o ser humano grandioso é aquele que no meio da multidão mantém a independência da solidão com perfeita doçura. (*AS*)

Prestar uma atenção que seja humilde e constante ao seu "ditado superior" esclarece a voz interior. "Quem me definirá enquanto indivíduo? Eu contemplo com admiração e prazer as ilustrações da Única Mente Universal", Waldo observou em determinado trecho do diário dele.[11] Uma vez livres das amarras do medo e da dúvida, nós aprendemos a confiar na consciência espiritual que compartilhamos e na sabedoria superior dela.

Mark Matousek

EM RESUMO

Existe uma fonte de energia no universo. Essa força vital, conhecida por diversos nomes, anima todo o cosmos, desde a aurora boreal até a planta doméstica no peitoril da janela. Esse poder também existe dentro de você. Ele se alinha física, mental e espiritualmente com esse poder transcendental, você experimenta a unidade com o mundo. Reconhece o dualismo como um fenômeno criado pelo ser humano e vê que essa falsa separação não existe aos olhos de Deus. A dualidade pertence ao reino das aparências (a vida exterior) que engana você por meio dos seus sentidos. Quando você investiga a natureza da realidade, encontra uma única corrente do ser, que é indivisível. A natureza ensina como parar, como ficar em silêncio e como experimentar essa conexão pulsante. Ela também ensina paciência, discernimento. Você reconhece essa dinâmica da realidade de dar e receber, de empurrar e puxar, de expandir e contrair, os chamados opostos que formam um todo dinâmico. Você compartilha a Única Mente com todas as coisas que existem; esse "ditado superior" flui na sua direção de formas misteriosas, desaparecendo quando você menos espera. Essa inteligência guarda em si tesouros inimagináveis quando você abre a sua mente para os mistérios do desconhecido.

Sobre coragem

A morte do medo

*"Faça as coisas das quais você tem medo e com
isso a morte do medo é algo certeiro."*

Enfrente

Treze meses depois da morte de Ellen, a depressão de Waldo não mostrava quaisquer sinais de melhora. Incapaz de dormir, de comer ou de trabalhar, ele simplesmente refletia semana a semana no escritório dele, oprimido por uma dor que não conseguia expulsar de si depois da morte da amada esposa.

Ele também estava de luto por outra perda, a morte da fé cristã tradicional que ele até então nutrira. A mortalidade abalou as amarras filosóficas dele. Não sendo mais capaz de administrar os sacramentos em sã consciência, ele não encontrou um socorro espiritual no ministério. O espectro da morte era demais para ele. Nas palavras da poetisa Mary Oliver, "o relâmpago rápido ou mesmo lento da morte era uma presença muito frequente"[1] na vida de Waldo desde o início, e nesse momento, depois de ter visto Ellen definhar, o terror dele de deixar o mundo de forma prematura lançou uma sombra sobre a vida que ele vivia. Waldo tinha medo daquilo que estava por vir e precisava desesperadamente de uma tábua de salvação, uma epifania capaz de tirá-lo da escuridão dele, de jogar fora esse manto de obsessão mórbida.

Na manhã gelada do dia 29 de março de 1832, Waldo deixou a casa em que morava em Boston e partiu na direção do cemitério Mount Auburn, uma vez que tinha arquitetado um plano chocante para se livrar da dor paralisante que sentia. Ele planejava abrir o caixão de Ellen e confrontar o cadáver dela com os próprios olhos. Caso ele pudesse enfrentar o pior medo dele, talvez conseguisse quebrar esse bloco de gelo de desespero e assim seguir em frente com a vida sem ela. Imagino como Waldo estava naquela manhã, caminhando devagar pela estrada coberta de neve, um homem magro, bonito, de ombros caídos, cabelo preto, um pescoço alongado e esticado. O sobretudo mal ajustado não era longo bastante para cobrir as pernas magras; os olhos azul-gelo dele se mantiveram fixos no chão, no rosto de águia uma expressão feroz. Ele devia estar familiarizado com a prática budista do *maranasati*, na qual monges e monjas praticam meditação em cemitérios, cercados por caveiras e esqueletos, a fim de superar o medo da morte. Ao correr para o cemitério naquela manhã invernal, Waldo aspirou fazer o mesmo com o cadáver de Ellen.

Nunca saberemos de fato o que aconteceu depois disso. Waldo foi atipicamente enigmático em relação a esse episódio no diário que mantinha ("Visitei o túmulo de Ellen hoje e abri o caixão"), no entanto, os resultados dessa visita ao cemitério foram óbvios e mudaram a vida dele. Em poucos meses, ele se demitiu do prestigioso emprego na Segunda Igreja de Boston, começou a trabalhar no primeiro livro de ensaios que viria a ser publicado e então partiu para uma turnê europeia. A libertação que experimentou depois do confronto com o cadáver de Ellen deixou Waldo com uma surpreendente *joie de vivre*, aquele otimismo cósmico que se tornou marca registrada dele. Apesar das inúmeras tragédias da vida longeva que ele teve, comprometeu-se a jamais subestimar "as epifanias negligenciadas de cada dia abençoado", pelo menos de acordo com o biógrafo dele, Robert Richardson.[2]

E assim Waldo passou a acreditar, acompanhando os estoicos, no fato de que o medo faz mais mal a uma pessoa do que as coisas das quais ela tem medo. As nossas respostas ao medo prejudicam a nossa saúde integral mais do que as circunstâncias tidas como assustadoras. O questionamento do medo ajuda a afrouxar o domínio da mente que propaga esse mesmo medo; as condições não costumam ser tão catastróficas quanto a imaginação as torna. Quando nós nos tornamos sentinelas na porta da nossa mente, enquanto seguranças psicológicos, separando os nossos aliados convidados dos penetras, o medo deixa de monopolizar a pista de dança. Não estamos mais nos comportando como anfitriões fracos, dos tipos que deixam muitas cartas coringas entrarem na festa. Aprendemos a proteger a nossa mente de invasão, a neutralizar o medo por meio do confronto e da compreensão. Waldo ensinou que a compreensão é a nossa maior arma contra o terror. "A coragem consiste em se preparar para o problema que surgirá diante de nós" (*COR*). Isso não significa que o medo evapore (puf!), mas ao invés de ser o prisioneiro dele, assume-se o papel de interrogador. Analisar o conteúdo do medo gera coragem. O medo não desaparece, já a nossa relação com ele se transforma. Abrir espaço para o desconforto quando ele surge, permitindo assim que o medo seja aquilo que é, enfraquece o domínio desse mesmo medo sobre a mente.

Eis um desafio que enfrentamos todos os dias: congelar antecipadamente todas as coisas terríveis que podem vir a nos acontecer, ou dar um passo à frente apesar dos nossos medos (como sugeriu Andrew Solomon). A crise amplifica essa necessidade. Waldo era ciente quanto ao fato de que nada menos que um desastre na escala mortífera de Ellen teria sido algo suficientemente devastador para forçá-lo a reimaginar a vida dele, a abandonar o papel que desempenhava na igreja, a se tornar um artista desonesto e a descartar a necessidade de uma aprovação externa. Quando a crise ataca, ela explode as expectativas. Você não consegue mais se esconder da verdade ou mesmo se distrair com rotinas mundanas. As estruturas de proteção que então você construiu para se proteger do conhecimento perigoso foram assim niveladas. Depois que as suas estruturas fundamentais desmoronam, deixando você exposto aos elementos, percebe que a segurança máxima sempre foi uma ficção. Quanto menos defendido você estiver, é provável que mais lúcido, aberto e brincalhão você será. Mizuta Masahide, poeta japonês do século XVII, expressou isso em um haicai.

> Desde que a minha casa pegou fogo
> agora eu tenho uma visão melhor
> da lua crescente.[3]

Aconselha-se que nós incendiemos as nossas casas emocionais com regularidade, sugeriu Waldo, para dessa forma aproveitar a liberdade deixada nas cinzas. Com uma visão clara sobre os desafios que temos pela frente, conseguimos encontrar dentro de nós o poder de prevalecer.

Prepare-se para o que for preciso

"O conhecimento é o antídoto para o medo", diz Waldo (*COR*). Na medida em que você se sente despreparado para a tarefa que se coloca diante de você, o medo então prolifera. Para ilustrar esse ponto, ele usa o exemplo de uma criança que tem dificuldades em sala de aula.

Um aluno se sente intimidado diante do tutor por uma questão de aritmética, porque ele ainda não domina os passos simples da solução que o menino ao seu lado já domina. Uma vez que se encara esse fato, ele se se torna tão frio quanto Arquimedes e avança com alegria um passo adiante. (*COR*)

O conhecimento empurra a criança sem instrução para além do próprio pavor dela. Contudo, o medo é algo profundamente pessoal e não pode ser medido de forma objetiva. "A criança corre tanto perigo diante da escada, quanto da lareira, da banheira, ou mesmo do gato, quanto o soldado corre perigo diante de um canhão ou de uma emboscada" (*COR*), de fato. O conhecimento é o atenuante "encorajador" que "tira o medo do coração". Nós somos tão fortes quanto dizemos a nós mesmos que somos. ("Eles podem conquistar quem acreditam que podem conquistar.") A sua combinação única de coragem cresce a partir do seu caráter particular; ela é obtida do emaranhamento de natureza e criação, que torna você singularmente você mesmo. E esse é um ponto importante. "Para sermos de fato fortes, nós devemos aderir aos nossos meios [e não tentar] adotar a coragem de outra pessoa" (*COR*). Nenhuma forma de coragem é superior a outra. "A coragem do tigre é uma, já a do cavalo é outra." A coragem também não é algo consistente em diferentes contextos. Nós rugimos ou choramingamos a depender das condições. "O cão que despreza a luta, lutará pelo dono dele", lembra Waldo.

A lhama que carregará um fardo se você a acariciar, é a mesma que recusará comida e morrerá se for açoitada... existe uma coragem de modos nas assembleias privadas e outra nas assembleias públicas; uma coragem que permite que um ser humano fale com maestria a uma companhia hostil, enquanto outras pessoas que podem facilmente enfrentar a boca de um canhão não ousam abrir a própria boca. (*COR*)

Um bombeiro veterano chamado Michael Washington exemplifica essa mistura de coragem.[4] Com um metro e oitenta de altura e um corpo de zagueiro, Michael é quem você gostaria de ter por perto para arrombar a porta a fim de resgatar você de um prédio em chamas. Antes de ingressar no corpo de bombeiros, ele cumpriu quatro missões no Iraque e no Afeganistão entre os fuzileiros navais. Como bombeiro em tempo integral em uma pequena cidade da Califórnia, Michael provou ser um modelo de coragem em incêndios florestais, deslizamentos de terra fatais e outros desastres naturais; ele era a imagem da confiança sob situações difíceis. "Nós tentamos passar essa imagem de durões como bombeiros, agentes da lei, militares", disse ele a um entrevistador. Concentrado nas batalhas externas a si mesmo, ele prestava pouca atenção à guerra interior. Ignorava os sinais do transtorno pós-traumático com o qual convivia, além das memórias de abuso sexual e outras formas de violência familiar. Ele compartimentalizava as ansiedades sob a máscara de um herói; mesmo quando o filho dele foi morto em missão no Afeganistão, não conseguiu demonstrar as emoções que sentia durante o funeral. Michael passou a medicar a condição dele com álcool e com comportamentos imprudentes. "Eu precisava conversar com alguém", disse ele. "Eu estava decaindo rápido demais."

Acabou sendo sorte o fato de que os amigos veteranos de Michael tenham feito uma intervenção. Isso o levou a fazer terapia, ficando sóbrio e deixando de colocar a própria vida em riscos desnecessários (ele sempre era o primeiro a se voluntariar para operações perigosas). Depois de um período doloroso de autoanálise, ele percebeu que precisava compartilhar a própria história com outros bombeiros, para assim ajudar a mantê-los seguros, a incentivá-los a procurar ajuda sempre que precisavam.

Michael aprendeu que a bravura não é algo monolítico. Ela era aterrorizante e heroica, poderosa e ao mesmo tempo indefesa, vulnerável e forte simultaneamente. Não devemos permitir que o medo tenha a última palavra em nada; o nosso poder de recuperação é surpreendente, até estranho. A natureza "decidiu que aquilo que não pode se defender não pode ser defendido", insistiu Waldo. Além do fato de que "Deus não permitirá que a obra d'Ele seja manifestada por covardes" (*AS*). Tia Mary o ensinou bem. "Sempre, sempre, sempre, sempre, sempre faça o que você tem medo de fazer", ela encorajava o tímido sobrinho.[5]

Uma mente sã tolera os perigos sem esquecer a própria força, reconhece as monstruosidades do comportamento humano sem perder a fé na própria resiliência. Admitir a verdade do mal de fato nos inocula contra o pavor e a impotência. Mesmo aqueles "em quem todos os raios de humanidade se extinguiram, os parricidas, os matricidas e quaisquer outros monstros morais, isso não perturba uma mente sã" (*COR*). Em vez disso, nós então adquirimos uma "paciência tão robusta quanto a energia que nos ataca". Os malfeitores e as criaturas assustadoras desempenham um papel necessário na criação, Waldo insistia nisso. "O lobo, a cobra e o crocodilo não estão em desarmonia com a Natureza, na realidade eles são úteis enquanto controladores, necrófagos e pioneiros", escreveu ele. Em outras palavras,

> devemos ter um escopo tão grande quanto o da Natureza para, dessa forma, lidar com indivíduos que se assemelham a bestas, para detectar qual função servil é atribuída a eles e prever com base na melhoria secular do planeta de que forma eles se tornarão necessários e perecerão. (*COR*)

A crença de Waldo de que a destrutividade faz parte do tecido social não deve ser mal interpretada como mera complacência. Ele não está desculpando o mau comportamento porque ele é "natural". A nossa tarefa é coexistir com o mal sem sermos destruídos por ele, é lembrar que o medo não é capaz de nos derrotar uma vez que o abordamos com os olhos abertos. Isso também ajuda a reconhecer que o espectro do comportamento humano existe dentro de nós e na totalidade dele. Nas palavras do estoico romano Horácio: "Nada que seja humano me é estranho".[6] O conhecimento de que também possuímos as sementes do mal ajuda a dissolver a barreira que exacerba o nosso medo do outro.

Eu vi a vida de uma vizinha mudar diante dessa percepção depois dos ataques terroristas do 11 de setembro. Nós morávamos a alguns quarteirões ao norte do World Trade Center e observamos juntos os sobreviventes cobertos de cinzas passarem na frente do nosso prédio naquela manhã terrível. Essa adorável mulher levava uma vida protegida e privilegiada, mas ela parecia devastada pela tragédia de um jeito singular. Não estava se recuperando como o resto de nós; o terror parecia ter se agarrado ao pescoço dela e não a soltava de forma alguma. Visivelmente abalada, ela então me explicou que a morte e o mal pareciam estar ao lado dela pela primeira vez. Ela jamais testemunhara tanto ódio, disse incrédula. Ela também não sabia, e esse era o problema, que ela mesma era capaz de querer matar. Uma vez tendo evitado essa parte da sombra dela até aquele momento, estava sem as ferramentas necessárias para lidar com os medos que passaram a assombrá-la. "Eu nunca soube que tinha isso em mim!" disse. Era a falta de conhecimento sobre os próprios demônios que a estava fazendo se contorcer de tanto medo. Para ela, as regras básicas da vida haviam mudado a partir daquilo, deixando-a no limbo existencial. Se ela tivesse tido tempo antes disso ocorrer (ela tinha 65 anos de idade) para explorar a si mesma, para aprender o que existia fora da bolha de caxemira em que ela vivia, poderia estar mais preparada para o desastre que se instaurou, sabendo que a crueldade humana não é uma novidade.

E mais uma vez, o medo exige uma análise minuciosa porque nós somos facilmente enganados pelas aparências.

O olho é facilmente intimidado. Os tambores, as bandeiras, os capacetes brilhantes, a barba e o bigode do soldado já o haviam conquistado muito antes de a espada ou a baioneta dele chegar até você. (*COR*)

Uma mente assustada faz suposições mentirosas com base em informações incompletas; ela tece narrativas de terror a fim de se proteger por meio da imaginação. Waldo observou que a imaginação é uma responsabilidade potencial diante do confronto com o medo, e de fato é. "Homens com pouca imaginação são menos medrosos", acreditava ele. "Esperam até sentir dor, enquanto outros dotados com mais sensibilidade a antecipam, sofrem com o medo da pontada de uma forma mais aguda que na própria pontada em si" (*COR*). Exagerar o perigo enfraquece a sua determinação, convencendo você de que é menos capaz do que realmente é. O oposto dessa tendência, uma bravata machista, traz um conjunto diferente de perigos consigo. "A verdadeira coragem não é a ostentação", escreveu Waldo (*COR*), sabendo que a fanfarronice pode ser letal *in extremis*. Um contemporâneo de Waldo, o capitão John Brown, teve o cuidado de não recrutar soldados que fingissem ser desprovidos de medo.

No instante em que eu ouço um dos meus homens dizer: "Ah, mas quando eu encontrar tal homem, vou derrubá-lo", não espero muito quanto à luta desse falador. São os homens tranquilos e pacíficos, os homens de princípios, que são os melhores soldados.[7]

Seguros quanto ao conhecimento do campo de batalha que detêm, os combatentes experientes não minimizam ou mesmo exageram o perigo. Em vez de se gabarem com bravatas, armam-se de experiência, de estratégia e de habilidades para com isso ter um suporte na hora de moderar os medos deles já bem fundamentados.

Ao avaliarmos o perigo de uma forma realista, nós temos a melhor chance de obter sucesso. Quando as ameaças não podem ser avaliadas ou são difíceis demais de lidar, é provável que o medo se torne algo crônico ou até incontrolável.

Profunda ansiedade

A existência humana sempre foi assustadora, no entanto, as causas modernas de ansiedade e de medo se multiplicaram cem vezes desde a época de Waldo. As sociedades regridem nas garras do medo, tanto psicológica quanto espiritualmente. Quando reinos de "terror... loucura e malignidade" estão em curso, uma "completa perversão de opiniões pode ocorrer... [o que vira] a sociedade de cabeça para baixo", Waldo nos diz (*COR*). A ciência social confirma o fato de que as crenças reacionárias prosperam nos sistemas dominados pelo medo, tornando assim mais fácil para aqueles que estão no poder explorarem a população. Os níveis de tolerância em relação a imigração, liberdade sexual e igualdade racial, as políticas americanas regrediram de forma significativa.[8] Quanto mais medo nós temos, mais primitivas se tornam as nossas atitudes; o liberalismo muda para o conservadorismo, a independência para a conformidade, a reabilitação para a punição, a abertura para o comportamento de clã e a escolha pessoal para a regência pela maioria. O aumento dos crimes de ódio, da violência armada, da adulteração das notícias e das legislações reacionárias, declínio generalizado das liberdades civis, oferece a prova definitiva da correlação entre o medo e o declínio social.[9]

Existem razões biológicas inatas pelas quais tempos perigosos apontam para um lugar que está longe da liberdade. Todos nós nascemos com um tipo de sistema imunológico comportamental que faz uso do medo e da conformidade para ajudar a combater o perigo, da mesma forma como o sistema imunológico físico cria anticorpos para combater patógenos que invadem o organismo. Esse sistema imunológico comportamental é a nossa primeira linha de defesa contra os impulsos que ameaçam a nossa sobrevivência enquanto grupos, enquanto indivíduos. Como alguns distúrbios autoimunes superestimulam a resposta de defesa do corpo e voltam seus mecanismos de proteção contra si mesmos, o nosso sistema imunológico comportamental se volta contra nós quando os medos sociais se encontram em ascensão. A confiança em nós mesmos e nos outros, além da vontade de falar a verdade ao poder também diminuem quando esse mesmo sistema é ativado.

Lene Aarøe, psicóloga dinamarquesa que estuda o sistema imunológico comportamental, explica que essa lógica de "melhor prevenir do que remediar" pode desencadear reações preventivas de medo, quer nós estejamos em perigo ou não, tudo com base em estímulos irrelevantes.[10] Essas respostas automáticas afetam a nossa tomada de decisão em questões que nada têm a ver com a ameaça que se coloca diante de nós. Como os nossos primeiros ancestrais não entendiam as ameaças específicas que vinham à tona, tais reações exageradas costumam ser grosseiras e destrutivas desnecessariamente. Lene explica que essas "interpretações erradas de indicações irrelevantes" acontecem quando a "mente evoluída" (o cérebro autodefensivo já programado) "encontra o multiculturalismo e a diversidade étnica dos tempos modernos". Nós então somos deixados para lidar com os medos do nosso mundo moderno tendo a fiação sido instalada no Paleolítico.

Como Waldo bem observou, "O cortesão de cachos macios nos *boudoirs* de um palácio tem em si uma natureza animal, rude e aborígine, como um urso-branco" (*N*). Essas respostas ursinas costumam ser pré-verbais, irracionais, primitivas. Eles provocam aquilo que pode ser chamado de transtorno de estresse pré-traumático, medo debilitante em relação ao que está por vir, algo que estamos testemunhando nos dias de hoje. A vigilância excessiva, o pensamento de rebanho e a incapacidade de transcender as nossas respostas instintivas conspiram contra a autoconsciência e colaboram para o arrastar da sociedade na direção do denominador mais baixo possível dela.

Com o sistema imunológico comportamental sob alta velocidade, nós somos manipulados com mais facilidade pelos medos inconscientes, o que nos leva a reagir de formas que não fazem o menor sentido. Em determinado estudo, Lene dividiu o grupo de controle sob análise em dois; metade dos participantes foi instruída a ficar onde bem quisesse na sala onde ela os colocara; já a outra metade foi instruída a ficar ao lado de um desinfetante para mãos. Os resultados desse estudo foram surpreendentes. As pessoas posicionadas próximas do higienizante de mãos expressaram opiniões mais intolerantes e até reacionárias quando comparadas às do grupo que teve a oportunidade de escolher os próprios lugares. O grupo adjacente ao desinfetante se revelou cada vez mais moralista em relação a comportamentos não convencionais. Lene os levou a avaliarem um conjunto de diferentes situações: fazer sexo na cama de sua avó, masturbar-se segurando um ursinho de pelúcia infantil, até mesmo sujar as mãos. A maioria dos participantes próximos ao higienizante de mãos adotou uma abordagem punitiva diante da sugestão de tais projetos de crime.

Um século antes de os psicólogos inventarem o termo "perplexidade moral" para explicar reações como essas, Waldo já havia alertado que confundir emoções nuas e cruas com a verdade é algo perigoso para a nossa saúde mental. As emoções são inconstantes, tendenciosas por natureza, e o nosso hábito reflexivo de manter julgamentos morais indefensáveis sobre coisas que *parecem* erradas, mas que não podem *ser* provadas como o sendo, é uma armadilha ética. A perplexidade moral sustenta o racismo, o sexismo e os julgamentos sem sentido que servem apenas para intensificar os nossos medos. Felizmente, quando você percebe como o sistema imunológico comportamental funciona, torna-se mais capaz de antecipar os julgamentos instantâneos e impensados que vêm à tona, tanto em relação a pessoas quanto a situações. Por isso mesmo é imperativo questionar as nossas reações instintivas, pois elas nunca têm a capacidade de explicar a história toda. Como Waldo bem observou,

> Quando um jovem resoluto se aproxima do exímio valentão, o mundo, e o agarra de forma ousada pela barba, muitas vezes ele se surpreende que o outro se renda uma vez nas mãos dele e que está ali apenas para espantar os aventureiros tímidos.[11]

O poder de superar os nossos medos vem da atenção plena, ou se preferir *mindfulness*, desafiando as nossas reações exageradas diante de condições que não têm qualquer poder real de nos ferir. Aprofundar o conhecimento não só nos ajuda a crescer, como também reduz o medo e a ansiedade.

Medo da liberdade

O próprio Waldo era uma mistura comovente de herói e covarde, de rebelde e recluso; um defensor do inconformismo que também era um burguês de longa data enraizado nos hábitos tacanhos. Ele reconheceu o próprio medo que tinha da liberdade, que coexistiu com o desejo dele por autolibertação.

> É terrível olhar para a mente do ser humano e ver como somos livres, a quais tipos de excessos terríveis os nossos vícios podem correr

sob o muro branco da [respeitabilidade]. Do lado de fora, entre os seus semelhantes, e entre os seus estranhos, você deve preservar as aparências, uma centena de coisas que você não pode fazer; mas por dentro, ah, essa terrível liberdade![12]

O medo da liberdade é inerente ao ser humano. O filósofo francês Jean-Paul Sartre descreveu isso como *la nausée*, a consciência doentia de quanta escolha nós temos à nossa disposição em um universo tão vasto, impessoal e caótico. O psicanalista Wilhelm Reich explicou isso da seguinte maneira:

> Se entendermos que a liberdade significa antes de mais nada a responsabilidade de cada indivíduo de moldar com racionalidade a existência pessoal, profissional e social, então é possível afirmar que não existe medo maior do que o medo... da liberdade.[13]

A apreensão diante da nossa liberdade pode levar uma pessoa a pensar da mesma forma como uma ovelha pensa; a se definir com base nos recintos onde vive e a se agarrar à muleta da subserviência.

Frederick Douglass era um pregador e abolicionista com 55 anos de idade quando ouviu Waldo falar pela primeira vez em Concórdia na primavera de 1844. Nascido sob a escravidão, Douglass, de pai branco, uma vez tendo escapado do estaleiro em Baltimore onde havia sido contratado, ele mesmo se contrabandeou a fim de se mudar para a Pensilvânia; mudou de nome, casou-se, obteve uma licença de pastor e então passou a viver como um homem livre. No dia em que ouviu Waldo falar sobre a vida espiritual dos negros que antes haviam sido escravizados, em particular o uso de Waldo do termo *antiescravo*, Douglass percebeu que o impulso dele na direção da liberdade externa não era capaz de tirar as travas dos grilhões internos dele. Waldo falou sobre a emancipação psicológica necessária para os negros na América e a necessidade de enfrentar o medo da liberdade caso eles esperassem emergir como *antiescravos*. Sem a força de caráter necessária para buscar e manter o próprio estado de liberdade, eles permaneceriam escravos para sempre, afirmou em uma palestra de 1844, "A emancipação dos negros nas Índias ocidentais britânicas".

Douglass levou tamanho desafio a sério e mais tarde respondeu ao impacto disso. Ele carregava a "severa cruz" da verdade "com relutância" e aceitou a veracidade da mensagem de Waldo. "A verdade é o fato de que eu me sentia um escravo", escreveu Douglass, "e a simples ideia de falar com os brancos me oprimia". Ele acabaria fazendo essa mudança para então se tornar um antiescravo, o que veio à tona como uma espécie de ressurreição.

Meu espírito há muito esmagado finalmente ressuscitou, a covardia se foi, o desafio ousado ficou no lugar dela; agora resolvi que, por mais tempo que eu permanecesse um escravo quanto à forma, o dia em que eu era um escravo de fato já havia passado para sempre. Não hesitei em deixar claro para mim mesmo o fato de que o homem branco que esperava ter sucesso ao me açoitar também haveria de ter o mesmo sucesso em me matar.[14]

É errado comparar as experiências dos escravos com os desafios enfrentados pelo resto de nós. Contudo, é uma verdade incontestável que todo indivíduo deve se apoderar da própria liberdade caso você queira mantê-la. Isso significa abandonar crenças autodepreciativas e conscientizar-se do fato de que ninguém mais pode controlá-la. Como os americanos, essa resistência à liberdade pode ser difícil de ser detectada, fica oculta pela crença popular no nosso privilégio nacional inabalável. Mesmo assim, sob a crença nos nossos direitos inalienáveis, nós permanecemos amarrados de maneiras que escapam à nossa atenção, seja espiritual ou intelectualmente, embalados em meio à passividade oferecida por confortos materiais. Waldo já advertia contra esse tipo de encantamento, a vontade de nos persuadir de que somos livres quando estamos trancados dentro de uma gaiola que seja mais confortável. Não devemos confundir o brilho das coisas com o ouro da autoconfiança, é o que ele nos diz. O que significa reconhecer as formas pelas quais nós estamos cercados, envergonhados e somos covardes; a maneira como tememos o nosso poder e com isso permitimos que as nossas vozes sejam ouvidas. Waldo sabia que a vulnerabilidade pode ser assustadora e que não existe terror maior que o de ser conhecido. A intimidade pode ser um limiar para a liberdade, no entanto, nem sempre é fácil atravessá-la, sobretudo quando se trata de amar e de permitir que outras pessoas entrem em nosso coração.

EM RESUMO

O medo é exacerbado pela evitação e pela negação; mas ele também é aliviado pela atenção às coisas que lhe causam mais desconforto. O medo prolifera no escuro, justamente por isso ele precisa ser exposto à luz da atenção. Quando você investiga a origem do seu medo, duas coisas acontecem: primeiro, o próprio medo em si diminui; e segundo, muitas vezes você descobre que a verdadeira fonte do seu medo não é aquela que você acreditava que era. Quando você é específico em relação aos seus medos e às histórias que os cercam, avaliando então as próprias condições difíceis, você se mune de conhecimento, o antídoto mais forte contra o medo. Você percebe que está à altura do desafio, que você é maior que o seu medo. Isso lhe dá coragem, o que não é o mesmo que destemor.

Destemor não é ausência de medo, mas a capacidade de o medo existir sem que ele te paralise. Já a coragem é uma virtude subjetiva mensurada a partir de quanta insegurança, vulnerabilidade e resistência são superadas quando você está com medo. Viver em uma época de medo extremo, ser inundado todos os dias por notícias distópicas, por ameaças à sobrevivência pessoal e planetária, a vigilância em relação ao medo se torna algo fundamental para que ele não prejudique ou domine você. Preste muita atenção ao seu viés de negatividade e à tendência que você tem de ceder aos seus medos e às previsões terríveis que podem vir a se concretizar; além disso, atente-se também para o seu medo da liberdade pessoal e das responsabilidades que isso traz consigo. O que inclui abrir, ou não, o coração no amor; expor-se intimamente para outras pessoas, decisão essa que pode ser a mais assustadora de todas.

Sobre intimidade

O amor é a obra-prima da natureza

 "O amor que você retém é a dor que você carrega."

Um espinho na carne

A falha mais trágica de Waldo era o terror de intimidade emocional que ele tinha. Ele desejava uma conexão próxima, mas a afastava, vivia dividido entre a natureza distante dele e o Stradivarius das emoções intensas contidas em si. Ele queimava por dentro com paixão enquanto se repreendia pelo *froideur* crônico dele. Como reclamou em certo trecho do diário dele, "não tenho o carinho nem mesmo de um pombo".[1]

Ainda assim, ele abordava a supremacia do amor na escrita dele. "A sinceridade doce da alegria e da paz que eu extraio dessa aliança com a alma do meu irmão é a própria noz da qual toda natureza e todo pensamento não passam de casca e invólucro", escreveu ele no ensaio sobre amizade. Às vezes os amigos tendem a confundir a indiferença dele com falta de sentimento, no entanto isso estava longe de ser verdade. Bronson Alcott, vizinho dele em Concórdia, certa vez comparou Waldo a "um olho mais do que um coração, um intelecto mais do que uma alma".[2] Outro vizinho comparou o ato de vê-lo na rua a se deparar com um homem sobre pernas de pau. Mas tais críticas passavam longe do alvo. Na realidade, Waldo era superestimulado, tanto intelectual quanto romanticamente, da mesma forma como um adolescente sonhador luta para parecer adulto diante do mundo.

Essa contradição criou um abismo emocional entre ele e as outras pessoas. Infelizmente, às vezes isso incluía a própria família dele. "A maioria das pessoas que vejo na minha casa, eu as vejo do outro lado de um abismo", confessou Waldo. "Não consigo ir até eles e nem eles conseguem vir até mim."[3] Esse afastamento pode ser uma agonia para ele. "É estranho o fato de eu não poder voltar a nenhuma parte da minha juventude, nenhuma relação passada sequer, sem me encolher, sem me sentir diminuto", ele relatou no diário. Em Waldo, doía muito saber que aqueles que lhe eram mais queridos ("nem Ellen, nem Edward, nem Charles") jamais o conheceram por completo. "Caso [os meus irmãos] pudessem ler todo o meu coração", em vez do exterior sério dele, "eles teriam visto... a generosidade vencendo a frieza superficial e a prudência". Ele lamentava não ter sido "feito como esses meus companheiros beatificados, tanto *superficialmente* generoso e nobre, quanto *internamente*. Eis o espinho na carne".[4]

Contudo, essa ferida emocional alimentava a vida de Waldo como escritor, pesquisador e filósofo. Se ele não tivesse tido um fracasso amoroso, o impulso dele para sondar os mistérios do coração jamais teria sido tão amplo. Afinal, o "progresso do peregrino" que cada pessoa faz na vida é impulsionado pela necessidade. Por mais difícil que a intimidade lhe parecesse e fosse para ele, Waldo jamais duvidou do valor do amor como *summum bonum* da existência humana. O desgosto e o amor se fundiam na psique dele, começando com a negligência benigna da própria mãe. Ruth Emerson, viúva, sitiada, retraída, distribuía afeto como se fosse óleo de rícino (apenas quando necessário), o que pouco fazia para satisfazer o sensível filho do meio dela. O vazio em que deveria estar o amor da mãe, dele aprofundado pela morte do pai e dos irmãos, durante a vida de Waldo nunca foi preenchido.

Ainda assim, ele tinha a capacidade de extrair doçura dessa fruta amarga da mesma forma como um mestre vinicultor alérgico à uva faz. A embriaguez da intimidade o deixava doente, ele ficava bêbado com muita facilidade bebendo pouquíssimo, o que resultava em um sofrimento miserável na manhã seguinte. Contudo, Waldo ansiava por bebida alcoólica. Mais do que um amor erótico, ele desejava ter conversas emocionantes com os colegas, encontros espirituais do coração, da mente, por mais raros que eles acabaram sendo.

A sinceridade é um luxo permitido, como os diademas e a autoridade, apenas para o escalão mais elevado. Todo homem sozinho é sincero [mas] quando a segunda pessoa chega, a hipocrisia então começa. (*AM*)

A sensibilidade de Waldo diante da duplicidade era tão extrema porque ele achava a falta de sinceridade algo doloroso demais. Ele sabia que o amor não pode ser autêntico a menos que ele tenha uma medida igual de verdade.

Verdade e ternura

A amizade era o receptáculo ideal para o amor e para a afeição entre duas pessoas, pelo menos era nisso que ele acreditava. "[A] relação privada e terna de um para com o outro... é o encanto da vida humana" (*L*). A intimidade precisa incluir um encontro de mentes para ser satisfatória. Waldo ficava impaciente com as banalidades das conversas mundanas e podia ser bem intolerante com as vaidades insignificantes. Exatamente por esse motivo ele costumava ficar pouco à vontade com as pessoas, ria ou chegava até a gargalhar nos momentos embaraçosos. Ele criticava com dureza e muitas vezes exagerava nos elogios que tecia.

Waldo acreditava que a afinidade intelectual deve estar presente para que o amor floresça, quer o relacionamento em questão seja platônico, romântico ou algo intermediário. Por mais bonita que Ellen Tucker fosse, o amor dele por ela não teria sido tão intenso caso ela também não fosse uma esteta e poetisa. O segundo casamento dele, com Lidian, foi relativamente bem-sucedido porque ela também era solitária e contemplativa. Ainda que Lidian desejasse que a "expressão modulada de amor" por parte dele florescesse em uma intimidade autêntica, isso jamais viria a acontecer.[5] Em certa passagem no diário dele, Waldo descreveu o casamento deles como um "casamento mezentiano", aludindo ao mito romano do cruel rei Mezentius, conhecido por amarrar pessoas cara a cara com cadáveres e deixá-las lá para morrerem.[6] A pobre Lidian não tinha qualquer chance.

Waldo acreditava que dois elementos são essenciais para todas as formas de amor: verdade e ternura. Os relacionamentos só podem prosperar quando ambas as partes em primeiro lugar são fiéis a si mesmas. Nunca se deve colocar o próprio desejo de amor acima da integridade para consigo mesmo. Cada pessoa deve "guardar estranheza [para si]", escreveu ele (*M*), afinal, "a verdade é mais bonita do que a afetação do amor" (*AS*). Um verdadeiro amigo "em nenhum instante precisa deixar de ser ele mesmo" (*AM*). É muito melhor ficar "irritadiço ao lado de um amigo, do que ser mero eco dele".

A condição que a amizade superior exige é a capacidade de poder sobreviver sem ela... seja uma aliança de duas grandes e formidáveis naturezas, mutuamente observadas... antes que reconheçam a identidade profunda que sob tais disparidades as une. (*AM*)

Respeitar o espaço inviolável que existe até mesmo entre os entes queridos mais íntimos é algo imperativo. Os indivíduos são "globos que só podem tocar em um único ponto", acreditava ele (*E*). O poeta tcheco Rainer Maria Rilke repetiu esse mesmo entendimento quando comparou amantes verdadeiros a "duas solidões que se protegem, que fazem fronteira entre si e se saúdam". Rilke elaborou isso melhor: "A fusão de duas pessoas é uma impossibilidade; quando isso parece existir, é um cerceamento, um consentimento mútuo que rouba uma parte ou ambas as partes da própria liberdade e do próprio desenvolvimento totais.

> Porém, uma vez que a percepção de que mesmo entre as pessoas mais próximas existem distâncias infinitas é aceita, uma convivência maravilhosa pode surgir para elas, caso consigam amar a distância entre ambas, algo que lhes dá a possibilidade de sempre se verem em sua totalidade e diante de um céu imenso.[7]

Waldo, o introvertido, ficava maravilhado diante do fato de diferentes corpos cósmicos poderem se cruzar em extensões psicológicas tão vastas. O isolamento humano só é superado pela *atenção*, ele insistia nisso, e essa atenção dá origem a uma "espécie de paradoxo na natureza" (*AM*) capaz até mesmo de remediar a solidão existencial.

> Eu que sou solitário, que não vejo nada na natureza cuja existência possa afirmar com igual evidência à minha, contemplo agora a aparência do meu ser em toda a superioridade, variedade e curiosidade dele, reiterada de uma maneira que chega a ser estrangeira;

de modo que um amigo pode muito bem ser considerado uma obra-prima da natureza. (*AM*)

A intimidade também requer um esforço concentrado, a começar pela tolerância com as falhas dos nossos entes queridos. Como Waldo sabia por experiência própria, mesmo a pessoa mais querida e compatível está fadada a decepcionar você cedo ou tarde. Mesmo no "momento de ouro da amizade", observou, "nós somos surpreendidos com tons de desconfiança e de incredulidade" (*AM*). Relacionamentos flutuam como todas as coisas na natureza. "A sístole e a diástole do coração não deixam de ter a analogia delas no fluxo e no refluxo do amor" (*C*). Conexões verdadeiramente autênticas requerem franqueza e honestidade. "Não quero tratar os meus amigos com delicadeza, mas com a coragem mais rígida possível", afirmou (*AM*), ainda que Waldo nem sempre tenha sido capaz de enfrentar tamanho desafio sozinho. Além disso, os laços profundos não são forjados da noite para o dia; eles requerem tempo, empenho, da mesma forma todos os processos que são orgânicos. As leis do amor são "austeras e eternas... uma teia feita com as leis da natureza e da moral" (*AM*). Por diversas vezes nós nos esquecemos disso nesta era de mídias sociais, quando a amizade parece estar a apenas um toque do dedo e a intimidade sob demanda parece ser algo garantido. Nós almejamos "um benefício rápido e desimportante", queixava-se Waldo (*AM*) e falhamos em reservar um tempo para o amadurecimento do amor.

O amadurecimento acontece por meio do diálogo, por meio da conversa profunda, a "prática e consumação" do amor. Os mundos interiores estão todos interligados com a linguagem, pelo menos era nisso que Waldo acreditava. Os amigos que exploram conversas profundas juntos têm a chance de se elevarem, de se manterem inspirados e transformados por uma conversa significativa. Ao voltar a atenção para assuntos importantes, eles formam uma espécie de triângulo espiritual cujo vértice é a transcendência. Tais relacionamentos são raros, todavia, quando acontecem, as pessoas descobrem o melhor de si graças a eles; na conversa profunda, uma "referência tácita [é] feita a um terceiro, a uma natureza que se revela comum" (*O*), que corporifica ambas. Essa presença é maior que os indivíduos; ela "é impessoal; é Deus", Waldo nos conta. Pessoas que se dedicam a terem conversas significativas

tomam consciência de que o pensamento se eleva a um nível igual em todos os ombros amigos. Todos eles têm uma propriedade espiritual naquilo que foi dito, da mesma forma como o enunciador. Todos eles se tornam mais sábios do que eram antes. A conversa significativa se arqueia sobre eles como se fosse um templo, essa unidade de pensamento na qual cada coração bate com um senso mais nobre de poder, de dever... todos estão conscientes de atingir um autodomínio que seja mais elevado. Ela brilha para todos. (*O*)

Mas é claro que a intimidade nem sempre é algo nobre. Waldo também podia ser travesso e bobo com a família e os amigos. "É uma das bênçãos de antigos amigos que você possa se dar ao luxo de ser estúpido com eles."[8] Na companhia de quaisquer outras pessoas, ele escreveu: "Se você não larga a cadeira alta e se rebaixa ao nível do chão, fica nervoso e deprimido".[9] Mesmo assim, ele desejava ter aquelas conexões mais profundas que o iludiam e o deixavam sozinho, sentia-se desapontado porque a Providência "não vai me dar o que eu quero, seja na forma de um homem ou de uma mulher".[10]

Uma exceção a essa regra foi Margaret Fuller, que conheceu os Emerson por meio de um amigo em comum no ano de 1836. Sete anos mais jovem que Waldo, Margaret era considerada por muitos a mulher mais instruída da Nova Inglaterra. Seu caso de amor espiritual com Waldo foi indiscutivelmente o mais íntimo e complicado da vida dele, uma dádiva de Deus para ambos enquanto durou. Margaret foi a primeira pessoa na vida de Waldo que se recusou a respeitar os limites rígidos dele; as ofensas pronunciadas por ela, por mais irritantes e agressivas que pudessem ser, forçavam Waldo a tolerar a confusão emocional de formas novas para ele e ofereciam, além do frequente desconforto, demasiada alegria. Hipnotizado pelo brilhantismo de Margaret e emocionado com a companhia dela, Waldo era imune aos seus encantos femininos, algo que a magoava e a frustrava.** Margaret havia se apaixonado por Waldo tanto espiritual quanto sexualmente, apesar de ele ser um homem casado nessa época. Como uma renegada de gênero fluido nascida um século antes do próprio tempo, Margaret era uma mulher moderna que gostava do risco e da ambiguidade do relacionamento dos dois. Em uma época na qual a amizade entre homens casados e mulheres solteiras era um tabu, a ligação perigosa de Margaret com Waldo ultrapassava os limites do decoro social. Lisonjeado com a atenção de Margaret, Waldo então a convidou para ingressar no então chamado Transcendental Club e a editar a revista literária dessa iniciativa, a *The Dial*. Ele se tornou um lírico nas cartas que escrevia, usando a linguagem condizente à de um tolo apaixonado. "Ó divina sereia, ou talvez seja uma pescadora de homens, a quem todos os deuses deram a varinha de hamamélis… sou seu e seu sempre serei", escreveu ele em determinada carta.[11] Contudo, tamanho ardor rapidamente se esvaía uma vez que Margaret estivesse na mesma sala

---

** Além de ter uma voz anasalada e o hábito nervoso de abrir e fechar incessantemente as pálpebras, Margaret era uma mulher corpulenta com um problema de pele desagradável. Compensava a curvatura da coluna andando com a cabeça projetada para a frente, igual a "uma ave de rapina" e, desde os tempos da escola, era aquele "tipo desagradável sabe-tudo, brusca, sarcástica e presunçosa, que pede para ser zombada". (Judith Thurman, "The Desires of Margaret Fuller" [Os Desejos de Margaret Fuller, em tradução livre], *The New Yorker*, 1° de abril de 2013)

que ele. As rejeições por parte de Waldo levavam Margaret a peram-
bular a esmo pela biblioteca de Waldo, acariciando as lombadas dos
livros dele.

Ainda assim, a educação sentimental que recebera por meio de
Margaret foi algo inestimável para Waldo, ensinando a ele que tolerar
sentimentos indisciplinados e ameaçadores faz parte do preço que se
paga pela intimidade. Waldo aprendeu o quanto precisava dessa verdadeira bola de demolição emocional suficiente para derrubar as defesas dele. "Uma mente pode até refletir sobre os próprios pensamentos
durante uma era inteira e ainda assim não obterá tanto autoconhecimento quanto a paixão do amor é capaz de ensinar em um único dia",
observou ele (*H*). Os sentimentos conflitantes nutridos por Margaret
não podiam ser compreendidos com bom senso. Ele apreciava as "conversas estranhas, frias e repelentes de atrativos" entre os dois, enquanto reconhecia a ambivalência dele em relação a uma mulher "que eu
sempre admiro, reverencio ainda mais quando vejo de perto, às vezes
até chego a amar, mas diante de quem eu congelo e que me congela a
ponto de me manter sob absoluto silêncio quando nos aproximamos
um do outro".[12]

Eventualmente, os avanços agressivos de Margaret forçaram Waldo a se afastar do relacionamento tão íntimo que os dois tinham. Ela
não conseguia controlar os sentimentos dela, ainda que tentasse. "Esse
movimento veloz, essa chama inquieta ainda será temperada e subju-
gada", prometeu ela, mas não obteve sucesso.[13] Até que por fim, Waldo
agradeceu a ela pela recusa em respeitar a autoproteção extrema por
parte dele. "Eu nunca mais voltarei aos meus velhos hábitos árticos",
prometeu ele a Margaret em uma carta; o amor respeitoso nutrido por
ela jamais vacilou.[14] Depois que Margaret morreu em um naufrágio a
algumas centenas de metros da costa de Nova York, aos 40 anos de idade, junto com seu marido italiano e filho, Waldo prestou homenagem

à genialidade e à originalidade dela nos elogios que teceu. "Ela prendeu no cinto da simpatia e da amizade todos aqueles que eu conheço e amo", lembrou ele. "O coração dela, que poucos conheciam, era tão grande quanto sua mente, que todos conhecem."[15] Por mais problemática que fosse a amizade dos dois, a essência disso, o cerne amoroso, permaneceu intacta, apesar dos problemas pessoais de ambos.

O amor não é algo pessoal

Waldo veio a constatar que a culminação do amor é a autotranscendência. Amor e egocentrismo são coisas mutuamente exclusivas. Quando se trata da "santidade das afeições do coração", frase poética de John Keats, a forma é menos importante do que o conteúdo.[16] A afeição dele por Margaret permaneceu idêntica em essência, embora a forma da amizade dos dois tenha mudado.

Em sua essência, o amor é atemporal, sem forma, sem segundas intenções, simples, regenerativo e entrelaçado à natureza. O poder impessoal do amor nos ajuda a enfrentar as provações da intimidade sem que precisemos fechar nosso coração sob pressão. Reconhecer o status metafísico do amor infunde as nossas uniões imperfeitas com o espírito. Os conflitos se tornam oportunidades de humildade, de abertura e de discernimento. Waldo nos aconselha a olhar para o relacionamento como uma prática espiritual, enxergando os nossos entes queridos como almas em evolução. Fazer isso revela a parte do ser de alguém que *é* o amor, o espírito que jamais é diminuído pelas dificuldades, que brilha no ato de doar.

Em outras palavras, o amor não é pessoal. Além do mais, o amor não é um sentimento, ainda que a sua expressão possa vir a ser prazerosa. Os relacionamentos provocam diferentes emoções e sensações, no entanto, o espírito por trás dessas respostas é o mesmo. O ego egoísta rejeita essa ideia, que parece contradizer a *especialidade* dele; ainda assim, é verdade o fato de que o amor essencialmente não tem forma, mesmo que ele se manifeste de maneira diversa em diferentes condições. Assim como a gravidade sustenta todos os corpos celestes, o amor sustenta os corpos humanos que estão em órbita. Certas tradições espirituais, o que inclui o zoroastrismo, sugerem que a gravidade e o amor no fundo são a mesma coisa; que o poder que impulsiona a galáxia através do espaço é idêntico ao que impulsiona a atração humana. Como se fôssemos viajantes desse reino misterioso, nós somos "colocados em treinamento para um amor que não conhece sexo, nem a pessoa, nem a parcialidade", Waldo nos diz (*L*). O amor cumpre o verdadeiro propósito dele quando nos empurra para além dos nossos limites pessoais, quando elimina a falsa separação entre o eu e o outro, quando se comunica com o espírito subjacente. Ele compara essa comunhão a uma conflagração.

> Pois ele é um fogo que, ao se acenderem as primeiras brasas no estreito recanto do seio privado, uma vez captado de uma centelha errante vinda de outro coração, brilha e se intensifica até aquecer, até irradiar sobre multidões de homens e mulheres, sobre o coração universal de tudo; assim ele ilumina o mundo inteiro e toda a natureza com as chamas generosas dele. (*L*)

O amor espiritual excede a soma das partes dele. O que nos leva para além das nossas suposições e dos nossos apegos às convenções. Os amantes redescobrem a afinidade que de início os uniu e então aprendem a separar aquilo que é falso do que é verdadeiro; conforme a fachada do relacionamento desaparece, o desígnio espiritual subjacente se revela. Waldo usa o exemplo dos recém-casados para enfatizar isso. Com o amadurecimento do amor, marido e mulher vão percebendo que "aqueles traços outrora sagrados, aquele jogo mágico de encantos" que mais os encantava "era caducifólio... como o andaime por meio do qual a casa foi construída" (*L*). Eles percebem que "a purificação do intelecto e do coração ano a ano é na realidade o casamento verdadeiro, aquele previsto e preparado desde o início e completamente acima da própria consciência de si". Isso ecoa a crença de Plotino, de que "o amor refina e purifica a alma".[17] À medida que a confiança aumenta, nós nos tornamos capazes de uma generosidade *que não depende da reciprocidade.* Tornamo-nos então abundantes e livres o suficiente para compartilharmos o amor que se move através de nós, sem marcar quantos pontos estão sendo atingidos pelo caminho.

> Por que eu devo me preocupar com o fato de o receptor não ser tão espaçoso? Ao sol jamais se mostra como um incômodo o fato de que alguns dos raios dele caem mais largos e vãos sobre um espaço ingrato, que apenas uma pequena parte apareça no planeta que o reflete. (*AM*)

Em vez disso, nós permitimos que a "[nossa] grandeza [educasse] o companheiro que é rude e frio". Aprendemos que o amor não é um objeto a ser cobiçado, mas um brilho que emana direto do nosso âmago. O amor não é mais visto como mera mercadoria a ser pesada, perdida ou trocada como se fosse um troféu, um prêmio. Livre dos disfarces possessivos e competitivos, o amor se torna um presente que só pode ser compartilhado quando é gratuito. Embora "se considere uma desgraça amar sem ser correspondido, os grandiosos se darão conta de que o amor verdadeiro não pode não ser correspondido", escreveu Waldo (*AM*). Quando amamos da maneira que Deus é capaz de amar, sem temer a rejeição ou a dor, passamos da transação para a transcendência quanto à nossa abordagem sobre os relacionamentos íntimos.

178

Eu aprendi isso sozinho depois de um término miserável. Fui abandonado pelo temido indivíduo com quem estava acampando em Oregon. Oscilava entre indignação e tristeza, mas outra emoção também estava presente: a dor intensa por ter perdido algo *em mim*, talvez tenha sido a minha fé no amor, ou pelo menos a crença na minha capacidade de amar alguém. Mas não lamentei ter terminado esse relacionamento; o que eu lamentava era sentir que havia sido prejudicado, como se uma parte do meu coração tivesse sido roubada, o aspecto que estava disposto a ser vulnerável, aberto.

Poucas semanas depois desse término, sentindo-me fora de mim, eu deixei meu apartamento e vaguei sem rumo pela cidade, preso em meio ao tumulto dos meus pensamentos. Até que por fim, exausto demais para andar mais, encontrei um banco em uma rua tranquila. Ao fechar meus olhos, eu pude sentir o sol no meu rosto; quando os abri alguns minutos depois, percebi que dia lindo estava fazendo. O calor era fantástico sobre a minha pele, um céu cristalino pairava sobre mim, então uma brisa suave começou a soprar e o cheiro de jasmim flutuou bem na minha direção. Em pouco tempo eu senti a minha escuridão se dissipando, ao mesmo tempo que ela ia embora, a beleza surpreendente do mundo se desenhava diante de mim. Eu me ouvi dizer em voz alta: "Não posso mais viver assim". Até que de repente duas perguntas surgiram na minha mente. Qual é a verdadeira fonte da sua tristeza? E será mesmo que a sua capacidade de amar foi tirada de você? Junto com essa segunda pergunta, me veio um *insight*. Ali eu percebi claramente que o meu coração estava intacto, ainda que eu sentisse muita dor; ainda era uma pessoa amorosa, ninguém poderia me impedir de abrir o meu coração uma vez mais. Eu era livre para amar sem me conter, ninguém poderia me impedir disso. Eu poderia amar qualquer pessoa o quanto eu quisesse (incluindo a minha ex) e não precisava da permissão de ninguém. Senti o nó no meu plexo solar se desatar e comecei a me sentir eu mesmo de novo. Eu deixei de ser a vítima naquele momento e ninguém poderia sufocar o meu desejo de amar. Aquilo parecia uma profunda restauração de poder. Embora isso tenha acontecido vinte anos atrás, essa percepção de que o amor não é pessoal jamais saiu de mim, na realidade isso às vezes até ajuda quando os relacionamentos ficam difíceis.

O amor nos lembra da interconexão que esconde as nossas diferenças superficiais, ensinou Waldo. Essa teia de amor se sustenta mais por uma intenção altruísta do que por uma emoção acalorada. Ela promove uma intimidade com o mundo que o apego pessoal e a projeção impedem. Nós então percebemos o nível em que protegemos nosso coração por medo dessa intimidade onipresente e como a autoproteção leva à insensibilidade. Os estoicos ensinavam que a *sympatheia*, "afinidade das partes com o todo orgânico", é um portal para a autorrealização. *Sympatheia* é a artéria de interconexão que dá acesso à nossa humanidade plena. "O universo fez criaturas racionais umas para as outras", escreveu Marco Aurélio, "com um olhar voltado apenas para o benefício mútuo com base no valor verdadeiro, jamais para o mal". Em outro trecho, ele acrescentou: "Aquilo que é ruim para a colmeia é ruim para a abelha".[18] O amor modula a ganância e o desinteresse, bem como modula o isolamento e o egoísmo. Sob ele se dissolve a ilusão de que o nosso bem-estar pessoal está separado do bem-estar dos outros.

Todo ser na natureza tem a própria existência tão conectada a outros seres que, uma vez separado deles, pereceria instantaneamente. Isole uma pessoa e logo você a aniquilará. Ela não consegue se desenvolver, não consegue viver sem um mundo em volta. (*H*)

O isolamento é a solidão privada do amor-próprio; por isso o isolamento empobrece e a solidão enriquece o espírito. Isolamento é uma solidão adjacente. Pesquisas mostram que a solidão leva a declínios na função cognitiva, no comportamento pró-social, na motivação e até na longevidade. A sombra do individualismo é a solidão, que abre um abismo entre si e os outros. Infelizmente, a nossa cultura competitiva nos manda mensagens confusas demais sobre *sympatheia*. No clima severo da meritocracia americana, por exemplo, a dependência muitas vezes é vista como fraqueza. A compaixão é denunciada como mera evidência de um "estado de precisar de uma babá", uma desculpa para mimar as pessoas que exploram o sistema. Uma facção de conservadores nutre um profundo ceticismo em relação ao excesso de amor público; a interdependência, como princípio no qual se deveria basear a política pública, é algo suspeito.

Quer estejamos falando sobre relacionamentos pessoais ou sobre um contrato social, os medos exagerados da dependência são um anátema para o amor. Características como a generosidade e a vulnerabilidade recebem pouca ou nenhuma atenção. Todavia, é necessário que uma pessoa seja forte para pedir ajuda e assim confiar que ela terá o apoio de outras pessoas. A humildade necessária para expressar as necessidades pessoais intensifica a autossuficiência. O medo e a arrogância obscurecem a *sympatheia*. Já o coração permanece apertado na própria raiz até que nós nos permitamos nos abrir para a bondade. "Emoções de benevolência... a partir do nível mais elevado do amor apaixonado, ao nível mais baixo de boa vontade... fazem a doçura do amor", lembra Waldo (*AM*). Uma corrente invisível de solidariedade surge por meio da nossa existência compartilhada. "Nós temos muito mais bondade do que jamais se falou sobre" (*AM*). A frieza da reticência não é capaz de congelar o amor no caminho dinâmico dele. "Salvo o egoísmo que esfria o mundo igual aos ventos do Leste", escreveu ele, "toda a família humana é banhada por um elemento de amor, como um éter refinado".

Quantas pessoas encontramos em casas, com as quais mal falamos, mas que ainda honramos e que nos honram de volta! Quantas pessoas vemos pelas ruas, ou com quem nos sentamos na igreja, com quem, mesmo silenciosamente, nos regozijamos calorosamente por estar com elas! Leia a linguagem desses raios errantes diante dos próprios olhos. O coração sempre sabe. (*AM*)

Os relacionamentos mudam, os afetos se modificam, a dor vem e vai, no entanto, o fio que une a humanidade permanece tão forte como sempre foi. Nós nos tocamos naquele espaço aberto que fica além da personalidade, do orgulho e do medo. "Para além das ideias sobre atitudes certas ou erradas, existe um campo. Eu te encontro lá", Rumi prometeu. Esse campo transpessoal também é o destino ao qual Waldo se refere. Estamos aqui para testemunhar e amar uns aos outros durante esse nosso tempo tão breve aqui na Terra. Principalmente nos tempos mais difíceis, a intimidade é um caminho para a salvação.

EM RESUMO

O amor é o *summum bonum* da existência. Ele também está entre os maiores desafios da vida. A incapacidade de amar é um "espinho na carne"; ela só confirma o medo do ego de estar sozinho, de se manter sem amor. Nós derrubamos essa mentira com verdade e ternura, os únicos motores indispensáveis da intimidade, independentemente de qual seja o tipo de relação. A comunicação honesta é vital, quando nos relacionamos enquanto almas, somos companheiros na jornada do despertar. Quando reconhecemos a natureza espiritual do amor, a conexão humana se eleva, chegando ao ponto até mesmo de ser santificada. Você percebe que o amor não é algo pessoal, que o amor que você sente por um pai, por amigo ou mesmo por amante é o mesmo amor (uma vez que a sua mente é uma iteração da Única Mente), traduzido a partir da mesma doçura. Embora o amor incondicional possa estar fora de alcance, o amor transpessoal é sempre possível de acontecer. Você aprende a transcender as superfícies humanas, a tocar a essência das pessoas, a reconhecer o outro em si mesmo (e vice--versa). Esse processo de aprender a reconhecer Deus em todas as coisas é difícil, mas ao mesmo tempo é recompensador. Logo, é crucial lembrar que "inter-ser" resiste sempre ao desejo do autoisolamento, sobretudo nos momentos de dor. Nós somos apoiados, nutridos e energizados por outras pessoas, por isso estar atento à altura da qualidade da companhia que você mantém ao seu lado é algo imperativo.

Sobre adversidade

Só quando está escuro o bastante você consegue ver as estrelas

"Os maus momentos têm um valor científico... o bom aprendiz não deixaria de vivê-los."

A casa da dor

Waldo via as dificuldades como um corretivo aplicado pela natureza, uma oportunidade de transformar dor em entendimento. Ele era tão insensível quanto os estoicos originais quanto a aceitar as perdas inevitáveis da vida. Ele ensinou que a adversidade é capaz de dotar você de uma segunda visão, a aptidão para detectar o potencial de crescimento quando tudo parece estar perdido. Como escreveu o poeta Theodore Roethke: "Em um tempo obscuro, o olho começa a enxergar".[1]

Quando você muda o seu ângulo de visão e silencia as suas previsões negativas, o infortúnio tem a capacidade de guiar você para um terreno mais elevado e os resultados disso são surpreendentes. Waldo não ofereceu nenhum cobertor felpudo de consolo, no lugar, forneceu uma receita de amor rígida para a liberdade. Quando reconhecemos o fato de que as dificuldades podem ter um propósito maior, estamos mais bem preparados para enfrentar o luto e a dor.

> A morte de um amigo querido, da esposa, do irmão, do amante, algo que parecia nada além de privação, um pouco mais tarde assume o aspecto de um guia, ou até mesmo de genialidade, afinal ela costuma operar revoluções no nosso modo de vida, encerrando uma época da infância ou da juventude que já ansiava por ser concluída. (*C*)

Conforme mencionei anteriormente, os momentos de crise dão um chacoalho no *status quo*. Deixar "uma ocupação habitual, a vida doméstica ou o estilo de vida" permite o estabelecimento de "novas funções mais favoráveis ao crescimento do caráter" (*C*). Porque quando se trata do ciclo universal de nascimento, morte e transformação, nós só conseguimos influenciar o estágio final. Podemos até escolher se queremos ser ampliados ou reduzidos pela impermanência; já a dor pode ser usada para nos isolarmos na autopiedade, justificar a nossa obsessão com o passado ou até mesmo como uma oportunidade de nos conectarmos com outros seres que também sofrem. Não somos capazes de amadurecer sem conhecer o peso da perda. "Se ele nunca esteve na Casa da Dor, viu apenas metade do universo", no fim das contas (*TT*).

Nenhuma teoria da vida que não inclua o sofrimento inerente à nossa condição pode ser tida como válida. Sem reconhecer o valor "do vício, da dor, da doença, da pobreza, da insegurança, da desunião, do medo e da morte", conforme argumentou Waldo (*TT*), nós acabamos perdendo as lições essenciais. "A natureza é sustentada pelo antagonismo", não obstante. "As paixões, a resistência e o perigo são educadores. Nós adquirimos a força que fomos capazes de superar" (*CONS*). Em vez de ficar amargurado pelos cantos com as decepções da vida, diminuir as nossas expectativas e nos prepararmos para muito mais é uma atitude sábia. Marco Aurélio nos aconselha a começarmos todos os dias com o exercício sóbrio explicado a seguir. "Ao acordar pela manhã, diga a si mesmo: 'as pessoas com quem eu terei que lidar hoje serão intrometidas, ingratas, arrogantes, desonestas, ciumentas e mal-humoradas'."[2] Ao se preparar para o pior, qualquer prazer que cruzar o seu caminho será recebido como uma deliciosa surpresa. Você aprendeu que buscar uma satisfação duradoura nas pessoas e nas coisas fadadas a mudar e a desaparecer é um erro terrível. É uma atitude ainda mais sábia nos ancorarmos no espírito, que absorve e sustenta todo tipo de problema, sem nunca perder a leveza. "O espírito é fiel a si mesmo", escreveu ele,

e aprende a viver naquilo que é chamado de calamidade, de um jeito tão fácil quanto naquilo que é chamado de felicidade, porque mesmo o mais frágil sino de vidro suportará um peso de mil litros de água no fundo de um rio ou no leito do mar, caso seja preenchido com o mesmo. (*TT*)

O elemento que nos anima é o espírito, sem ele as provações da vida provavelmente nos esmagariam. Sem o transcendental, nós ficamos muito sobrecarregados pela visão materialista. Corremos o risco de nos condenarmos a uma perspectiva pessimista disfarçada de realismo (ponto esse que exploraremos de forma mais profunda na próxima lição). Contudo, "De repente, as fornalhas da aflição se tornam fontes de água viva, todas brotando da humanidade", foi o que o poeta William Blake nos assegurou, quando permitimos que essa transformação aconteça.[3] Waldo elabora da seguinte forma: "Se [as pessoas] têm o nível de *flutuabilidade* e de resistência que faz pouco caso desses percalços, as feridas se cicatrizam com mais rapidez e a pele fica ainda mais resistente para a próxima ferida" (*F*).

A falta de consciência espiritual torna mais difícil encontrar soluções criativas uma vez que as coisas ficam ruins. É por isso que a lei da compensação irrita os materialistas. As pessoas imunes à espiritualidade tendem a resistir perante a ideia de que a adversidade pode ter um lado positivo. O materialismo leva ao pessimismo e a uma tendência de se deleitar com a infelicidade, conforme alertou Waldo, o que o coloca sob grande desvantagem quando a vida lhe apresenta dificuldades. "A tragédia... consiste no temperamento, não nos eventos", isso ele deixou claro. Determinadas pessoas têm um "apetite pela dor".

> O prazer não é forte o bastante e eles anseiam pela dor... nenhuma prosperidade é capaz de acalmar a desolação esfarrapada e desgrenhada deles. Ouvem e veem mal, suspeitam e temem. Eles lidam com cada urtiga e hera que aparece na sebe, pisam em cada uma das cobras que surge no prado. (*TT*)

O transcendentalismo ajuda você a transformar as cobras no prado em auxiliares, conselheiros, em sábios. Caso contrário, você acaba ficando preso na superfície das coisas; a "vida exterior" nos torna pessoas infelizes. A melancolia pertence à vida exterior, já os antiespiritualistas se apegam a ela tanto quanto possível. Eventualmente, a adversidade impossibilita a manutenção dessa ilusão unida, como Waldo escreveu:

> Enquanto um homem não está conectado com a vida divina por meio das próprias raízes dele, apega-se à sociedade por meio de alguns tentáculos de afeto. Contudo, basta acontecer qualquer choque... qualquer revolução... para imediatamente o tipo de permanência dele ser abalado. (*TT*)

Entretanto, a perda não deixa manchas no espírito. Quando você reconhece a insignificância relativa da mudança material, as feridas se tornam mais suportáveis, é o que Waldo sugere. Ele chegou a essa conclusão de uma forma inesperada depois da morte de Wallie. Apesar da enormidade da perda dele, ficou surpreso ao descobrir que uma parte de si havia permanecido intocada; que nada de essencial fora tirado da vida interior dele. O espírito de Waldo era intacto, embora o coração fosse aberto. Ele explorou esse paradoxo em um trecho do diário dele:

> Assim é com esta calamidade. Não me toca: algo que eu imaginava
> ser uma parte de mim, que não poderia ser arrancado sem me rasgar,
> nem ampliado sem me enriquecer, cai de mim e não deixa cicatriz. (*E*)

Mas como isso é possível? – nós nos perguntamos. Para entender esse paradoxo é necessário fazer uma distinção bem clara entre a realidade emocional e a espiritual. Um pertence à vida exterior, já o espírito caracteriza a dimensão interior na qual o amor não morre e nada se perde; embora as formas já tão queridas mudem de formato. Não é uma questão de que as perdas externas não importem, contudo, elas importam muito menos do que acreditamos. Waldo refletiu sobre essa distinção. "A única coisa que o luto me ensinou foi saber o quão superficial ele é." Mesmo a morte de Wallie,

> como todas as outras, faz um risco na superfície, sem nunca me introduzir na realidade, cuja possibilidade de contato pagaríamos caro,
> usando até mesmo filhos e amantes como moeda. (*E*)

Mas, afinal, o que ele quer dizer com isso? Simplesmente que a nossa natureza espiritual, amorosa e bondosa, é ainda mais preciosa para nós do que as nossas conexões emocionais passageiras. O ouvido emocional tem a capacidade de ouvir isso como algo insensível; no entanto, o espírito sabe que Waldo está falando a verdade. A equanimidade dele não refletia uma falha no amor paternal por parte dele. Em vez disso, foi na realidade uma confissão verdadeira de um despertar espiritual depois de uma perda terrível. "Na morte do meu filho... pareceu que perdi uma linda propriedade... nada mais do que isso", escreveu ele, surpreso. "Eu já não consigo mais fazer com que isso seja mais íntimo do que isso" (*E*).

Quando você finalmente entende que o luto não é algo monolítico, imóvel ou imutável, que você processa a experiência de maneira diferente nas diversas partes de si mesmo, não se sente tão perturbado com as respostas complexas diante da perda de alguém. Depois que o meu melhor amigo morreu, seis anos atrás, eu fiquei surpreso com a minha reação tão polimorfa. Nós dois compartilhamos as fases mais importantes da nossa vida um com o outro por décadas. Fomos o braço direito um do outro em várias tempestades. Depois de um diagnóstico inesperado de câncer, ele morreu em três meses. Enquanto Robert morria e também depois da morte dele, eu percebi a ausência de alguns sentimentos convencionais que esperava experimentar nesse momento de tanta tristeza. Embora eu sinta falta de Robert todos os dias, a minha tristeza pela morte dele jamais afetou o amor que eu sentia por ele. Eu estava em paz quando ele faleceu. Robert viveu uma vida rica e significativa. Ele amou e foi amado, destacou-se na área de atuação dele, viajou pelo mundo, explorou-se de uma forma profunda. Ainda que eu desejasse que ele estivesse aqui para fofocar comigo, uma parte menos egoísta de mim não está em luto. A minha gratidão por quarenta anos de lembranças felizes vai muito além da minha amargura pelo tempo que perdemos. As lembranças queridas de Waldo sobre o amado Wallie superaram em muito o desespero dele, continuaram a inspirá-lo ao longo da vida (conta-se que as últimas palavras dele foram: "aquele lindo menino"). Embora o coração dele estivesse despedaçado, ele não se arrependia de nada. Waldo acreditava que o coração é feito para ser partido, como já diz o ditado, *e é por isso* que Deus envia tristeza ao mundo.

A gratidão pelas coisas da forma como elas são, o que inclui as partes que jamais teríamos escolhido, é fundamental para a autossuficiência.

Inclua todas as coisas na sua gratidão

Waldo nos ensina que é possível suportar a perda e a dor com gratidão, mas não com ressentimento. A autossuficiência não nos pede para suprimirmos os nossos verdadeiros sentimentos ou encobrirmos a nossa dor. Ele prescreveu a gratidão como um antídoto para o desespero, para que nos ajude a manter a visão transcendental ao lado da nossa vida emocional, o que nos liberta do solipsismo e da amargura. O povo ojibwa, originário da América do Norte, tem uma oração que os lembra do verdadeiro lugar no mundo ao qual eles pertencem. "Às vezes ando com pena de mim mesmo e o tempo todo um vento forte me carrega pelo céu", dizem. As dificuldades são parte da herança humana e fomos preparados para assumi-las por completo. Outra oração do sufismo traz à tona esse mesmo conceito de uma maneira linda.

Supere qualquer amargura que possa ter surgido pelo fato de você não estar preparado para lidar com a dor que lhe foi confiada. Como a mãe do mundo que carrega no coração a dor do mundo inteiro, cada um de nós faz parte do coração dela, o que significa que todos somos providos de determinada medida de dor cósmica. Logo, você está compartilhando a totalidade dessa dor; é chamado a enfrentá-la com alegria, em vez de autopiedade.

A perspectiva de enfrentar os infortúnios com alegria pode soar como algo nada convencional para um materialista. No entanto, por mais que seja intensa, a dor pertence à vida exterior e não pode prejudicar você de uma forma duradoura, a menos que se apegue ao passado, conforme esclareceu Waldo. "Toda perda, toda dor, é algo particular; o universo permanece ileso ao coração" (*LE*). As emoções são muito parecidas com o clima e não deixam marcas no céu aberto. Contudo, por diversas vezes confundimos os sentimentos com significado e propósito, o que faz com que nos percamos em meio a extremos emocionais. Todo drama acaba dando uma dose de vivacidade às coisas.

> Há estados de espírito em que cortejamos o sofrimento, na esperança de que pelo menos naquela situação encontremos a realidade, picos agudos e fronteiras de verdade. No entanto, isso acaba se revelando uma mera pintura de determinado cenário, uma falsificação. (*E*)

Quando você vê a sua dor pelo que ela realmente é, o passado deixa de controlar você e o mito de que o sofrimento traz consigo significado pode ser desconsiderado.

Waldo e os estoicos enfatizavam que dominamos a forma como carregamos o nosso passado conosco. Somos livres para enquadrar as nossas memórias da maneira como quisermos, para com isso enriquecer a nossa vida ou empobrecê-la. Temos a capacidade de colocar diferentes tipos de tensões nos acontecimentos da vida e de lembrar a beleza daquilo que um dia perdemos. Como disse Sêneca: "Se você admite ter obtido grandes prazeres, o seu dever não é reclamar do que lhe foi tirado, mas agradecer aquilo que lhe foi dado".[4] Quando você se perde em meio à lamentação, corre o risco de despojar as delícias do passado, a beleza dessas lembranças. Você pode até mesmo obscurecer o brilho do amor com dor. E uma dor sem fim é um insulto à memória dos nossos entes queridos quando esquecemos todo o restante. "Então essa amizade que você teve foi em vão?", perguntou Sêneca.

> Durante tantos anos... depois de uma comunhão de interesses pessoais tão íntima, não se conseguiu atingir nada? Você enterra a amizade junto com o amigo? Acredite em mim, uma grande parte daqueles que amamos ainda permanece conosco, ainda que o acaso tenha removido as pessoas que eles eram. O passado é nosso e não existe nada que seja mais seguro para nós do que aquilo que já existiu.[5]

Mas como Sêneca pode estar sugerindo que o passado, entre todas as coisas, é algo *seguro*? Ao nos lembrarmos que a escolha sobre como você vê o passado cabe apenas a você, é você que decide o que fazer com as suas memórias. Somente você tem o poder de resgatar as suas perdas por meio da gratidão e da retribuição. Ninguém tem o direito de impedi-lo de ser grato pela vida que viveu, com as suas "dez mil alegrias e dez mil tristezas".

Os benefícios psicológicos e físicos da gratidão são bastante conhecidos. A gratidão aumenta os níveis de dopamina e serotonina, os neurotransmissores responsáveis pelas nossas emoções; além de fortalecer os caminhos neurais que levam ao bem-estar. Já se demonstrou que a gratidão melhora as funções cerebrais e leva a uma diminuição a longo prazo das emoções tóxicas.[6] Essas estatísticas são verdadeiras, independentemente de um indivíduo ter expressado os sentimentos dele de gratidão para outras pessoas ou não. Um estudo feito com mil adolescentes concluiu que aqueles que mantinham um diário de gratidão relataram aumento notável na generosidade e muito menos foco no materialismo. Além disso, o grupo de controle que manteve um diário de gratidão doou 60% ou mais dos ganhos obtidos para organizações de caridade quando comparados aos que não mantiveram um diário do tipo.[7] Cícero chamava a gratidão de "a mãe de todos os sentimentos humanos" porque ela conduz a pessoa para o desejo de cuidar dos outros.[8] A gratidão torna mais fácil a capacidade de não se perder de vista as nossas bênçãos ou mesmo de não ficar cego pela dor quando coisas ruins acontecem, sabendo então que elas não são o fim da história.

Depois de tudo ruir, a ressurreição é certa

A prática espiritual do rememorar sábio impede que fiquemos presos nos destroços do passado. Percebemos que a renovação depois da destruição é um processo natural. "Eu sou derrotado o tempo todo, no entanto, nasci para a vitória", escreveu Waldo em determinado trecho do diário dele.[9] Os nossos "temperamento e elasticidade" fazem parte da nossa estrutura. "Como esquecemos rápido aquele golpe que ameaçou nos paralisar", lembra (*TT*). "A natureza não vai ficar parada", no fim das contas. "Novas esperanças nascem, novos afetos se entrelaçam e aquilo que está quebrado se torna inteiro de novo" (*TT*).

Para que tamanha regeneração ocorra, nós devemos nos manter abertos à possibilidade. Um fotógrafo chamado John Dugdale recebeu um curso intensivo de ressurreição depois de sofrer uma sucessão de perdas devastadoras. Depois de ter recebido o diagnóstico de AIDS em 1988, John viveu três sérios derrames, teve cinco episódios de pneumonia, toxoplasmose, neuropatia periférica, sarcoma de Kaposi e retinite por CMV que quase o deixaram cego. No apartamento onde vivia em Greenwich Village, ele me contou o seguinte: "O que eu mais temia era perder a visão no início da minha carreira". John é um homem incrivelmente bonito, de queixo quadrado, nariz perfeito e cabelo escuro, ele lembra muito um retrato do sargento John Singer.

"Todo mundo me disse que a minha carreira tinha acabado", disse John. "Mas eu decidi que, se eu ia mesmo perder a visão, queria fazer isso de uma forma corajosa, segurando o meu tripé de câmera, não preso a um suporte para soro."

Hospitalizado por sete meses, John decidiu que, caso sobrevivesse, ele se tornaria o primeiro fotógrafo cego do mundo. "Visão e modo de ver não são a mesma coisa", ele me explicou. "A sobrevivência não significa nada sem aceitação. Essa é a parte paradoxal." John se abaixou para acariciar o cão-guia dele. "Você precisa pegar o que está errado nas mãos e fazer disso algo seu. Você tem que transformar isso em alguma coisa que tenha significado para você. Se tentar esconder ou mesmo negar, isso só vai consumir você. Se espera que as coisas sejam diferentes do que são, se ficar constantemente se perguntando como ou *por que* algo aconteceu, ou de que forma é possível consertar isso, você está perdido."

Quando entramos na nossa experiência, a oportunidade de transformação é sem precedentes, John aprendeu. "É como a energia nuclear, se você optar por usá-la da forma correta. Mas se não consegue se imaginar de um novo jeito, você não vai conseguir superar isso. Se acha que vai ser a mesma pessoa que era antes da tragédia acontecer, seja interna ou externamente, isso é algo impossível. Você já foi fundido depois de passar por esse fogo. Você vai sair sendo ouro do outro lado ou do contrário não vai sair de jeito nenhum." Provando que os médicos estavam errados, John fez mais de quarenta mostras solo de fotografia internacionalmente desde que disseram para ele que a carreira de fotógrafo havia acabado. "E o meu melhor trabalho ainda está por vir", acredita.

A humildade é parte integrante desse processo de ressurreição. Como Waldo disse: "Uma grande pessoa está sempre disposta a ser pequena". Essa mesma pessoa também está disposta a suportar o desconforto, pois ela sabe que isso pode torná-la ainda maior. "Enquanto alguém estiver sentado apenas na almofada das vantagens, vai dormir", escreveu Waldo. "Quando ele for pressionado, atormentado, derrotado, é aí que esse indivíduo tem a chance de aprender alguma coisa" (*C*). Depois da morte de Wallie, Waldo recebeu uma carta de condolências enviada por uma admiradora que estava preocupada com o estado mental dele. Agradeceu pela preocupação, mas garantiu a essa amável senhora que a cabeça e o coração dele estavam intactos, afinal "os poderes da alma são proporcionais às necessidades dela".[10] A tragédia não exige que nos tornemos escravos de nosso passado ou esqueçamos o poder da natureza para nos curar.

Existe um período de lamentação e um para se deixar ir. Definhar por muito tempo sob o arrependimento pode inibir os seus poderes de recuperação. É a consciência do momento presente que constrói a resiliência, ao se enfrentar o dia com a mente de um iniciante. Waldo nos instrui a encontrar o fim da jornada a cada passo dado pelo caminho e a lembrar que viver "o maior número de momentos bons" é ter sabedoria. Na visão de Waldo, "cinco minutos de hoje valem tanto quanto cinco minutos no próximo milênio" (*E*). O seu poder existe apenas no "momento da transição de um passado para um novo estado, no disparo do golfo, no dardo arremessado para um objetivo" (*AS*).

Durante os períodos de dificuldade, muitas vezes fica difícil saber se você está se curando ou não. É por isso que a paciência e a autoconfiança nesses tempos sombrios são a chave para se recuperar da devastação. "Nos momentos em que [nos pensamos] indolentes, descobrimos então que muito foi realizado e que muito começou dentro de nós", escreveu Waldo (*E*). Qualquer pessoa que tenha passado por uma crise que mudou a vida dela sabe como é difícil saber se está progredindo ou não. Forças misteriosas trabalham através de nós, reorganizando os nossos mundos internos, preparando-nos para enfrentar o nosso novo normal. Estudos de desenvolvimento pós-traumático confirmam que os períodos incertos estão prontos para receber transformação. Os psicólogos descrevem a "desintegração positiva" que pode ocorrer depois de uma grande perda, explicando que o potencial de crescimento pessoal é multiplicado quando "exploramos os nossos pensamentos e sentimentos em relação ao ocorrido".[11] A exploração cognitiva estimula a curiosidade e aumenta a nossa capacidade de encontrar um significado pessoal nas adversidades.

A reflexão leva você para fora da floresta; o mundo recupera a própria beleza. Nós então nos lembramos que somos filhos de Deus. "Quando nos olhamos à luz do pensamento, descobrimos que a nossa vida está envolta em beleza", no fim das contas (*LE*). A mortalha cai do momento presente e a dor perde a atração mórbida que tem.

> Atrás de nós, conforme avançamos, todas as coisas assumem formas agradáveis, como as nuvens vistas ao longe. Não só as coisas familiares e obsoletas, como também as trágicas e terríveis são graciosas, porque elas ocupam lugar nas imagens da memória. (*LE*)

Mesmo nos nossos momentos mais sombrios, percebemos que "apenas o finito que trabalhou e sofreu [e que], o infinito jaz estendido sob um repouso sorridente" (*LE*). Caso pudéssemos nos assegurar sobre esse conhecimento, poderíamos perceber a futilidade do arrependimento, sabendo que

> não existe uma necessidade de se travarem lutas, passar por convulsões e desesperos, de torcer as mãos e ranger de dentes, criamos os nossos males. (*LE*)

E no fim, a recusa em superar a nossa dor "interfere no otimismo da natureza", diz ele (*LE*). Isso nos impede de reentrar no fluxo que leva a vida adiante com todos os poderes de renovação e invenção dela.

EM RESUMO

Não existe uma totalidade sem que se conheça o sofrimento. Uma pessoa precisa ter provado o sofrimento, a perda, o desapontamento e a angústia, junto com o lado sombrio da vida, se ela espera realmente desenvolver a verdadeira compaixão e a tolerância da impermanência. Ao entrar na "casa da dor", é fundamental olhar com atenção ao redor e assim perceber as frestas por onde a luz entra; lembrando, portanto, que o caráter se forma (e se torna formidável) por meio das dificuldades que se supera. A gratidão é o antídoto para a autopiedade. Cultivar uma atitude de gratidão (com alegria) pela experiência de estar vivo, aprender a abençoar os detalhes da vida usando a prática do *amor fati* (amor ao destino), mesmo quando eles são desagradáveis, ajuda a pessoa a evoluir a estatura espiritual e aprofundar a conexão com o Deus interior. Ela se rende aos ciclos da vida, o que inclui os períodos de infortúnio e sabe que foram eles os responsáveis por levá-la para os "destinos secretos que o viajante desconhece". Criação e destruição estão entrelaçadas; depois que as coisas desmoronam, elas ressurgem em novos formatos, elas se erguem das ruínas daquilo que um dia foi perdido. A ressurreição está ligada à nossa natureza. Mortes de todos os tipos são necessárias para que aconteça um novo crescimento e florescimento.

LIÇÃO DEZ

Sobre otimismo

A alma se recusa a ter limites

"Não perca tempo com a rejeição, nem lamente o mal, em vez disso entoe a beleza do bem."

Iluminando

Na época de Waldo, o dogma religioso do mal humano estava no auge. Os habitantes da Nova Inglaterra, descendentes dos puritanos, suspeitavam das alegações em relação à bondade humana, e à felicidade de forma geral, como objetivos respeitáveis para pessoas comuns. A penitência, a automortificação e o julgamento piedoso eram as moedas morais preferidas do reino. Waldo foi educado sob o pessimismo e a vergonha, visão de mundo na qual os seres humanos eram vistos como meras criaturas caídas, tatuadas com o pecado desde o momento do nascimento, receptáculos feitos de carne destinados ao inferno.

Ele detestava essa visão pessimista e a atribuía em parte à melancolia ancestral entre os colonos britânicos, ligada à depressão hereditária. "O Trágico se apega à mente inglesa em ambos os hemisférios de uma forma tão íntima quanto às cordas de uma harpa eólica", escreveu Waldo, que mantinha esse instrumento tão antigo no próprio escritório (*TT*). O pessimismo é inimigo da fé, pelo menos era nisso que ele acreditava, uma pedra no caminho do potencial humano. A bondade está adormecida até nos indivíduos mais réprobos, insistia. Em um mundo composto de luz e sombra, a nossa natureza é *iluminar*, caminhar da ignorância para o autoconhecimento. "Mesmo na lama e na escória das coisas, algo sempre canta eternamente", escreveu ele em um poema.[1] "A medida da saúde mental é a disposição de encontrar o bem em todos os lugares" (*HNI*). A bondade, a beleza e a verdade têm o poder de nos guiar para fora das sombras do pessimismo e da autocondenação, mas apenas quando aprendemos a ouvir os nossos anjos superiores.

Waldo desafiou o pessimismo dos cínicos que recusam ideias que ameaçam dissipar a melancolia deles. "Não perca tempo com rejeição, nem lamente o mal, em vez disso entoe a beleza do bem", sugeriu ele (*S*). Mas ele sabia que o problema está no fato de que muitas vezes os pessimistas defendem a negatividade deles chamando a si mesmos de realistas. A pretensão de se ter uma objetividade é a grande presunção do pessimismo, pode-se dizer até que é uma farsa, uma falsa sugestão de que quanto mais desesperado você está, mais realista você precisa ser. Waldo recusava esse realismo ersatz e o *ethos* negativo dele, essa anti-imaginação e obsessão pelo mal. Ele sustentava a ideia de que se os pessimistas dedicassem mais tempo e mais energia para analisar as próprias profecias autorrealizáveis e se concentrassem menos em atacar os otimistas, a vida humana melhoraria dramaticamente.

Ele nos diz que é arrogante presumir o pior. Existem incontáveis variáveis além do nosso alcance. Como pode alguém com uma consciência passageira sobre os mistérios da vida *não* ficar impressionado com o próprio conhecimento limitado, ele se perguntava, humilhado por tudo o que é desconhecido para si? Na realidade, o pessimismo evidencia uma falha da imaginação, uma traição mortal (e a subestimação do) espírito humano. Ele reconhecia o fato de que a visão materialista é o nosso maior albatroz ético. Em uma parábola hindu, com a qual Waldo talvez estivesse familiarizado, os materialistas são comparados a uma colônia de sapos que habitam o fundo de um poço escuro. A maioria desses anfíbios acredita que aquela habitação estreita e úmida representa toda a realidade, no entanto, um sapo corajoso não está convencido disso. Quando esse rebelde já não consegue mais reprimir a curiosidade dele, ele sai do poço, salta até a beira de um penhasco e encontra um oceano vasto, brilhante até onde os olhos esbugalhados dele podem ver. Quando esse sapo "iluminado" retorna para contar aos outros o que descobriu, nenhum dos companheiros de poço acredita nele. Isso é semelhante à forma como os pessimistas tratam os otimistas que tentam lhes contar boas-novas. Informações que ameaçam a visão consensual são relegadas a uma margem ideológica.

Esse era justamente o dilema de Waldo, um rebelde que havia vislumbrado o mar e não queria nada além de espalhar essa boa novidade para uma cultura desconfiada da sabedoria transcendental. Um contemporâneo dele, o educador John Dewey, descreveu o efeito da mensagem de Waldo naqueles que estavam prontos para ouvi-la. "A chegada dele foi como o sol rompendo as nuvens para pessoas que vivem por muito tempo sob céus sombrios", escreveu Dewey. Ele havia "removido as barreiras que bloqueavam o sol" para um conjunto de americanos famintos pela luz.[2] Muitos eram os que zombavam do otimismo de Waldo, preferindo o próprio clima abismal às suas previsões lindas de serem ouvidas, porém difíceis de se concretizarem. O romancista Herman Melville era um desses pessimistas que admirava Waldo enquanto pessoa, mas que desprezava a visão esperançosa que ele tinha sobre a humanidade. Melville, junto do colega escritor

Nathaniel Hawthorne,*** fundou o grupo Antitranscendentalistas, cuja missão era argumentar contra o que eles viam como uma vacuidade espiritual perigosa entre Waldo e os pares. Os antitranscendentalistas sustentavam a ideia de que o egoísmo, a maldade, a ganância e o ódio eram o *sine qua non* da natureza humana. Eles posicionavam a fé dele na misantropia do Antigo Testamento e acusavam Waldo de ignorar o problema do mal, dos impulsos mais sombrios da humanidade.

Mas eles estavam enganados. O otimismo cósmico não minimiza o mal; Waldo era tão perspicaz em relação à destrutividade humana como qualquer um na Nova Inglaterra. Só que ele também acreditava no fato de que o bem é infinitamente mais poderoso que o mal, de que não devemos definir os malfeitores pelos piores erros já cometidos por eles. Com exceção dos sociopatas que sofrem por doenças mentais graves, os pecadores raramente estavam fadados a ultrapassar a reabilitação. Da mesma forma como os antigos estoicos, ele via o mal inserido em um contexto espiritual. Esse "fundamento do ser" nunca é prejudicado, mesmo quando nós causamos sérios danos uns aos outros. "Nada é mau desde que isso esteja de acordo com a natureza", escreveu Marco Aurélio, acrescentando que "a existência do mal não prejudica o mundo".[3] Os antitranscendentalistas acreditavam que isso era uma besteira. Claro que o mal é indesculpável e deve ser punido da forma mais apropriada possível, Waldo e os estoicos concordavam em relação

---

*** "Eu tinha ouvido falar dele como alguém cheio de transcendentalismo, mitos e jargões oraculares", observou Melville. "Para a minha surpresa, achei-o bastante inteligível. Amo todos os homens capazes de mergulhar em algo. Qualquer peixe tem a capacidade de nadar perto da superfície, mas é preciso ser uma grande baleia para descer oito ou mais quilômetros", relatou Melville (em Michael McLoughlin, *Dead Letters to the New World* [Cartas mortas para o mundo, em tradução livre], Nova York: Routledge, 2015, página 85). Além disso, existe uma linha direta de pensamento materialista que herda dos antitranscendentalistas *O gene egoísta* de Richard Dawkins e alguns dos novos ateus da nossa contemporaneidade.

a isso. Contudo, esse mesmo mal passa como todo o resto. Por ser impermanente e fazer parte da vida exterior, a importância dele precisa ser reconhecida, só que não exagerada. "O mal é meramente algo privativo, não absoluto. É como o frio, que é [apenas] a privação do calor", destacou Waldo (*EDH*).

Ele era bem ciente de como essas ideias transcendentalistas eram impopulares entre o público geral, entretanto, sabia que os devotos da vida exterior acreditam apenas naquilo que conseguem ver, ouvir, tocar, saborear ou cheirar. Ainda que idealista, Waldo nunca foi um fantasista. O afilhado dele, William James, um renomado psicólogo, explicou isso durante uma palestra comemorativa dos vinte anos da morte de Waldo. "[A] convicção de que a Divindade está por toda parte pode facilmente tornar alguém um otimista do tipo sentimental que se recusa a falar mal sobre qualquer coisa", explicou James, no entanto, "a percepção drástica das diferenças de Emerson o manteve no polo oposto desta fraqueza". Ele continuou esclarecendo o fato de que "o otimismo dele não tinha nada em comum com aquele clamor indiscriminado por parte do Universo com o qual Walt Whitman nos familiarizou". Em vez disso, a genialidade de Waldo reside na capacidade dele de reconhecer o mal sem condenar os seres humanos imperfeitos, disse James para os espectadores na plateia, a capacidade dele de ver o mal de uma forma contextualizada como algo que emerge de condições negativas da vida. Ele deixou claro que

> saber que tipo de coisa age especificamente dessa maneira e que tipo falha em fazer a conexão verdadeira é o segredo... do vidente. Emerson era um verdadeiro vidente. Ele tinha a capacidade de perceber toda a imundície do fato individual, mas também conseguia ver a transfiguração.[4]

Essa capacidade de manter simultaneamente os pontos de vista contraditórios é a própria definição de sabedoria, como já aprendemos. Ter a capacidade de transpor paradoxos torna alguém possível de ser esperançoso e realista.

A substância da esperança

Uma historiadora chamada Kate Bowler aprendeu essa lição sobre esperança genuína *versus* otimismo estúpido depois de ter passado por uma crise que ameaçou sua vida.[5] Kate era mãe de um filho que tinha 1 ano de idade, era casada com o namorado do ensino médio e feliz na carreira acadêmica, quando estava com 35 anos de idade ela teve o diagnóstico de um câncer de estômago de estágio 4 e instruções do médico para ir para casa e lidar com o que ela ainda tivesse pendente na vida. Parecia irônico que Kate tivesse escrito recentemente um livro chamado *Blessed* [Abençoado, em tradução livre], traçando a história do Evangelho da Prosperidade, filosofia nacional americana sobre pensamento positivo que ganhou popularidade na década de 1960. De acordo com o Evangelho da Prosperidade, Deus nos recompensa quando fazemos as "coisas certas" e possuímos o "tipo certo de fé". Como Kate explica: "Se você for bom e fiel, Deus lhe dará saúde, riqueza e felicidade sem limites na vida. O evangelho me serviu muito bem até deixar de funcionar para mim".

Ao se dar conta de que o Evangelho da Prosperidade havia falhado com ela, reconheceu a necessidade de analisar de forma mais aprofundada as próprias crenças sobre o otimismo. "Eu precisei encarar o fato de que minha vida é construída com paredes de papel e a de todo mundo também", disse Kate. Depois de tornar pública a situação dela em um artigo de opinião do *The New York Times*, ela se viu bombardeada por cartas de leitores que lhe asseguravam que o câncer havia acontecido "por alguma razão", que de certa forma era "parte do plano de Deus", só que Kate tinha começado a enxergar isso de forma diferente, como ela descreve durante um TED Talk que ficou bastante popular. "O que aprendi vivendo com câncer em estágio 4 é que não existe uma correlação fácil entre o quanto eu tento e quanto tempo dura a vida", disse ela para a plateia.

Ela também foi surpreendida por *insights* inesperados. "Quando tive a certeza de que iria morrer, não senti raiva; na realidade, eu me senti amada. Foi uma das coisas mais surreais que já experimentei na vida. E em um período que deveria me sentir abandonada por Deus eu não fui reduzida a cinzas." Em vez disso, Kate descobriu que a própria provação a conectava de forma mais profunda a outras pessoas que também sofriam. "Foi uma sensação de estar mais conectada de alguma forma com outras pessoas que estavam passando pela mesma situação que eu." Isso a deixou com uma visão menos obstinada sobre o ocorrido, voltada para resultados e ao mesmo tempo transacional sobre o que constitui a prosperidade. "Vejo que o mundo está abalado por eventos que são maravilhosos, terríveis, lindos e trágicos ao mesmo tempo", continuou ela. "O único tipo de Evangelho da Prosperidade em que eu acredito [é que] na escuridão, mesmo lá, haverá beleza e amor, vez ou outra isso vai parecer que é mais do que suficiente."[6]

Waldo enfatizava que a "esperança informada", em oposição ao pensamento mágico, faz bem para a saúde emocional e espiritual. No próprio trabalho pioneiro de William James, alimentado por contínuos enfrentamentos de doenças físicas e depressão suicida, ele apontou que o otimismo era necessário para a sobrevivência da nossa espécie. "A mente e as emoções humanas não foram feitas para essa filosofia pessimista e não podem viver tendo sanidade e saúde com ela", escreveu James. Embora a nossa esfera de influência possa ser pequena e nós estejamos sujeitos a forças que não somos capazes de controlar, isso lembra a nós mesmos que temos algumas opções à nossa disposição, o que inclui a opção de ajudar, "impedir que as faixas de ferro se prendam para além da resistência".[7]

O cinismo é o inimigo da esperança e ele é tão difundido hoje em dia quanto na época de Waldo. A desilusão tem sido um problema perene em um país calcado em ideais arrogantes, onde a injustiça, a corrupção e a desigualdade social são galopantes, todavia. "Os americanos têm muitas virtudes, porém, eles têm Fé ou Esperança", lamentou. "Não conheço duas palavras cujo significado seja mais perdido" (*HR*). Waldo atribuía essa superficialidade espiritual à fanfarronice e ao autoelogio. "A nossa América tem uma má fama de ser superficial", observou ele. "Grandes homens, grandes nações, não foram jactanciosos e cheios de si, em vez disso eles perceberam os terrores da vida e se prepararam para enfrentá-los" (*F*). Precisamos alimentar o orgulho arrogante com humildade, cingir o nosso otimismo com autoconhecimento e evitar a armadilha da arrogância.

Esperança e gratidão são itens essenciais na constelação de emoções ligadas ao otimismo. Da mesma forma como a gratidão, a esperança enfatiza a bondade que já existe, em vez de focar as qualidades positivas que estão faltando. A esperança aumenta a aptidão psicológica e física de maneiras notáveis. Pesquisas revelam que a crença e a expectativa, elementos-chave da esperança, são conhecidas por bloquearem a dor física ao liberarem neuropeptídeos no cérebro, esses imitam os efeitos da morfina. Tanto a expectativa quanto a crença auxiliam o sistema nervoso e aumentam os hormônios específicos que melhoram os resultados.[8] No entanto, para que a esperança tenha um efeito curativo, ela deve levar em conta os obstáculos. O médico-autor Jerome Groopman descreveu a diferença entre formas úteis e prejudiciais de esperança adquiridas, resultado de décadas de prática clínica. "A falsa esperança pode levar a escolhas intemperantes e tomadas de decisão errôneas", escreve Groopman. "A esperança verdadeira leva em consideração as ameaças reais que existem e procura usar o melhor caminho para contorná-las."[9]

O valor da esperança realista é ilustrado pelo que ficou conhecido como Paradoxo de Stockdale.[10] James Stockdale, prisioneiro de guerra durante a Guerra do Vietnã, descobriu um método para manter a esperança contra as adversidades aparentemente intransponíveis que não se baseava na negação. O Paradoxo de Stockdale afirma que é possível manter uma fé intensa no fato de que podemos prevalecer mesmo enquanto estamos confrontando simultaneamente os fatos mais brutais da nossa realidade atual. O otimismo informado mantém aberta a porta da esperança, aquecendo-nos com possibilidades mesmo nos nossos momentos mais gélidos. Essa mesma esperança não é muito diferente da fé, ainda que não seja baseada na teologia. É a fé no poder que a própria vida tem para curar, reconfigurar e recomeçar. Essa fé é como aquela que Rabindranath Tagore, poeta bengali, compara a um "pássaro que sente a luz e canta enquanto a aurora ainda está escura".[11] A capacidade de cantar mesmo nos tempos sombrios é a essência do otimismo. A consciência espiritual ajuda você a transcender essa aparência de impossibilidade, algo que os pessimistas consideram resultado final, além de ajudar a permanecer aberto às mudanças positivas que podem acontecer.

É importante lembrar que nós nascemos com um viés de otimismo e também com um de negatividade. Os vieses de otimismo e de negatividade são úteis para a nossa aptidão à sobrevivência. Enquanto o viés da negatividade mais conhecido nos mantém vivos nos ambientes perigosos, o do otimismo nos permite sobreviver a situações impossíveis ao imaginarmos realidades alternativas. "Esse viés nos protege ao mesmo tempo que nos inspira", nas palavras de um pesquisador. "Isso nos mantém sempre avançando, em vez de nos movermos para a borda mais próxima do arranha-céu."[12] Em um ambiente flutuante, devemos ser capazes de imaginar resultados que sejam positivos se estamos aguardando a transformação. Na década de 1960, a visão otimista de amor por parte dos filhos das flores surgiu diretamente do ódio nutrido pela Guerra do Vietnã. Uma vez atacados pelos horrores de My Lai e os heróis americanos assassinados, os hippies responderam com um apelo apaixonado para que, de alguma forma, pudéssemos retornar ao jardim.

É difícil ser pessimista diante do despertar da primavera. Para nos livrarmos dessa barganha do diabo, precisamos voltar para a inocência do mundo natural e garantir a nossa fé, bem como o nosso otimismo. O reverendo Martin Luther King Jr., um dos maiores transcendentalistas da América (o "arco do universo" se curvando em direção à justiça poderia ter sido um credo de Waldo), nos implora para sairmos da "roda de hamster onde se ganha e se gasta", nas palavras de Waldo e nos lembra da nossa conexão sagrada com a vida. "Em algum lugar ao longo do caminho, permitimos que os meios pelos quais vivemos superassem os fins para os quais vivemos", pregava King.[13] Ele sabia que as sociedades ricas que falham nessa tarefa, ao perderem a perspectiva dos *meios* pelos quais estão prosperando, sacrificam a alma comunitária delas.

Apesar do descontentamento dele com a direção da América, Waldo acreditava que a geração dele era superior às que a haviam precedido e manteve a esperança de que as gerações futuras superariam os antepassados. Essa progressividade emprega no ensino de Waldo o sabor distintamente americano dele. Ele afirmava que nós somos herdeiros de um universo próspero e que a esperança é o nosso direito humano inato.

O sentimento moral

Waldo descreveu o "sentimento moral" como aquela faculdade do bem que "nunca perde a própria supremacia", mesmo que nem sempre ela possa ser sentida. Esse sentimento moral é contemporâneo da "beleza secreta, doce e avassaladora [que] se revela ao ser humano quando o coração e a mente dele se abrem para o sentimento da virtude".

> Então ele é instruído naquilo que está acima dele. Ele aprende que
> o ser dele não possui quaisquer limites; que ele nasceu para o que é
> bom, para o que é perfeito, tão baixo como agora jaz no mal e na fra-
> queza. Aquilo que ele venera ainda é dele, embora ainda não tenha
> se dado conta disso. (*EDH*)

O sentimento de moral está alinhado com a virtude, uma "adesão à ação na natureza das coisas", o que nos conecta ao poder positivo e renovador da criação. Essa sincronia leva a sentimentos crescentes de estabilidade e de pertencimento ao universo. "A aurora do sentimento de virtude no coração é a certeza de que a Lei é... soberana sobre todas as naturezas", escreveu Waldo. Portanto, "os mundos, o tempo, o espaço, a eternidade, parecem todos irromper em alegria". É por meio dessa bem-aventurança que "a alma primeiro se conhece", revelada pela alegria presente na essência da criação (*EDH*).

Waldo descreveu a alma como um corpo desencarnado que acompanha uma pessoa ao longo da vida, assim como a genialidade guia você na direção da autorrealização. A alma é a essência que jamais abandona você e te lembra da sua origem divina. Para estoicos como Marco Aurélio, a alma era uma "esfera em equilíbrio", uma unidade equilibrada e completada pela autorrecordação; fruto de não se apegar às coisas nem recuar para dentro de si mesmo; o resultado de não se perder no mundo externo, mas, ao desejar obter autoconhecimento, tornar-se "brilhante de luz e olhar para a verdade, por fora e por dentro".[14] Waldo sabia que a alma "recusa limitações e sempre afirmou que um otimismo nunca será um pessimismo", e ele acreditava que o sentimento moral era a linguagem desse otimismo, capaz de fornecer "entendimento dessa perfeição das leis da alma" (*C*).

A observação dele de que a alma se manifesta de forma diferente nas diferentes empreitadas é especialmente astuta. De acordo com Waldo, quando a alma "respira pelo intelecto, ela é genial. Quando ela respira... pela vontade, é virtude. E quando flui... pelo carinho, é amor" (*O*). A alma nos move na direção da excelência, algo que nem sempre é visível aos olhos do ego. ("A função dela na vida, embora lenta para os sentidos, é bastante conhecida pela própria alma.") A "energia ágil intrínseca [que] se manifesta em todos os lugares, corrigindo os erros e as aparências, além de levar fatos para a harmonia por meio dos pensamentos," é a evidência da alma (*EDH*).

Ao passo que ignoramos a dimensão da alma, caímos na mediocridade e o bem-estar despenca junto. "A ausência dessa fé primária é a presença da degradação" (*EDH*). Isso é o que vemos hoje em dia, uma cultura espiritualmente degradada e privada de alma, na qual a busca pelo autoconhecimento raras vezes é uma prioridade. Waldo chamava a atenção para as raízes desse colapso moral que então brotava na América, alimentando-se da passividade e do materialismo. "A doutrina da natureza divina é esquecida e a doença infecta e diminui [nossa] constituição", escreveu.

Uma vez o homem era tudo; agora ele é um mero apêndice, um incômodo... a doutrina da inspiração está perdida... os milagres, as profecias, as poesias, a vida ideal, a vida santa, todos eles existem meramente como uma história antiga; não estão presentes na crença nem na aspiração da sociedade; e quando sugeridos parecem ridículos. (*EDH*)

Quando esse sentimento moral cai em desuso, "os fins superiores do ser desaparecem de vista e a vida se torna 'cômica ou lamentável'". Nós nos tornamos cada vez mais míopes e superficiais, sensíveis àquilo "que se dirige aos sentidos" e alheios ao que os transcende. Isso é algo seminal para a orientação pessimista. Marco Aurélio comparava essa miopia a um homem que olha para uma fonte fresca, mas ali vê apenas um pântano estagnado. Em vez de beber das profundezas daquela água límpida e doce, ele amaldiçoa a fonte mesmo quando ela borbulha direto da nascente. Ele é capaz até de jogar lama nela, ou esterco, mesmo assim o riacho vai carregar essa sujeira, lavar-se e permanecer limpo. "Não é uma cisterna, mas uma fonte infinita", escreveu Marco Aurélio.[15] Em outras palavras, um pessimista pode despejar tanto lixo no fluxo mental dele quanto quiser, porém, a limpeza da natureza vai limpá-lo e mostrará a ele (caso esteja disposto a olhar) o erro dos pensamentos dele.

Tal prática espiritual de autoquestionamento nos permite acabar com toda essa lama. As questões filosóficas formam uma rede cognitiva que permite que você vasculhe o conteúdo da sua mente, isole as partes do problema e analise o que encontrar lá. Por mais perturbadora que essa peneiração possa se mostrar, esse é o preço inevitável que se paga pela sabedoria. Waldo via essa autoindagação como uma maneira de higiene espiritual e nos lembra que cada passo dado no caminho do autoconhecimento é em si a própria recompensa oferecida por ele. O amigo Henry comparou esse processo a um cachorro roendo um osso. A carne que ele está cavando ali é o autoconhecimento. "Saiba o que você ama", escreveu Thoreau. "Conheça o seu osso; roa-o, enterre-o, desenterre-o e depois o enterre de novo."[16] Esse voltar-se para dentro, enquanto se afasta do redemoinho externo, permite o surgimento do entendimento. Você passa a ver com a maior clareza aquilo que é responsável por sua felicidade; embora possa ser uma vítima das circunstâncias, você continua sendo uma por escolha. Essa responsabilidade pode até parecer esmagadora; mas naqueles dias mais corajosos, ela é um grande alívio. O impulso de explorar a realidade interna e externa, de descobrir como as coisas funcionam, é isso o que nos salva da tristeza e da estagnação.

Ciência e otimismo

Antes da publicação, em 1859, de *A origem das espécies*, Waldo aplicava alguns dos princípios evolutivos de Darwin à esfera do autodesenvolvimento. O espírito aspiracional da ciência reflete a compreensão de Waldo sobre a mente como algo metamórfico, dinâmico e que é impulsionado por forças que estão além da nossa capacidade de calcular. Waldo não via conflito algum entre reconhecer a compreensão da realidade material pela ciência e lembrar a consciência de que a fonte dela era uma metafísica desconhecida.

Para ele, a ciência era um subconjunto da espiritualidade. Assim como os buscadores espirituais, os cientistas são movidos pela experimentação e pelo desejo de iluminar a verdade. Pesquisadores e cientistas anseiam por descascar as camadas que escondem a realidade e por perscrutar as profundezas. Waldo acreditava que a evolução física aponta para um processo análogo na esfera espiritual. Embora tenhamos dado grandes saltos no que diz respeito à organização física e ao conhecimento no decorrer das eras do tempo geológico, ainda não chegamos a esse nível de maestria e de dedicação ao desenvolvimento espiritual. E isso pode significar a morte de todos nós.

A ciência é um banco da frente de um carro para que o mistério se sente, assim como a prática espiritual, uma vez que ela corrige velhas crenças [e], com cada nova percepção varre os nossos catecismos infantis; logo, ela necessita de uma fé compatível com as órbitas mais grandiosas e as leis universais que ela mesma revela. Todavia, isso não surpreende o sentimento moral. Aquilo era mais antigo e aguardava com expectativa tais entendimentos mais abrangentes. (*OAE*)

Para nos auxiliar na manutenção do nosso equilíbrio dentro do cosmos, a ciência deve lembrar que ela está a serviço da natureza, não o contrário. Caso se perceba o oposto, o cientista corre o risco de se confundir com Deus, ladeira ética essa que é escorregadia e já produziu alguns resultados terríveis. Quando a ciência é vista como a verdadeira religião, nós esquecemos quem, ou o quê, está no controle. Desconsideramos, convenientemente, o fato de que "a mesma natureza que criou o pedreiro, criou a casa" (*N*). Para que a ciência cumpra a função espiritual dela, essa falsa divisão entre natureza e espírito precisa ser eliminada de uma vez por todas; além disso, a crença paroquial de que a ciência constitui o zênite da empreitada humana, tornando assim o domínio científico o mais próximo possível da piedade. Lembrar que a ciência tem os próprios limites não subtrai nada da nossa estima pelo brilhantismo da ciência. Como um professor espiritual me disse certa vez: "A mente não pode saber o que está além da mente". Waldo explicou que "todo fato natural" é o símbolo de algum fato espiritual; que "toda aparência na natureza corresponde a algum estado de espírito" (*N*).

Onde outros se concentraram em detalhes capazes de dividir em vez de multiplicar, Waldo ultrapassava as categorias acadêmicas e via padrões unificadores em todos os lugares. Muito tempo antes de saber sobre a seleção natural, por exemplo, ele já ficava impressionado com os sacrifícios que a natureza faz na abundante produção reprodutiva dela.

A vida vegetal não se contenta em abrir mão de uma única semente da flor ou da árvore, em vez disso ela enche o ar com uma prodigalidade de sementes que, mesmo se milhares perecerem, milhares de outras podem se plantar, centenas podem nascer, dezenas podem viver até a maturidade; para que assim, pelo menos uma delas possa substituir a que um dia a gerou. (*N*)

Ele acreditava que todo esse esbanjamento de recursos era prova da existência da esperança; o pilar da visão de mundo do otimista. A natureza é fecunda e infinitamente inventiva, espelhando *em nós* a engenhosidade do processo criativo dela. Artistas e criadores de todos os tipos geram incontáveis ideias, a maior parte delas não sobrevive, mas no caminho para trazer uma nova vida ao mundo experimentam diversos métodos no processo de fazer alguma coisa. Aqueles que desejam se casar por amor e criar uma família normalmente lançam redes românticas gigantes pelo caminho a fim de encontrar um parceiro compatível. Já os buscadores espirituais batem em muitas portas e testam uma quantidade enorme de ensinamentos antes de escolherem aquele cuja prática lhes convém e que pode acelerar o desenvolvimento deles.

Quando Waldo escreveu sobre essa dinâmica, poderia até mesmo estar descrevendo os deuses hindus Shiva e Shakti quando dão à luz o multiverso.

Esse famoso empurrão aborígine se propaga por todas as esferas do sistema; através de cada átomo, de cada esfera; através de todas as raças de criaturas, através da história e do desempenho de cada indivíduo. (*N*)

Ele está dando voz ao impulso primordial da criação, a natureza em chamas pela energia da vida. Ele talvez tenha até mesmo antecipado as descobertas de Einstein, Schrödinger e de outros sobre matéria, sobre energia, como os dois na realidade são um só. "Componha como bem quiser, estrela, areia, fogo, água, árvore, ser humano, ainda assim é uma coisa só e revela as mesmas propriedades", escreveu ele. "Sem eletricidade, o ar apodreceria" (*N*). A nossa aspiração como buscadores apodrece com a mesma rapidez de quando deixamos de recarregar as nossas baterias.

O ato de escolher a esperança em vez da derrota é medicinal. A razão pela qual a ciência tem um efeito tão salvador está no fato de que ela fala ao explorador que habita em nós, ao aventureiro, ao herói. A ciência nos lembra do mundo invisível presente para além dos nossos sentidos físicos. Quando mantemos a porta da nossa mente entreaberta, escancarada para o infinito, a esperança pode respirar. Por qual outra razão as nações com necessidades humanitárias prementes gastariam bilhões de dólares na exploração espacial? Quem precisa de helicópteros em Marte quando crianças passam fome e o planeta está ameaçado? A resposta é espiritual, não racional. A viagem espacial satisfaz aquela nossa necessidade coletiva de transcender os nossos limites, de avançar rumo ao desconhecido, de se libertar. Nós somos uma espécie claustrofóbica que depende do risco e da imaginação para obter sobrevivência espiritual. Caso contrário, nós congelaríamos em um choque existencial ou sufocaríamos sob uma avalanche de ansiedade e de pessimismo acumulados. A capacidade de nos estendermos, de experimentar o gosto da admiração é o que nos salva da armadilha. Cientistas e exploradores se dedicam à proposição de manter aberta essa escotilha de escape humana. "Os homens adoram se questionar, eis a semente da nossa ciência", escreveu Waldo (*TD*). A admiração é a ponte entre o homem e Deus.

EM RESUMO

O otimismo realista é fundamental para a autoconfiança. Essa forma de otimismo não finge que tudo ficará bem e que viveremos felizes para sempre. Ao mesmo tempo o otimismo realista também não nega a realidade concreta de uma situação, o que inclui a necessidade de se manter vigilante em relação à destrutividade e ao mal humanos. O otimismo repousa sobre uma consciência humilde do nosso conhecimento limitado, da nossa capacidade tão limitada de prever o futuro; além do fato de que tudo na natureza está sob constante mudança. O infortúnio pode levar a resultados esperançosos, já a destruição pode levar a novas maneiras de crescimento. O pessimismo tem a capacidade de nos levar à arrogância e muitas vezes é uma falha da imaginação. Embora a esperança fixa baseada em resultados específicos não seja algo útil, a esperança espiritual salva vidas e ajuda você a permanecer sempre aberto às reviravoltas inesperadas da sorte e aos novos potenciais. O "sentimento moral" permite que você mantenha essa conexão com seus melhores anjos e com a alma que recusa limites. A virtude eleva a mente que se afunda e a lembra das origens divinas que ela tem, que estão sempre em expansão. Como uma consequência do espírito aspiracional, a ciência é otimista por natureza; ela é um caminho para se buscar a verdade, para se dissipar a ilusão e para que a nossa necessidade de exploração e a libertação da tirania da ignorância sejam nutridas. E a ciência representa uma ameaça ao nosso bem-estar apenas quando os fundamentos espirituais dela são esquecidos e o cientista se confunde com Deus.

Sobre admiração

A emoção apropriada é maravilhar-se

"A terra ri quando está florescendo."

Expresse o seu espanto

Na primavera de 1871, Waldo viajou para o Oeste dos Estados Unidos com o objetivo de visitar o Parque Nacional de Yosemite. A motivação dele era dupla: contemplar a maravilha de El Capitan, o grande cume no centro do parque, e conhecer um ex-operário de 33 anos chamado John Muir, cuja reputação chegou até os confins de Concórdia.

Muir havia se tornado o santo padroeiro de Yosemite desde que chegara ali, três anos antes. O escocês nativo estava viajando para o Oeste, rumo a São Francisco, quando parou no vale e, ao se apaixonar de um jeito arrebatador pela paisagem, decidiu fazer dali a casa dele. "Este vale é o único lugar que se gaba disso", escreveu Waldo em uma das passagens do diário dele. Muir descrevia ela como "[descendo] penhascos íngremes para ver mais de perto as cachoeiras, gritando e uivando para as vistas, pulando incansavelmente de flor em flor".[1] Ele construiu uma pequena cabana ao longo do riacho Yosemite e passou os dias de vida no sertão, cercado por uma beleza majestosa, acompanhado apenas por "uma xícara feita de lata, um punhado de chá, um pão e uma cópia de Emerson".[2]

Quando Muir ficou sabendo sobre a chegada iminente do herói literário dele, sentiu-se envergonhado demais para abordar Waldo pessoalmente. Como ele lembrou mais tarde,

> Fiquei emocionado de um jeito que nunca tinha ficado antes, meu coração palpitava como se um anjo vindo direto do céu tivesse pousado nas rochas de Sierran. Mas a minha admiração e a minha reverência eram tão grandes que não ousei falar com ele, nem mesmo ir até ele.[3]

Em vez disso, Muir deixou um bilhete para Waldo com uma oferta para servir como o guia local dele. Waldo ficou encantado diante de tal proposta. Nos cinco dias que se seguiram, os dois vagaram juntos pelo vale, Muir falava sobre as maravilhas naturais de Yosemite e Waldo, já aos 71 anos, fazia o possível para acompanhá-lo. O robusto escocês era tão conhecedor da natureza quanto Henry; Waldo ficou encantado ao encontrar, no final da jornada, o profeta naturalista que ele havia pedido tanto tempo atrás.

Para Muir, a visita de Waldo foi uma "imposição de mãos", uma bênção do trabalho dele como um gigante da literatura. Na primavera seguinte, Muir escreveu para o novo amigo, em um esforço para atraí-lo de volta até o vale. "Você não pode se contentar com aquele mero batismo do ano passado", prometeu a Waldo.

> Aquilo foi apenas uma pitada. Venha mergulhar...
> Pense na limpeza e nos banhos de alma que você receberá...
> Pense no brilho da sua vida depois da morte...
> Aqui estão as margens de todas as nossas eternidades...
> Aqui nós podemos ver Deus com mais facilidade.[4]

Muir e Emerson se juntaram diante da admiração e da missão compartilhada que era a de "salvar a alma americana da rendição total ao materialismo", como dizia o imigrante.[5] Muir temia que as riquezas naturais do país fizessem com que a nação "crescesse rápido demais para a virtude e a paz que possuía" e que "as terras ocidentais, em vez de serem consideradas tesouro nacional a ser usado com prudência e legalidade, seriam saqueadas por uma horda amaldiçoada de ladrões bárbaros".[6] Eles compartilhavam a convicção de que a ganância ameaçava subverter o plano de Deus para a América; que o espírito do país só seria preservado por meio de um despertar abrangente de reverência e de admiração.

Embora o local escolhido por Muir fosse estupendo e raro, Waldo deixou bem claro que ambientes majestosos são desnecessários para uma pessoa se surpreender com o esplendor deste mundo misterioso. "A marca invariável da sabedoria é saber ver o milagroso no comum", ele ensinou (*N*). E essa maravilha só é possível quando prestamos uma atenção plena à nossa experiência e reservamos um tempo para refletir sobre o impacto que ela tem em nós. "Quando o ato de reflexão acontece na mente, quando nós nos olhamos sob a luz do pensamento", redescobrimos a magia do mundo, escreveu Waldo (*LE*). Quando paramos para testemunhar a nossa experiência sem quaisquer distrações, isso é mais do que suficiente para nos deixar maravilhados; um único momento de visão lúcida é capaz de abrir o coração e a mente até do cínico mais rígido. Waldo sugeria que mesmo o materialista mais ferrenho ("um capitalista robusto") se tornaria transcendentalista em um piscar de olhos se deixasse a folha de registro da vida dele para ser escrita pelo mistério espalhado em todas as direções diante dele. As crostas seriam levantadas dos olhos depois de ele perceber que "não importa o quão profunda e quadrada em blocos de granito" a fundação da casa seja, o mundo comum que ele sempre imaginou não passa de mera ilusão. Ele entenderia que o edifício da existência dele foi estabelecido

> não sobre um cubo correspondente aos ângulos da estrutura dele [mas em]... uma massa de materiais e solidez desconhecidos e, em brasa ou incandescente, talvez no centro, que se arredonda até uma esfericidade quase perfeita, e fica flutuando no ar suave; então sai girando, arrastando o banco e o banqueiro com ele a milhares de quilômetros por hora, ele só não sabe para onde... (*T*)

Ao seguirmos a nossa vida diária, acreditando que sabemos onde estamos, na realidade dançamos na superfície de um "pedaço de projétil que ora brilha, ora escurece através de um pequeno espaço cúbico à beira de um poço inimaginável de vazio" (*T*). A reverência desmente a nossa visão de um mundo achatado e domesticado, onde sofremos uma lavagem cerebral para então pensar de forma apequenada sobre o processo degenerativo do crescimento. A maravilha está sempre disponível para nós quando montamos nesse "balão selvagem" com os olhos bem abertos. Poucos são aqueles que podem deixar de serem vencidos pelo milagre improvável da nossa existência quando estamos prestando atenção. "A forma como saímos do silêncio para esse mundo sonoro é a maravilha das maravilhas", escreveu Waldo. "Todas as outras são menores." Apenas quando nós encaramos a nossa vida breve com admiração é que ela se torna verdadeiramente significativa. Precisamos "expressar o nosso espanto antes de sermos engolidos pelo fermento do abismo e então erguer as nossas mãos e dizer Kosmos".[7]

Os antigos gregos usavam a palavra *kosmos* para denotar um tipo particular de esplendor, iguais em ordem e beleza. Para eles, assim como para Waldo, a beleza é um vislumbre da eternidade através de uma lente material, um portal para uma consciência superior. "Em cada objeto cheio de beleza, entra algo imensurável e divino", Waldo nos disse. Quando isso acontece, "abre-se uma *segunda vista*", do tipo que revela que todas as coisas têm uma beleza singular. "Não existe objeto que seja tão sujo que uma luz intensa não torne belo" (*B*).

> Esse jogo caseiro de vida que jogamos, sob o que parecem detalhes tolos, acaba cobrindo princípios que surpreendem. (*EDH*)

A nossa mente ilumina ou escurece de acordo com a nossa vontade de nos surpreendermos. Isso prepara o caminho para os "brilhos", como Waldo chamava aqueles lampejos de consciência intensificada que elevam a mente. Os principais pontos de virada na nossa vida não são os acontecimentos em si, mas os momentos de iluminação que mudam a forma como vemos, pelo menos é o que ele nos diz.

O tempo para

Momentos esclarecedores nos transformam por prenderem a mente discursiva e mudar o nosso conceito habitual de tempo. O choque de estar onde estamos, e de uma forma plena, desperta os nossos sentidos e alerta a percepção para a vastidão daquilo que é o "eterno presente". Esta vigília é tão diferente da nossa maneira comum de ver que "momentos de libertação" como estes tornam-se indeléveis, lembrando-nos de algo que parecemos ter esquecido. Waldo explicou que, quando a mente permanece quieta, nós tocamos o "poder profundo no qual vivemos, cuja bem-aventurança é acessível a nós" (*O*). Os obstáculos ilusórios desaparecem de vista uma vez que estamos nesse estado iluminado, revelando assim a natureza não dual do ser. Logo, "o ato de ver e de as coisas serem vistas, o vidente e o espetáculo, o sujeito e o objeto são uma coisa só" (*O*). Waldo ensinou que essas experiências são naturais e aumentam de frequência conforme o buscador sintoniza a frequência delas. "Pois eu afirmo que o êxtase será considerado algo normal", profetizou Waldo, "exemplo de um plano superior fruto da mesma gravitação suave graças à qual as pedras caem e os rios correm" (*INS*).

Na década de 1950, o psicólogo americano Abraham Maslow estudou os estados elevados de consciência no trabalho inovador de pesquisa dele com experiências de extremos. Inspirado pelas conclusões de William James, Maslow ajudou a legitimar o maravilhar-se e a admiração como assuntos sérios para a pesquisa científica. Embora ele tivesse rejeitado o título de *transcendentalista* e resistido a definir experiências de extremos como detentoras de uma natureza espiritual, as observações de Maslow detêm semelhanças impressionantes com a filosofia de Waldo. Maslow estudou milhares de pacientes durante um período de trinta anos e descobriu que as experiências extremas geram o que ele passou a chamar de "uma forma avançada de percepção da realidade... mística e mágica quanto ao efeito dela sobre quem a experiencia".[8] Além disso, essas experiências transcendentais de episódios extremos trazem consigo benefícios fundamentados e aprimoradores da vida. Alguém que tenha experimentado uma situação extrema provavelmente se perceberá como o "centro criativo" responsável e ativo das próprias atividades mais do que em outros momentos, de acordo com Maslow:

> como o motor principal, mais autodeterminado (em vez de algo que é causa de alguma coisa, dependente, passivo, fraco). Ele se sente o próprio chefe, completamente responsável, inteiramente volitivo, com mais "livre-arbítrio" do que em quaisquer outros períodos, mestre do próprio destino, um agente.[9]

Maslow usou o termo Cognição do Ser (Cognição S) para descrever a mudança na cognição entre aqueles que experienciaram acontecimentos extremos na vida, oposição à Cognição de Privação (Cognição P) que nós experimentamos na vida cotidiana. Na Cognição S, experimenta-se uma relação que foi alterada com o tempo e o espaço; além de sentimentos de plenitude e harmonia, de libertação do conflito interior e a sensação de que a pessoa está usando todas as capacidades e habilidades que possui no potencial máximo de cada uma delas. Uma pessoa sente que está funcionando sem quaisquer esforços, sem tensão ou mesmo luta. Maslow explicou que durante a Cognição S uma pessoa é mais espontânea e expressiva, exibindo um "comportamento que flui naturalmente e que não é limitado pela conformidade". Com as ideias criativas recém-abertas, consciente do presente e "sem influências do passado ou esperando experiências futuras", uma pessoa que experimenta a Cognição S se torna flexível, livre e atenta de formas surpreendentes e inesquecíveis.[10]

Existem inúmeras portas que dão acesso a essa dimensão atemporal: a meditação, a ioga, a oração, cânticos, os movimentos extáticos, psicodélicos, o sofrimento extremo, o esforço físico, a intimidade sexual, a experiência estética. Seja qual for o método que você usa para auxiliar nessa pausa da mente pensante, todos eles servem a um propósito parecido: abrir-se para o eterno presente. Eu tive uma profunda experiência de atemporalidade quando estive no túmulo de um santo na Índia, trinta anos atrás. Eu estava na fila com uma centena de outros peregrinos para visitar o túmulo desse mestre que havia morrido muito tempo antes em Pondicherry. Na fila, logo à minha frente estava uma mãe alemã ajudando seu filho deficiente a se ajoelhar ao lado da tumba de mármore. O menino, que não devia ter mais do que 12 anos, estava tendo dificuldade para dobrar os joelhos. Até que por fim, ela o ajudou a descer e encostou a testa na tumba. Observei a expressão no rosto do menino suavizar, senti o mármore frio sob os meus pés, cheirei as flores que cobriam o túmulo; então um profundo silêncio pareceu se instalar na minha mente, levando-me a um profundo estado de relaxamento. Eu senti aquele momento pulsando dentro de mim, vivo, intenso, *pleno*. Nenhuma tagarelice mental existia entre mim e o mundo; eu estava ali, mas também longe, além, observando essa cena como se a visse através de uma fenda ampliada.

Eventualmente, o menino abriu os olhos e se levantou com a ajuda da mãe. Os meus olhos caíram sobre um monte de malmequeres espalhados próximo da imagem do santo, bem na cabeceira da tumba. Eles pareciam brilhar com uma luz que os destacava de todo o restante, eles me atraiam para o laranja brilhante que irradiavam. Eu tive uma forte experiência de sentir o tempo parar. Anos depois, eu me deparei com uma passagem escrita por um homem que fez parte da primeira equipe a escalar o Monte Everest e que acabou rememorando esse momento na Índia. Quando o alpinista estava voltando do pico, ele parou para apreciar aquela vista estupenda, voltou os olhos para o chão e então viu uma pequena flor azul em meio à neve.

> Não sei como descrever o que aconteceu. Tudo se abriu e fluiu junto e fez algum tipo estranho de sentido, e eu estava em completa paz. Não faço ideia de quanto tempo fiquei ali parado. Podem ter sido minutos ou horas. O tempo derreteu. Mas quando desci, minha vida era diferente.[11]

A nossa suscetibilidade a curiosidades é mais importante do que a nossa localização geográfica, e Waldo sabia muito bem disso. Os encontros mais monótonos podem nos trazer "vislumbres". Depois de visitar uma senhora idosa quacre chamada Mary Rotch durante uma tarde de 1836, Waldo teve um despertar inesperado. Sozinho na sala depois da conversa, "abri meus olhos e deixei o que então passaria por eles ir direto para a alma", escreveu em uma passagem do diário dele.

Eu não vi mais a minha relação com Cambridge ou mesmo com Boston. Não prestei mais atenção a qual minuto ou hora os... relógios indicavam. Eu via apenas a terra nobre onde nasci com aquela grande estrela que a aquece e ilumina. Os pinheiros brilhavam e me desafiavam a decifrar o enigma que continham, as folhas dos carvalhos davam cambalhotas, o vento soprava forte no alto.[12]

Além do tique-taque da contagem do tempo, a mente preocupada, essa perspectiva transcendente se mantém sempre disponível. No entanto, ela é tão penetrante e integral que foge da nossa atenção na maior parte do tempo. E é aqui que entra a admiração. Quando nos questionamos, a mente fica quieta, quer nós estejamos imersos na natureza, ouvindo música, apreciando a arte, brincando com crianças, fazendo amor, comungando alegria ou tristeza com outras pessoas ou olhando para o céu aberto; uma janela interna se abre, oferecendo a entrada para um mundo luminoso que fica além da nossa visão comum. Nós não podemos desenvolver uma admiração, mas a inspiração dessa admiração pode ser *convidada* quando criamos as condições necessárias para aquietar a mente e então prestamos atenção a essa consciência superior.

O campo da psicologia positiva, que surgiu diretamente da pesquisa de Maslow, tem muito a dizer sobre admiração. Experiências de admiração têm sido associadas a comportamento pró-social, pensamento crítico, funcionamento fisiológico superior (incluindo estresse reduzido, aumento da função imunológica e diminuição das taxas de artrite, de diabetes, de depressão clínica e de doenças cardíacas).[13] A admiração é o despertador da natureza, ela nos sacode para fora do nosso transe cotidiano e revela a magnificência do mundo *da forma como ele é*. Somos então sensibilizados, fundamentados e nos tornamos completos. Waldo viveu boa parte da vida sob esse estado.

Do topo da colina sobre a minha casa eu vejo o espetáculo da manhã, desde as primeiras horas da manhã até o nascer do sol, com emoções das quais um anjo talvez compartilhe. (*N*)

Essa visão sacramental transforma a maneira como vivemos, infundindo momentos comuns a uma consciência de Deus.

No fim das contas, nós somos todos místicos em formação; a admiração faz parte do nosso repertório humano biológico. As experiências de atemporalidade, de não linearidade e de sacralidade são tão universais quanto rir e comer. Como bem nos lembra o filósofo francês Louis Claude de Saint-Martin: "Todos os místicos falam a mesma língua, porque eles vêm da mesma terra".[14] Essa é nossa origem comum, a Única Mente em que estamos conectados, o nosso lar espiritual. Nós aprendemos a reconhecer essa qualidade inspiradora nos outros e procuramos a companhia deles. Isso prova que a admiração, assim como todas as emoções, é contagiosa. Como o pioneiro na área de inteligência emocional Daniel Goleman me disse: "Nós pegamos as emoções um do outro da mesma forma como pegamos um resfriado". Esse contágio também se aplica à admiração.

Goleman notou pela primeira vez essa qualidade contagiosa enquanto estudava praticantes espirituais na Índia quando era um estudante de pós-doutorado de Harvard. Os mestres renomados eram "animados e engajados, muito presentes, envolvidos no momento atual, muitas vezes engraçados, mas profundamente em paz; equânimes durante as situações perturbadoras", observou Goleman. Eles desafiavam o estereótipo dos místicos como pessoas distantes e sobrenaturais; a qualidade que exalavam, conhecida como *sukha* em sânscrito, trazia à tona uma presença incomum. "Você sempre se sentia melhor depois de passar um tempo com eles e esse sentimento durava", Goleman me disse certa vez.

E de acordo com algumas pessoas que o conheceram, o próprio Maslow incorporou algumas dessas qualidades. Ele era um homem que transbordava paixão, curiosidade, compaixão, generosidade e amor. Quanto mais tempo se expunha a experiências extremas, mais feliz Maslow parecia se tornar. Um garoto mal-humorado do Brooklyn, sobrecarregado com um colossal complexo de mãe, ele se tornou embaixador de maravilhas e admiração por meio do trabalho que conduzia sobre o potencial humano. "O fato é que as pessoas autorrealizadas são simultaneamente as mais individualistas, as mais altruístas, as mais sociais e as mais amorosas de todos os seres humanos", Maslow passou a acreditar nisso.[15] Um processo comparável de autocura se deu na vida de Waldo, evoluindo de um estado melancólico que odeia a si mesmo e não faz nada bem para um notável ser humano espiritual. Até mesmo Nathaniel Hawthorne, vizinho antitranscendentalista dele, ficava impressionado com a qualidade da maravilha contagiante que emanava de Waldo sendo ele um homem de meia-idade, um "brilho se difundia na presença dele como uma vestimenta brilhante".[16] O filósofo espanhol George Santayana fez uma observação parecida:

> As pessoas se amontoavam em torno dele e ouviam o que ele dizia não por causa do significado absoluto disso, mas pela atmosfera de franqueza, de pureza e de serenidade que pairava sobre o discurso, da mesma forma que acontece diante de uma espécie de música sacra. Eles sentiam estar na presença de um espírito raro, belo e em comunhão com um mundo superior.[17]

Choque e admiração

Embora a geração de hoje deva ser a mais impressionada da história, uma vez que mapeou o genoma humano, viajou para o espaço sideral e conectou eletronicamente todo o planeta, parece que estamos nos afastando da admiração. Estamos entorpecidos por proezas tecnológicas extraordinárias, vencidos por escolha e incapazes de recuperar o nosso senso de admiração. Como se fôssemos viciados em novidade, em variedade e em gratificação instantânea, estamos sofrendo de uma anedonia crescente, estamos lutando para sentir uma profunda satisfação em meio a toda essa inovação. Como bem disse o teólogo judeu Abraham Joshua Heschel: "Estamos chocados com a fraqueza do nosso espanto, ao mesmo tempo que estamos chocados com a fraqueza de nosso choque".[18] O consumismo nos oferece prazer em excesso, só que consigo não traz muita alegria; há uma riqueza de informações, mas não muita sabedoria. Há muita novidade, mas pouca admiração.

Quando a admiração diminui, a ansiedade prolifera. O medo estreita a mente, como aprendemos em páginas anteriores, bloqueando os caminhos para o bem-estar. A maravilha abre os portais sensoriais dela e com isso permite que o transcendente entre. A Cognição de Privação reduz a realidade a meros dados, obscurecendo o magnífico do todo. A Cognição do Ser devolve a espiritualidade para o devido lugar ao qual ela pertence, no centro da nossa existência, revertendo assim a nossa tendência secular de definir a realidade em termos materialistas. "Nós temos um hábito mental que faz com que expliquemos mais fácil o miraculoso em termos naturais do que o natural em termos miraculosos", como escreveu T. S. Eliot. "Eis a causa da nossa queda espiritual."[19]

Como um místico, Waldo sabia que existe uma dimensão na qual os experimentos duplo-cegos são irrelevantes, onde a realidade supera os nossos pesos e as nossas medidas; em que esse conhecimento tem o poder de provocar mudanças radicais na forma como uma pessoa vive a própria vida. "Se os seus olhos estiverem no eterno, as suas opiniões e atitudes terão uma beleza que nenhum aprendizado, vantagens combinadas ou outros seres humanos sejam capazes de rivalizar", ele nos diz

(*B*). Nesse espaço aberto, novos significados, novas percepções, novas capacidades, novos sonhos, novas possibilidades, novos poderes e novas percepções nascem em você. Você é capaz de desenhar novos mapas mentais do mundo e imaginar quais são os novos caminhos a seguir. O romancista James Joyce definiu a epifania como "o súbito reconhecimento do significado das coisas triviais".[20] Sente a harmonia inerente à natureza, que também sintoniza você com os ritmos do espírito.

O misticismo articula essa harmonia. Ele é a expressão da "tendência do espírito humano a uma completa harmonia com a ordem transcendental", nas palavras da estudiosa Evelyn Underhill.[21] Quando os valores de uma sociedade contradizem ou mesmo obstruem essa harmonia, a destruição depois disso é certa. O nível mais elevado das nossas emoções – o maravilhar-se, a admiração, a revelação, a epifania – parece ser algo exótico na nossa cultura, como itens especiais disponíveis no cardápio da experiência humana, mas não no prato principal. O escritor Frederick Buechner descreveu muito bem esse desequilíbrio quanto à própria vida mundana dele. "Todos nós somos mais místicos do que acreditamos ou escolhemos acreditar ser", escreveu Buechner.

> Afinal, a vida já é complicada o bastante. Por meio de determinado momento de beleza ou de dor, alguma mudança repentina ocorre na nossa vida, então captamos vislumbres pelo menos daquilo que cega os santos; é a partir disso que, ao contrário dos santos, tendemos a continuar como se nada tivesse acontecido.[22]

Continuar como se algo *tivesse* ocorrido, continuou Buechner, é entrar na dimensão da vida "para a qual religião é a palavra que explica isso". A mensagem abrangente de Waldo para nós é a seguinte: *viva a sua vida como se algo tivesse acontecido*. Não perca as partes mágicas. Maslow acreditava que a história da raça humana "é a história de homens e mulheres que se vendem por pouco", é assim que enganamos o nosso potencial.[23] Ficamos mais assustados com a perspectiva de transcendência e de liberdade do que com o fracasso. Embora tenhamos medo de conhecer "as partes temíveis e repugnantes de nós mesmos... nós tememos ainda mais conhecer aquilo de divino que existe dentro de nós mesmos", escreveu Maslow.[24] Superamos esse medo lembrando que primeiro nós somos seres espirituais, capitalistas, consumidores, só depois materialistas.

A alma é despertada do sono graças à admiração, quando isso acontece ela começa a brilhar. Ao deixar cair o véu da ignorância, nós percebemos que não somos nada *além* de Deus e que o ato mais elevado de que somos capazes é a adoração. Ao nos mantermos sintonizados com a harmonia e a maravilha, vemos o mundo através dos olhos de Deus. Em uma passagem famosa, Waldo descreveu ter uma visão cósmica enquanto caminhava certo dia pelo parque Boston Common, momento esse em que a realidade revelou a deslumbrante face dela e o conectou à Superalma.

> Em pé no chão cru, com a minha cabeça sendo banhada pelo ar alegre e elevada pelo espaço infinito, todo o egoísmo mesquinho desaparece. Eu me torno um globo ocular transparente; não sou nada; vejo tudo; as correntes do Ser Universal circulam através de mim; sou parte integrante de Deus. (*N*)

E o mesmo é verdade para cada um de nós.

Mark Matousek

EM RESUMO

A admiração é o despertador instalado pela natureza com o propósito de acordar você para a maravilha de ser. Sem admiração, a sua vida é diminuída; você esquece a dimensão sagrada da existência e a natureza milagrosa desta experiência terrena. Os limites superiores das emoções humanas, a admiração, a reverência, a elevação, o espanto, o êxtase, a adoração e a transcendência, são cruciais para o florescimento; sem essas emoções elevadas, nós esquecemos quem somos, enquanto seres espirituais, e corremos o risco de cair no desespero. A percepção diminui quando você vê a existência através de uma lente material e se concentra na vida exterior. Durante os momentos de admiração, o tempo parece parar, deixando você no eterno presente, aumentando a consciência e a sensibilidade, tornando esses interlúdios indeléveis em memória. É nesse espaço aberto que novas ideias, visões e inspirações acontecem, criando assim as condições para a transformação. As experiências extremas acontecem nos momentos mais inesperados e não podem ser projetadas, ainda que a probabilidade de elas ocorrerem possa ser aumentada por meio de uma atenção concentrada no momento presente. Os milagres da tecnologia (e da vida moderna de forma geral) às vezes conspiram contra esse choque e essa admiração visto que eles reduzem a atenção, promovem a distração e estragam a simplicidade da vida com uma variedade abundante, incontáveis escolhas e muitas maneiras de evitar se manter verdadeiramente presente.

Sobre esclarecimento

O seu gigante acompanha você aonde quer que vá

"Conheça a si mesmo como pessoa e se endeuse."

Transcendência racional

Waldo começou a abordar isso em *Autossuficiência* com a máxima latina, *Ne te quaesiveris extra*: Não busque fora de si mesmo. E sem equívocos ele estava nos lembrando que aquilo que estamos buscando por meio da religião já se encontra dentro de nós. Essa blasfêmia transformou Waldo no inimigo público número um dentro da igreja que ele rejeitara. O insulto foi acrescido à lesão logo depois do escandaloso discurso na Escola de Teologia de Harvard, que o levou a ser excomungado da *alma mater* dele pelos trinta anos que se seguiram.

Waldo havia sido convidado a discursar para um pequeno grupo de alunos de graduação que se preparavam para o sacerdócio; no entanto, ao invés de incentivá-los nos estudos litúrgicos, advertiu os meninos de que a educação religiosa era desnecessária e que o que estavam aprendendo por parte do clero era um absurdo. Contradizendo a doutrina da igreja, ele assegurou aos estudantes que a comunicação com Deus era um trabalho interno (sem que houvesse necessidade de intermediários), que o dogma sabota a devoção e que a experiência espiritual direta é muito mais valiosa do que qualquer coisa que pudessem encontrar nas escrituras sagradas. Waldo exortou o público adolescente a abandonar as ambições clericais que viessem a ter e no lugar disso a estudar o evangelho da natureza.

Em vez de esperar que a luz de Deus lhes fosse revelada pelas autoridades religiosas, eles deveriam primeiro reconhecer a luz que já existia neles, à espera para ser descoberta. "Antes de qualquer coisa, deixe-me admoestá-los a irem sozinhos", disse para eles. "Recusem os bons modos, mesmo os mais sagrados na imaginação dos seres humanos, e ousem amar a Deus sem qualquer mediador ou véu" (*EDH*). Mas nós podemos apenas imaginar o quanto essa mensagem deve ter sido recebida com confusão pelos meninos do seminário! Waldo ficou feliz em desferir tamanho golpe, e a fúria rebelde dele jamais o deixou, na realidade ela servia a ele bem no circuito de palestras, nas quais ele podia falar o que pensava sem medo de quaisquer restrições; fazia-o para audiências ansiosas por pensar por conta própria e seguir o caminho transcendentalista. Para os ouvintes adultos dele, deixou perfeitamente claro que a autossuficiência é na realidade uma prática espiritual de fortalecimento por meio da conexão com o divino. A autossuficiência é confiança em Deus, dizia Waldo aos ouvintes. Embora nós possamos ser "deuses em ruínas", os nossos edifícios em ruínas para sempre são sagrados na fundação. Apesar de trairmos o nosso potencial todos os dias, a nossa divindade básica não diminui. Cada indivíduo é "a fachada de um templo onde residem toda a sabedoria e todo o bem", e ainda que muitos dos fãs de Waldo estivessem em dúvida, ele nunca deixava de lembrá-los quanto à própria identidade oculta de cada um deles (*O*).

Deus fala com a humanidade *por meio* da natureza, *enquanto* natureza, como bem aprendemos em páginas anteriores, pacificando a mente turbulenta. Nós aprendemos a calibrar os nossos ritmos com aqueles pertencentes ao mundo natural e experimentamos a sacralidade da vida no corpo. "O espírito constrói uma casa para si, além da casa constrói também um mundo e além de seu mundo um céu", explicou ele (*N*). Essa morada celestial de consciência iluminada é erguida por meio de esforços conscientes e meticulosos no intuito de descobrir a verdade sobre quem somos. Esse processo de autodespertar foi descrito pelos estoicos originais como "transcendência racional", que, para aumentar a força que já possui, exige que superemos o nosso egocentrismo.

Os antigos (e Waldo também) definiam a razão de uma forma diferente daquela que usamos hoje. No entendimento deles, a razão se relaciona não só com o pensamento analítico, como também com a capacidade de observar a nossa vida a partir da perspectiva do testemunho. Essa consciência permite refletir sobre a experiência, otimizar as condições por meio do autoconhecimento, encontrar sentido na nossa existência e fortalecer a consciência espiritual por meio da prática direcionada.

Os estoicos acreditavam que a razão dá forma e significado ao cosmos, é ela que possibilita a iluminação; que a "transcendência racional" é alcançada ao unir a mente individual à Única Mente de Deus. Eles enfatizavam ainda que esse alinhamento requer um compromisso raro entre as pessoas que evitam o autoencontro. Esse afastamento do autoconhecimento é a falha trágica da humanidade, causadora de sofrimento e ignorância incalculáveis, que se multiplicam através dos tempos. Waldo via essa tragédia exatamente da mesma forma. Cinquenta anos depois da morte dele, o escritor britânico Aldous Huxley (primo distante de Waldo) abordou esse enigma de um jeito mais direto.

Por não sabermos quem somos, por não sabermos que o Reino dos Céus está dentro de nós mesmos, em geral acabamos nos comportando de maneira tola, muitas vezes insana e às vezes até criminosa, algo tão característico do ser humano.[1]

Huxley era um otimista cósmico, cuja esperança se fundamentava na possibilidade da transcendência racional. "Nós somos salvos, libertos e iluminados ao percebermos o bem até então despercebido e que já está dentro de nós", escreveu Huxley, "ao retornar para o nosso solo eterno e onde sempre estivemos, mesmo sem saber".[2]

A razão é necessária para que esse reequilíbrio espiritual aconteça. Waldo explicou,

Aquele que sabe que o poder é algo inato, aquele que é fraco porque procurou o bem a partir dele [e] se lança sem hesitação na própria [razão], instantaneamente se endireita; fica na posição ereta; comanda os próprios membros, opera milagres; da mesma forma como alguém que fica de pé é mais forte do que quem fica de cabeça para baixo. (*AS*)

Ao fortalecer a nossa mente e o nosso coração, nós somos capazes de parar de viver de cabeça para baixo. Aprendemos então a assumir a "posição ereta" e a trazer à tona o que de melhor existe dentro de nós. Essa aspiração está ligada ao ideal grego de *arete*, que pode ser traduzido como "excelência". Conforme aponta o psicólogo Jonathan Haidt, a *arete* de uma faca é cortar bem. Ao passo que a *arete* de um olho é enxergar bem. E a *arete* de um ser humano é viver uma vida desperta, autossuficiente.[3]

A excelência inclui uma consciência da dimensão transcendental. Sem essa perspectiva da alma, fica impossível apreciar a enormidade dessa criação surpreendente, bem como a nossa participação nela. *Are-*

te fala com o gigante dentro de nós, aquela "imensidão não possuída por ninguém e que não pode sê-lo", nas palavras de Waldo (*O*). Esse gigante é comparável a uma lâmpada de um trilhão de watts irradiante a partir do núcleo. "Por dentro ou por trás, a luz brilha através de nós sobre todas as coisas, o que nos faz perceber que não somos nada, já a luz é tudo", ele nos contou.

A linguagem não consegue pintar isso com as cores dela. É sutil demais. Na realidade, é indefinível, imensurável, no entanto, nós sabemos que ela nos permeia, ao mesmo tempo que nos contém. Sabemos que todo ser espiritual está no ser humano. (*O*)

Existe um paralelo impressionante entre essa passagem e a descrição relatada por Einstein sobre os seres humanos enquanto "ondas de som e luz desaceleradas, um feixe ambulante de frequências sintonizadas no cosmos". "Nós somos almas revestidas com vestes bioquímicas sagradas e os nossos corpos são meros instrumentos por meio dos quais as nossas almas tocam nossa música", escreveu Einstein.[4] Essa luz ilumina aquilo que Waldo chamava de "a infinitude do ser humano privado", revelando que essa personalidade (a vida exterior) é sempre o primeiro plano, nunca o segundo. Esse conhecimento é paradoxalmente fortalecedor; o ego pessoal assume a verdadeira proporção dele contra a imensidão, iluminado pelo "princípio, base de todas as coisas", a "presença simples, silenciosa, indescritível, indefinida, habitando de uma forma bastante pacífica dentro de nós" (*A*).

Quando você acessa esse campo unificado, torna-se consciente quanto à sua estatura diminuta na grande teia do ser. Você também é lembrado sobre a necessidade de rendição espiritual. "[Você] não deve fazer, mas deixar fazer. Não deve trabalhar, mas ser trabalhado", ele nos afirma (*A*). Quando permitimos que as condições se desdobrem conforme elas mesmas querem, ganhamos "poderes amplos e repentinos", sendo o maior deles o bom senso, uma inteligência prática e sensata, a cura para a "falsa teologia" sob a estimativa de Waldo. "Esqueça os seus livros e as suas tradições, obedeça às suas percepções morais [do] momento" (*A*).

A atitude elevada pelo bom senso enobrece os nossos esforços, enquanto a ambição sem humildade se transforma em um esforço obstinado, egoísta. A devoção à vida exterior nos condena à mediocridade e ao conformismo. "Buscar a grandeza seguindo os grandes é um erro capital", ele bem nos lembra, ou mesmo basear o nosso sucesso na obtenção de vantagem sobre o outro. A autossuficiência nos lembra que "a fonte de todo o bem [está] dentro" de nós mesmos e que você "igualmente a todo ser humano [é] uma entrada para as profundezas da Razão" (*EDH*). A transcendência racional cura a ferida da separação que parece existir entre nós e Deus.

Pare de adorar o passado

É imperativo não subordinar a nós mesmos ou as nossas realizações àquilo que foi alcançado antes. A ruminação, a nostalgia e a fidelidade ao passado são coisas que estão em oposição à natureza, afinal, cada momento é refrescante e novo. O passado é "engolido e esquecido", enquanto "somente o vir à tona é sagrado" (*CIR*).

Em vez de imitar os mortos, nós precisamos nos concentrar em nos tornarmos *nós mesmos*. "Nada é seguro, exceto a vida, a transição e o espírito energizante", ensinou Waldo. A retrospecção pode levar à autossabotagem, à estagnação e à "decadência universal... [a] morte da fé na sociedade" (*CIR*). O excesso de confiança na tradição bloqueia o progresso e origina a teologia fundamentalista e o fascismo, da mesma forma como estamos testemunhando hoje em dia. Neste mesmo momento em que estou escrevendo, a tomada do Talibã no Afeganistão forçou os cidadãos de lá (sobretudo mulheres e meninas) a viverem de acordo com as leis religiosas do século XIV ou, caso contrário, sofrer consequências bárbaras. Os supremacistas brancos estão se militarizando nos Estados Unidos em favor de uma América idealizada onde a segregação entre as raças é restabelecida; onde o casamento deve ser heterossexual. Onde a venda de armas é ilimitada e a Constituição, um documento criado há três séculos por (principalmente) homens brancos donos de escravos, é consagrada como se fosse a palavra de Deus.

Tentativas de restabelecer fanatismos de eras passadas são tão perigosas quanto inúteis. A religiosidade se opõe à espiritualidade, já as escrituras sagradas são usadas para perpetuar crimes morais. Para que nos mantenhamos vivos espiritualmente, cada um de nós precisa seguir os preceitos da fé em questão no próprio tipo de adoração dela, a fim de abrir mão de olhar para o passado em busca de sinais do futuro. Descobrir qual é a sua relação própria com o espírito é muito mais exigente do que seguir os passos de uma tradição. Ter uma espiritualidade pessoal força você a sujar os pés pelo caminho para assim descobrir a luz interior. Essa autoconfiança espiritual é a base da filosofia estoica. Waldo entendeu quais eram os desafios dessa abordagem pessoal. "Nunca o estoicismo foi tão severo e exigente como isso haverá de ser", escreveu ele.

> É preciso que se mande o homem para casa, para a solidão essencial dele, envergonhar essas maneiras sociais e suplicantes, fazer com que ele saiba que na maior parte do tempo precisa se colocar à disposição do amigo dele. (*A*)

Em outras palavras, devemos confiar em nós mesmos para só então ficarmos sozinhos na presença de Deus. Essa é uma proposta assustadora para muitos fiéis ("Ao não sabermos mais o que fazer, imitamos os nossos ancestrais" [*A*]). Waldo tem palavras duras para as pessoas que optam por abdicar da própria autoridade espiritual. Religiões organizadas "recuam para as múmias da idade das trevas" e atendem a congregações que têm

> fé na química, na carne, no vinho, na riqueza, na maquinaria, nas máquinas a vapor, na bateria galvânica, nas turbinas, nas máquinas de costura e na opinião pública, mas não nas causas divinas. (*A*)

O cristianismo falhou miseravelmente na missão transformadora à qual se propusera, afirmou ele. Espiritualmente falando, estava sem gás, uma situação que inclusive persiste até hoje. Uma pesquisa recente feita pelo Pew Research sobre o número de americanos que não se afiliam a nenhuma religião foi maior do que em qualquer outro momento da história dessa mesma pesquisa, ainda que quase três quartos dos participantes afirmassem acreditar em Deus; outros 40% se descreveram como "espirituais, mas não religiosos".[5] "[Em] um período de transição [quando] as velhas crenças que confortavam as nações... pareciam já ter gastado todas as forças que tinham", no qual vemos almas perdidas circulando por toda parte, Waldo observou como se falasse sobre a nossa atual crise espiritual, "toda uma população de senhores e senhoras [estão] em busca de alguma religião", porém, com frequência voltando de mãos vazias. "[A] população é ímpia, materializada, sem vínculos, sem solidariedade e sem entusiasmo" (*A*). Essa anomia generalizada confundia Waldo ("Como as pessoas conseguem viver assim tão sem rumo?"), ainda que a causa dele fosse perfeitamente óbvia. As "religiões ignorantes [que] proscrevem o intelecto" eram as verdadeiras culpadas, quanto a isso não resta dúvida: aquelas "religiões escravistas e traficantes de escravos nas quais a brancura do ritual cobre a indulgência escarlate" (*A*). Charlatões e santos do pau oco correm para preencher o vazio deixado pelas religiões-padrão e só pioram as coisas. Waldo talvez estivesse visitando alguma exposição sobre Nova Era quando descreveu os circos espirituais explorando o anseio sincero dos cidadãos em nome de Deus, com suas

> aberração e extravagância, [o] ritualismo do pavão, o retrocesso ao papismo, a divagação dos mórmons, a sordidez do mesmerismo, o delírio das batidas, a revelação do rato e do camundongo, as pancadas nas gavetas das mesas e as artes obscuras. (*A*)

Como já bem sabemos, os vendedores ambulantes prosperam com os anseios daqueles que estão em busca de algo; Waldo advertiu contra o sacrifício do nosso discernimento ao longo do trajeto para descobrir um caminho autêntico.

E existem benefícios inegáveis na apostasia. Deixar a religião imposta a você no seu nascimento pode servir de um profundo amadurecimento rumo ao seu crescimento espiritual. Como descendente de uma família de ministros que remonta ao *Mayflower*, a escolha de Waldo de deixar a igreja foi algo dramático. Quando as explorações dele passaram a acontecer fora dos limites da igreja, a maioria da família e dos amigos ficaram chocados. Tia Mary comparou a atração de Waldo pela filosofia oriental ao ato de ingressar em um culto satânico. Ela condenava a "doutrina murcha do panteísmo de Lúcifer" que infectava a mente dele e temia que o sobrinho, "perdido em meio à imaginação dele", jamais fosse capaz de retornar ao redil (e ela estava certa).[6] Entretanto, se Waldo não tivesse se apaixonado por Bhagavad Gita e mergulhado naqueles ensinamentos não duais, ele nunca teria escrito *Autossuficiência*. Quanto à sua devoção a Jesus Cristo, ela permaneceu inabalável durante toda a vida dele. Waldo desprezava o dogma idólatra que ameaçava obscurecer a mensagem de amor universal de Cristo.

É importante não confundir as autoridades religiosas com os profetas, cuja visão eles defendem nas igrejas.

> Se um homem afirma conhecer e falar com Deus, e leva você para a fraseologia de alguma velha nação mofada em outro país, em outro mundo, não acredite nele. Seria a bolota melhor do que o carvalho em si, que é a plenitude e a conclusão? O pai é melhor do que o filho, alguém a quem ele doou o ser amadurecido dele? Então, de onde vem essa adoração ao passado? (*AS*)

Quando uma igreja relega a revelação à antiguidade, como algo que foi "dado há muito tempo e feito como se Deus estivesse morto", essa instituição está condenada à obsolescência (*EDH*). O único propósito da religião é facilitar a nossa aproximação com um Deus interior e oferecer ferramentas para a autorrecordação espiritual (algo que Platão chamou de *anamnese*). O restante do dogma religioso é pura fachada, não passa de uma bobagem teológica, que eclipsa "o verdadeiro cristianismo". Quando isso acontece, "perde-se uma fé como a de Cristo na infinitude do ser humano". Em um clima tão sem Deus,

> ninguém acredita na alma do ser humano, mas apenas em alguém entre os seres humanos ou pessoa idosa e já falecida. Todas as pessoas vão em bando encontrar esse tal santo ou tal poeta, evitando o Deus que é visto em segredo.

A conformidade religiosa dá origem a seguidores que "pensam que a sociedade é mais sábia do que a própria alma, não sabem que uma alma, e a alma deles, é mais sábia do que o mundo inteiro" (*EDH*).

Nós precisamos de uma nova história da criação, explicou Waldo, do tipo que inclua aquilo que sabemos sobre a ciência, sobre o universo físico. Enquanto as tradições de fé se apresentarem como baluartes *contra* o progresso e se recusarem a evoluir com o passar do tempo, a degradação espiritual com toda certeza vai piorar. É impossível construir uma fé viva sobre um fundamento velho de negação. "O efeito irresistível da astronomia de Copérnico foi tornar o grande esquema da salvação do ser humano absolutamente incrível", percebeu Waldo.[7] O atual êxodo em massa da religião organizada prova que os contos de fadas antediluvianos já não satisfazem o desejo dos buscadores contemporâneos pela verdade. ("A mente científica deve ter uma fé que em si é ciência" [*A*].) Waldo estava convencido de que não existe contradição entre a cosmovisão científica e a metafísica. "O verdadeiro significado de espiritual é *real*" (grifo meu), insistia ele, conclamando os líderes religiosos da época em que ele vivia a atualizarem as narrativas sagradas então pregadas.

> Logo, não tenhamos nada agora que não seja a própria evidência disso... não sejamos importunados com afirmações e meias-verdades, com emoções e pessoas fungando. (*A*)

Apenas quando se permite o conhecimento contemporâneo, o transcendente pode se revelar sob os escombros das crenças mentirosas. ("Deus constrói o próprio templo no coração, sobre as ruínas das igrejas e das religiões" [*A*].) Essa fé emergente e amiga da ciência pede que deixemos a ortodoxia e a obediência de lado em prol da honestidade espiritual. E as sementes da fé já estão dentro de nós. "Nascemos acreditando", explicou Waldo. "Um homem carrega consigo crenças da mesma forma que uma árvore carrega maçãs" (*A*). E do mesmo jeito que a fruta pendurada só amadurece no presente, sendo alimentada pela luz do sol disponível, as almas amadurecem e atingem uma doçura plena apenas no aqui, no agora, nutridas pela luz da atenção deliberada.

Em uma das passagens mais famosas dele, Waldo apontava o exemplo das flores como uma demonstração desse ponto específico sobre o eterno agora, sobre a dimensão espiritual além do tempo.

Essas rosas debaixo da minha janela não fazem referência às rosas anteriores ou às melhores rosas. Elas são o que são em prol do que são; existem com Deus no hoje. Não existe conceito de tempo para elas. Existe simplesmente a rosa; perfeita em todos os momentos que ela existir.

Agora respire fundo duas vezes antes de continuar.

Uma pessoa adia algo ou lembra de algo; ela não existe no presente; com o olhar voltado para trás ela lamenta o passado; desatenta às riquezas que a cercam, ela fica na ponta dos pés para prever o futuro. Ela não consegue ser feliz e forte até que também viva com a natureza no presente, acima do tempo. (*AS*)

É apropriado afirmar que na nossa cultura atormentada com déficit de atenção, a prática da atenção plena tenha se espalhado como fogo em um palheiro.[8] Estamos famintos por esse presente eterno, ansiosos para tocar *nunc stans* (em oposição ao tique-taque de *nunc fluens*, ou a temporalidade criada pelo ser humano), como os antigos descreviam os dois tipos de tempo. No entanto, a prática da atenção plena está longe de ser nova na filosofia ocidental. Marco Aurélio talvez estivesse canalizando o pioneiro da atenção plena, Dr. Jon Kabat-Zinn, quando escreveu o seguinte:

[A] pessoa que aplica toda a atenção e consciência dela ao presente sentirá que tem tudo no momento presente; afinal, nesse momento atual ela tem tanto o valor absoluto da existência quanto o valor absoluto da intenção moral. Não existe mais nada a se desejar. Uma vida inteira e toda a eternidade não seriam o suficiente para lhe trazer mais felicidade.[9]

Waldo aplicava essa abordagem simples e direta aos pensamentos que ele tinha sobre a fé. "Chamam isso de cristianismo, mas eu chamo de consciência", escreveu ele.[10] Os dois grandes erros do cristianismo histórico, a mitificação de Jesus e a adoração fetichista da Bíblia canônica, interferem na conexão direta com Deus, afirmava ele. As fés monoteístas que apenas atribuem a divindade a Deus e aos profetas dele (que por acaso são homens), enquanto negam furiosamente os demais, são contraproducentes, desatualizadas. "É sempre melhor aquilo que eu mesmo me ofereço."

> O sublime é instigado em mim pela grande doutrina estoica, *obedeça a si mesmo*. Aquilo que mostra Deus em mim me fortalece. Aquilo que mostra Deus fora de mim faz de mim um quê e um quando. (*EDH*)

Espírito e biologia estão interligados. Pierre Teilhard de Chardin, paleontólogo-sacerdote francês, sugeriu que nós deveríamos fazer dessa unidade o nosso principal objeto de contemplação caso esperemos nos mover na direção do "Ponto Ômega", no qual toda a criação espirala rumo a um ponto final que se encontra na unificação.[11] Isso é comparável à concepção estoica do Logos, na qual a "razão ativa" permeia e anima o universo, todas as coisas são vistas como partes de um todo.

Cada molécula na natureza abriga uma alma em miniatura; as menores unidades de vida contêm Deus; essa consciência espiritual permeia as nossas células. Quando consideramos a nossa condição humana através dessa lente unificada e íntegra, nos damos conta de que a virtude em si é natural e tão íntima de nós quanto a nossa respiração. Waldo olhava para "esses sentimentos que criam a glória do ser humano, o amor, a humildade, a fé, também como a intimidade da divindade contida nos átomos" (*A*). Essa perspectiva aumenta a confiança na nossa predisposição biológica para o despertar da nossa verdadeira natureza. Também nos ajuda a ganhar

> garantias e previsões [que] emanam do interior do corpo e da mente; da mesma forma que acontece quando as flores atingem a maturidade e o aroma exala delas. (*A*)

Imagine como a vida seria extraordinária se você vivesse com essa consciência da proximidade divina. O gigante espiritual dentro de você pareceria ser real. Você poderia sair da camisa de força imposta pelo ego, ultrapassar os seus limites autoimpostos, resistir à atração do bando e da tradição, além de saber que casou com toda a criação.

Expandindo o círculo

Santo Agostinho, que leu os estoicos quando ainda era um jovem na Argélia, descreveu Deus como uma esfera infinita "cujo centro está em toda parte, mas a circunferência em lugar nenhum".[12] Waldo também acreditava nisso quanto ao potencial humano. "A vida do ser humano é um círculo autoevolutivo, que corre a partir de um anel imperceptivelmente pequeno por todos os lados até atingir círculos novos e maiores, isso ocorre infinitamente", escreveu ele (*CIR*).

O quanto nós somos capazes de expandir vai depender do quão autossuficientes nós nos tornamos. "Até que ponto vai esta geração de círculos, de uma roda sem roda, depende das forças ou da verdade da alma individual" (*CIR*). Conforme expandimos os nossos círculos, o ego se esvazia, o que abre espaço para o gigante esticar os membros. As nossas narrativas pessoais não nos definem mais. "O coração se recusa a ser aprisionado... nos primeiros e mais estreitos pulsos dele", explicou Waldo, e "se curva para fora, com uma força abrangente e na direção de uma expansão imensa, incalculável" (*CIR*).

O filósofo estoico Hiérocles acreditava que a nossa tarefa enquanto indivíduos é atrair o resto da humanidade para dentro, abrindo assim caminho para eles no nosso círculo íntimo.[13] Ele ensinou que a vida é uma sucessão de círculos concêntricos, sendo o primeiro a mente humana, seguido pelos da família imediata, da família extensa, da comunidade local, das cidades vizinhas, do país e, eventualmente, do mundo inteiro. Esse abraço inclusivo era conhecido como *oikeiosis* (no budismo isso é chamado de *metta*, ou bondade amorosa). Nós então somos encorajados a escalar os muros da nossa vida bloqueada, a fim de primeiro estender nosso coração para aqueles que estão mais próximos de nós, depois para os conhecidos, os estranhos e até os inimigos, à medida que os nossos poderes de bondade aumentam. Isso não significa que toleramos o mau comportamento ou sancionamos as perspectivas distorcidas deles. Mas que abandonamos a presunção (que alimenta o ódio, a violência e o sofrimento) de que *nós* somos feitos de um material diferente, que é melhor, mais puro e mais perfeito, do que *eles são*.

Uma pessoa não consegue atingir o potencial espiritual dela sem dar esse passo crucial. "Não se pode perseguir o próprio bem maior sem ao mesmo tempo promover o bem aos outros", ensinou Epiteto. "Buscar o melhor em si mesmo significa cuidar ativamente do bem--estar de outros seres humanos".[14] Ecoando os antepassados estoicos, Waldo nos ensina a sermos adultos espirituais, a pararmos de negar a nossa interdependência, a pegar as ferramentas da autossuficiência e com elas construir uma vida melhor para nós mesmos. Não podemos esperar levar cura ao mundo inteiro antes que isso ocorra. "Da forma como somos, assim fazemos; e da forma como fazemos, assim é feito para nós. Somos os construtores das nossas sortes" (*A*). No final, essa pode ser a melhor notícia de todas.

EM RESUMO

A iluminação é o objetivo da vida humana e o resultado natural de conhecer a si mesmo. Somos programados psicologicamente para a autorrealização; o potencial de libertação da ilusão, da ignorância e do autoesquecimento é parte integrante da nossa natureza essencial. Ao utilizar a razão e o autoquestionamento para separar o real do irreal, você aumenta a capacidade de ver além da autoimagem (a história do eu) no seu Eu autêntico. Este é um reflexo da Única Mente, tanto de forma pessoal quanto transcendental, um gigante interior sempre com você sob o turbilhão dos pensamentos e sentimentos passageiros. Esse Eu autêntico existe apenas no presente eterno (*nunc stans*) e só pode ser experimentado aqui, agora. Você não precisa de uma autoridade externa para fazer essa conexão, olhar para o passado (ou para a tradição) em busca de permissão para integrar seu gigante interior hoje, no presente, é um erro. Se as religiões continuarem a glorificar o passado, minimizando por consequência a importância da experiência espiritual direta, falharão no propósito essencial delas de serem pontes para a iluminação pessoal. Para que a autossuficiência seja verdadeiramente autêntica, ela precisa reconhecer o gigante interior, que atende por uma miríade de nomes: Deus, Shakti, Tao, Buda, Natureza, inteligência divina e afins. Ampliado pela consciência desse Eu transcendental, você expande o círculo de cuidado e de compaixão, permanecendo assim alinhado com as suas origens espirituais, e dessa forma responde ao chamado de autoconhecimento para o qual você nasceu.

Exercícios espirituais

Emerson e os estoicos eram proponentes do uso de exercícios espirituais para estimular o discernimento, aprofundar o caráter e intensificar o bem-estar. As perguntas a seguir abrem as portas da percepção e aprimoram as suas habilidades para a vida. Reservar pelo menos vinte minutos por dia, em cinco dias por semana se revela algo útil para refletir sobre um exercício espiritual que seja relevante para você. Isso pode ser feito por meio da escrita pessoal, da contemplação, do diálogo com um colega ou mesmo em terapia.

Lição um

EXERCÍCIO UM: INTEGRE AS SUAS PARTES SOMBRIAS

Ao refletir sobre a lei da compensação, pense em como você é capaz de integrar aspectos do seu caráter que hoje esconde por conta da vergonha, do desconforto ou até do medo. Quando você permite que as suas excentricidades, peculiaridades, limitações e falhas façam parte do seu caráter, você floresce.

Praticando o exercício para aprofundar a lição: quais aspectos do seu caráter você considera inaceitáveis e o que você consegue fazer para integrá-los à sua consciência? Como isso pode enriquecer a sua vida? Especifique.

EXERCÍCIO DOIS: NÃO SEJA DOMÉSTICO DEMAIS

Reflita sobre a sua disposição de ser alguém não convencional, espontâneo e livre de qualquer decoro exagerado. Entenda que a selvageria fortalece a conexão com o seu corpo e o devolve à sua natureza física. Isso serve para equilibrar a tendência à obstinação, a abstração, a evitação de emoções e a superdomesticação.

Praticando o exercício para aprofundar a lição: como evitar as distrações feitas pelo homem e pelas experiências de segunda mão, incluindo o vício em tecnologia, melhoraria a sua vida? Especifique.

EXERCÍCIO TRÊS: LOCALIZE A SUA BEM-AVENTURANÇA

Analise aquilo que lhe traz alegria e propósito, que satisfaz a sua alma e vem mais naturalmente até você. A bem-aventurança tem mais a ver com fluxo e autorrealização do que com prazeres superficiais ou satisfações efêmeras. Muitas empreitadas indutoras de bem-aventurança exigem bastante esforço e sacrifício.

Praticando o exercício para aprofundar a lição: o que lhe traz alegria e propósito – e por quê –, e como você resiste a fazer as coisas que o deixam mais feliz? Especifique.

Lição dois

Exercício um: veja a visão de cima

Imagine-se a doze mil metros do chão. Em vez de experimentar sentimentos de insignificância, use essa perspectiva aérea para se ver em proporção com os demais e assim entender a insignificância relativa daquilo que mais incomoda você. Os seus maiores desafios, ainda que reais, não são aquilo que você acredita serem. Você é minúsculo e ao mesmo tempo imenso.

Praticando o exercício para aprofundar a lição: quando você olha para a sua vida a doze mil metros acima do chão, o que se revela como notoriamente sem importância e que hoje lhe causa ansiedade ou medo? O que agora faz um novo tipo de sentido?

Exercício dois: observe suas respostas

Preste extrema atenção na forma como você reage a pessoas, lugares e informações que chegam até você. Lembre-se de fazer uma pausa, de abrir um espaço para reflexão e perguntar se está sob o seu controle mudar (nesse caso, você deve agir) tal situação (preencha esse espaço em branco) ou não (nesse caso, você então precisa se dar conta de que isso não lhe diz mais respeito). Atente-se aos gatilhos recorrentes, aos preconceitos, aos julgamentos, aos medos e aos pontos cegos.

Praticando o exercício para aprofundar a lição: quando e com quem você vem sendo excessivamente reativo, superenvolvido e superemocional, de uma forma inadequada, e como você justifica esse comportamento?

Exercício três: aprenda a diferenciar

Reflita sobre o quão diferente você olha para determinada situação quando acontece com você e quando acontece com outra pessoa. Observe como é mais fácil se manter equânime quando coisas adversas ocorrem aos outros e pergunte a si mesmo: por que isso está acontecendo? Tente encarar de frente os desafios como se eles estivessem ocorrendo com outra pessoa e perceba a diferença.

Praticando o exercício para aprofundar a lição: imagine um desafio na sua vida hoje como se ele estivesse acontecendo com um estranho. Como isso afeta a intensidade da sua carga?

Lição três

Exercício um: questione a sua necessidade de ser amado

Pense em quanto tempo e energia você gasta tentando ganhar a aprovação de outras pessoas. Preste atenção no quanto você se censura, adere a regras sociais com as quais nem concorda e até mesmo teme a inconformidade. Buscar permissão dos outros para ser você mesmo é algo paradoxal.

Praticando o exercício para aprofundar a lição: em quais momentos a necessidade de aprovação por parte de outras pessoas impede você de ser alguém autêntico e por que você deseja essa aprovação? Especifique.

Exercício dois: esclareça seus motivos

Considere as intenções por trás das suas ações, o que significa medir a sua integridade. As ações positivas executadas com intenções negativas (egoístas) provavelmente não trarão um resultado positivo. Observe em quais circunstâncias você é motivado pelo medo, desejo, razão, pela agressão, sabedoria ou miopia. Quando você entende aquilo que o motiva, é muito mais provável que a sua ação seja hábil.

Praticando o exercício para aprofundar a lição: ao longo da vida, quando as suas verdadeiras motivações não estão alinhadas com os resultados que você está buscando? Quais são as razões dessa contradição? Especifique.

EXERCÍCIO TRÊS: QUESTIONE A MÁSCARA DA BONDADE

Pense sobre o que significa ser algo bom para você, as suas crenças sobre aquilo que constitui a bondade e se você acredita que as pessoas são boas. Preste atenção na diferença entre a aparência e a realidade quanto à virtude. Evite sinais de virtude e fingimento.

Praticando o exercício para aprofundar a lição: na sua vida, em que situação você está fingindo ser melhor do que realmente é, ou sendo "bom" de maneiras que não são autênticas?

Lição quatro

EXERCÍCIO UM: ABRA ESPAÇO PARA O PARADOXO

Reflita sobre a duplicidade da experiência e a forma como aparentes opostos podem ser igualmente verdadeiros ao mesmo tempo. Lembre--se de que existem pelo menos dois lados para tudo o que acontece e que a sabedoria é resultado da capacidade de manter na sua mente verdades contrárias ao mesmo tempo, sem que uma anule a outra. Um todo abrangente alcança ambos, afinal, o círculo abre espaço para yin e yang.

Praticando o exercício para aprofundar a lição: explore as contradições e os paradoxos da sua vida e como eles se encaixam para formar um todo completo. De que maneira você luta contra esses paradoxos? Especifique.

Exercício dois: vire o obstáculo de cabeça para baixo

Hoje, como você consegue transformar condições adversas em oportunidades na sua vida? Observe os obstáculos que você enfrenta, sejam eles grandes ou pequenos, através das lentes do paradoxo e então observe de que forma as condições podem ser otimizadas ao se inverter a sua perspectiva. Fazer isso alivia o desânimo e revela as novas possibilidades, soluções alternativas, reversões, os novos atalhos e alçapões capazes de ajudar você a ir além daquilo que o faz se sentir preso.

Praticando o exercício para aprofundar a lição: considere os obstáculos na sua vida hoje sob o máximo possível de perspectivas diferentes. O que você enxerga de diferente?

Exercício três: vá além de nós-e-eles

Pense sobre o impacto da lealdade a grupos na sua vida. Como o tribalismo, o clichê, o chauvinismo, o excepcionalismo e o narcisismo grupal moldam a sua realidade? Observe quais rótulos pessoais você considera como mais caros a você e quais deles rejeita. Isso ajudará no entendimento de que lugar vêm as suas reações que criam inimigos.

Praticando o exercício para aprofundar a lição: com quais grupos você se associa e como essas identidades grupais afetam as suas escolhas, os seus preconceitos e o seu comportamento?

Lição cinco

EXERCÍCIO UM: PRATIQUE A ESCOLHA INTENCIONAL

Reflita sobre as suas habilidades de escolha e em quais momentos você abre mão do seu poder de uma forma desnecessária. Observe como um *locus* de controle interno lhe oferece autoconfiança e aprofunda a resiliência. Ao deixar de ser uma vítima das circunstâncias, você assume a responsabilidade por sua vida e compreende a capacidade de mudar de rumo por meio de escolhas diferentes.

Praticando o exercício para aprofundar a lição: quando e como você abre mão da responsabilidade por sua vida e pelas escolhas que faz ao culpar os outros ou os acontecimentos externos? Como isso enfraquece você? Especifique.

EXERCÍCIO DOIS: PREPARE-SE PARA O SEU DIA

Considere as incertezas, as decepções, as surpresas e as ofensas que podem acontecer com você hoje. Ao reconhecer a natureza imperfeita das coisas, você é capaz de abandonar as expectativas irrealistas, tendo ciência de que aconteça o que acontecer você será capaz de se adaptar, de sair do lugar e mudar de rumo. Preparar-se para uma provável decepção é diferente de ser pessimista. Impedir que você caia é uma inoculação da verdade.

Praticando o exercício para aprofundar a lição: o que tem mais probabilidade de se opor, ofender ou afligir você na sua vida e de quais maneiras pode se preparar para enfrentar de olhos abertos o desapontamento?

Exercício três: separar as coisas

Pense no seu apego a acontecimentos e pessoas, a objetos e posses, e de que forma seu apego a eles muda quando você reduz tais coisas às suas menores partes. Quando você decompõe os eventos externos às menores partes constituintes deles, aprende a vê-los pelo que eles realmente são e a não dar tanto valor às coisas e às circunstâncias materiais. Isso é algo que dissipa o encanto mágico que projetamos nas pessoas, nos lugares e nas coisas cobiçadas, bem como o medo de perdê-los. E dessa forma, tais coisas se revelam como transitórias e condicionais.

Praticando o exercício para aprofundar a lição: o que você cobiça na sua vida e como o objeto da sua cobiça muda quando você o desmonta? Por exemplo, veja um amado par de sapatos como algo que foi criado a partir da pele seca de vacas mortas, unidas com cola e costuradas com linha, ou passe a ver uma obsessão romântica como um mero ser humano imperfeito.

Lição seis

Exercício um: seja alguém instruído pela natureza

Reflita sobre os princípios universais que estão em jogo na natureza, que lançam luz sobre a sua experiência humana: a diligência da formiga e a graça do falcão, a força de uma sequoia, a fluidez do mar aberto. Nós, como partes da natureza, participamos das virtudes dela. Ao usar a sua imaginação antropomórfica, deixe-se guiar pela criação na mais infinita diversidade dela.

Praticando o exercício para aprofundar a lição: escreva no seu diário em meio à natureza, acalme a sua mente e observe o que a biosfera ao seu redor está dizendo a você. O que as vozes dos animais, as plantas e a terra estão dizendo a você sobre como viver?

Exercício dois: localize a fonte

Torne-se alguém consciente da vivacidade dentro de você, do fluxo de energia que anima o seu corpo e a sua mente. Preste atenção ao formigamento nas pontas dos seus dedos, aos pelos arrepiados da nuca, à vertente de vitalidade na coluna que mantém o seu esqueleto ereto. Essa corrente elétrica é a sua força vital, a mesma "força que por meio do fusível verde impulsiona a flor" de Dylan Thomas.

Praticando o exercício para aprofundar a lição: quando, como e por que você interfere na maximização da sua força vital? De quais maneiras você sabota a sua energia e sacrifica o seu poder? Especifique.

Exercício três: reflita sobre a não dualidade

Reflita sobre a unidade de todas as coisas e os limites artificiais que você coloca entre si e o mundo exterior. Reconheça essas barreiras feitas pelo ser humano como meras ilusões e contemple a unidade indivisível da criação; lembre-se de que a única coisa que separa você da consciência da unidade é a sua mente.

Praticando o exercício para aprofundar a lição: como a consciência da interconexão mudaria as suas opiniões, os seus comportamentos, as suas expectativas e as suas lutas com o mundo "externo"? Especifique.

Lição sete

EXERCÍCIO UM: NÃO DEIXE AS APARÊNCIAS ASSUSTAREM VOCÊ

Preste atenção para não ser enganado pelas aparências, algo que gera um medo desnecessário. Lembre-se de que o medo é irracional, pré-verbal e sensível a estereótipos; que usamos uma espécie de taquigrafia mental para nos proteger do perigo, reagindo automaticamente aos exteriores assustadores, quer eles representem uma ameaça real ou não.

Praticando o exercício para aprofundar a lição: quando você fica assustado com a aparência das coisas, mesmo que a verdade subjacente seja muito menos assustadora? Especifique.

EXERCÍCIO DOIS: PREPARE-SE PARA O QUE ESTÁ POR VIR

Faça um inventário das áreas da sua vida nas quais você se sente incapaz de vencer os obstáculos. Preste atenção nas histórias por trás dessas crenças, na realidade por trás dos seus medos. Observe em quais pontos a preparação ou o conhecimento insuficientes, a autoconfiança instável e as previsões negativas estão atrapalhando o seu caminho. Observe quando o pensamento de que não se pode fazer isso ou aquilo se torna um refrão repetido e analise os motivos que levam você a acreditar nisso.

Praticando o exercício para aprofundar a lição: o que você precisa aprender, praticar ou mesmo deixar de lado para se sentir à altura dos desafios na sua vida? Especifique.

Exercício três: supere o medo da liberdade

Reflita sobre a sua ansiedade em relação ao desconhecido e o medo de reconhecer a própria liberdade, a multiplicidade de escolhas que se colocam diante de você a qualquer momento. Observe de que maneira essa apreensão o interrompe, culpando as condições externas por conta da sua paralisia. A liberdade é algo que muitas pessoas desejam e ao mesmo tempo resistem, como o amor, por exemplo. Tememos a grandeza e a possibilidade, o desconhecido de maneira geral, o que nos leva a nos aprisionarmos sob baixas expectativas.

Praticando o exercício para aprofundar a lição: como você define a liberdade e quando o seu medo dela interfere na hora de fazer escolhas criativas e satisfatórias? Especifique.

Lição oito

Exercício um: escolha bem suas companhias

Considere a qualidade da companhia que você mantém, o que inclui família, amigos, colegas e pessoas com as quais você se associa frequentemente. Observe se essas conexões estão elevando ou desanimando você, inspirando ou enervando. Pergunte a si mesmo se você se sente visto, ouvido e apreciado pelas pessoas com quem passa seu tempo; também o motivo pelo qual você permanece nesses relacionamentos mesmo nos momentos em que faltam calor e afinidade genuínos.

Praticando o exercício para aprofundar a lição: faça uma lista das pessoas com quem você passa o seu tempo. Avalie cada relacionamento de forma cuidadosa. Nos casos em que os relacionamentos são obrigatórios (por exemplo, com seus familiares), de que maneira você consegue otimizar tais conexões a fim de se proteger de possíveis danos causados por elas? Especifique.

Exercício dois: aprenda a ouvir

Reflita sobre a arte de ouvir e como a sua capacidade de ouvir de forma profunda (ou não) afeta os seus relacionamentos íntimos. Conscientize-se de que o ato de testemunhar outra pessoa com seus coração e mente abertos é a chave para sentir empatia; saber que somos vistos e ouvidos por pessoas que nos querem bem é um presente precioso, sobretudo nos momentos de dificuldade.

Praticando o exercício para aprofundar a lição: você é capaz de ouvir atentamente os outros ou se distrai com facilidade? O que interfere na sua capacidade de se concentrar e de se manter presente? Especifique.

Exercício três: lembre-se de que o amor é impessoal

Contemple o amor como uma força universal, como a gravidade, que atrai os indivíduos uns para os outros naturalmente, da mesma forma que as plantas buscam o sol. Essa energia de atração é idêntica em todos os relacionamentos, enquanto as formas dessas conexões são diferentes entre si. Preste uma atenção especial às maneiras pelas quais esse fato contradiz os mitos do amor romântico e da piedade filial, nas quais certos tipos de relacionamento são vistos como mais preciosos do que outros. Não confunda forma com conteúdo.

Praticando o exercício para aprofundar a lição: os seus relacionamentos sofrem de possessividade, competição e fixação na forma sobre o conteúdo? Ou seja, na forma desse relacionamento e não no conteúdo que ele proporciona? Caso a resposta seja sim, de que forma isso pode ser curado, passando-se a ver o amor como um poder, e não uma posse?

Lição nove

Exercício um: ame tudo o que acontece

Reflita sobre a perfeição imperfeita da sua vida (*amor fati*) e a correção das coisas como elas são. Quando você aceita as condições sem qualquer resistência, reduz o conflito, a luta e até o estresse. Os esforços para melhorar a si mesmo e a sua vida se tornam paradoxalmente mais eficazes quando você começa com a aceitação. Ao se manter livre do equívoco de que algo está "errado" e precisa ser consertado, as suas ações possuem um impacto mais positivo e duradouro.

Praticando o exercício para aprofundar a lição: na sua vida, a quais condições você mais resiste e como essa resistência diminui quando você pratica o *amor fati*? Especifique.

Exercício dois: saiba que o luto é temporário

Reflita sobre a brevidade das emoções e dos impactos mutáveis da dor. Contemple a verdade de que dor mais história é igual a sofrimento, de que narrativas sobre perda, culpa e amargura tendem a endurecer, se transformando em nós emocionais que impedem que a dor passe através de você.

Praticando o exercício para aprofundar a lição: o que você está sofrendo na sua vida atualmente e como as suas histórias *sobre* essa dor impedem que ela se torne algo do passado?

Exercício três: considere a fênix

Pense no processo de ressurreição como uma fase natural da cura. Observe como a vida remodela a destruição de maneiras tão inesperadas, curando feridas antes consideradas irreparáveis, incutindo vitalidade naquele ponto em que você estava sem vida. Preste atenção na sua capacidade semelhante à da fênix de ressurgir com uma determinação renovada das cinzas daquilo que foi perdido.

Praticando o exercício para aprofundar a lição: como você pode aproveitar o poder da ressurreição nas áreas da sua vida nas quais você se sente alguém destruído, derrubado, derrotado? Especifique.

Lição dez

Exercício um: pratique o otimismo realista

Preste atenção no poder regenerativo da esperança e de que forma ela anima o espírito nos tempos mais difíceis. Como você pode otimizar as suas circunstâncias atuais sem ignorar os fatos presentes onde ocorrem? Perceba que, independentemente daquilo que possa estar acontecendo, *algo que está além disso também é verdade*. Essa percepção estimula o despertar e abre uma brecha no muro da mente para assim revelar novas possibilidades.

Praticando o exercício para aprofundar a lição: de que forma você pode praticar o otimismo hoje sem negar as condições como elas são e com isso contrariar o viés da negatividade? Especifique.

Exercício dois: pare de julgar pessoas e coisas

Reflita sobre as maneiras como você logo se lança para o julgamento e observe os efeitos do viés inconsciente disso. Pratique o ato de dar aos outros o benefício da dúvida e fazer uma pausa para reflexão antes de arremessar calúnias sobre pessoas e coisas. Isso pode interromper um ciclo destrutivo de julgamento-opinião-projeção-reação e reduzir os impactos negativos da profecia autorrealizável.

Praticando o exercício para aprofundar a lição: o que e quem você julga com severidade excessiva, e como essa pressa de julgamento cega você para a verdade das pessoas e das coisas? Especifique.

EXERCÍCIO TRÊS: ILUMINE-SE

Reflita sobre como você se leva a sério demais. Observe como você exagera quanto à importância dos seus problemas, o poder da sua influência, o escopo e a veracidade de sua dor; considere de que maneira a autoimportância inflada pesa sobre você e bloqueia o surgimento de novos *insights*. A autoabsorção, a ruminação e o autoengrandecimento conspiram contra a felicidade, eles têm a capacidade de roubar a gratidão e a graça da sua vida.

Praticando o exercício para aprofundar a lição: de que forma você se leva muito a sério e como isso lhe causa sofrimento desnecessário? Como sua vida mudaria se você se iluminasse? Especifique.

Lição onze

EXERCÍCIO UM: RECONHEÇA O SEU LUGAR NO COSMOS

Considere a escala do cosmos e a vastidão do espaço no qual você existe. Reflita sobre os incontáveis seres presentes em seu meio e as forças cujo poder inimaginável sustenta essa misteriosa criação. Reflita sobre o seu lugar no cosmos, preste atenção em como a admiração acaba justamente na verdade que acalma a mente, abrindo o coração, aliviando o conflito e reparando a ilusão de separação.

Praticando o exercício para aprofundar a lição: quando você vê a sua vida através dessa lente cósmica, de que maneira isso afeta a sua capacidade de amar e de reduzir a autopiedade? Especifique.

EXERCÍCIO DOIS: PERCEBA OS "VISLUMBRES" E AS EPIFANIAS

Reflita sobre como aumentar a sua consciência sobre as experiências misteriosas e esclarecedoras: momentos transcendentes e síncronos que abrem seus olhos para uma maneira nova de enxergar. Considere de que forma as epifanias ampliam o seu ser e revelam a natureza extraordinária das coisas ordinárias.

Praticando o exercício para aprofundar a lição: descreva uma epifania ou uma experiência extrema que mudou a sua percepção sobre a realidade com o máximo de detalhes possível. O que você aprendeu com esse momento? Especifique.

EXERCÍCIO TRÊS: OLHE ATRAVÉS DOS OLHOS DO AMOR

Reflita sobre a sua existência através de uma lente de cuidado e de afeto incondicionais, levando gratidão, ternura, tolerância e admiração a como você enxerga as coisas. Imagine a sua vida através dos olhos de Deus (ou da consciência da unidade) e observe a dimensão milagrosa do ser, a fragilidade e impermanência da criação, como essa perspectiva eleva o seu coração e sua mente.

Praticando o exercício para aprofundar a lição: o que se torna óbvio, mas que escapa da sua atenção, quando você enxerga a sua vida diária através dos olhos do amor? Especifique.

Lição doze

Exercício um: deixe o passado ir embora

Reflita sobre de que maneira você pode deixar o passado para trás ao construir a consciência do momento presente. Saiba que cada momento é um novo começo e que aquilo que aconteceu está morto, enterrado. Não seja escravo da história e da tradição, pratique a não atribuição de uma importância exagerada às conquistas ou aos fracassos do passado. Saiba que a existência é vista como um ato contínuo de criação, cujo poder se encontra no momento presente.

Praticando o exercício para aprofundar a lição: como você é controlado pelo passado, reverenciando as conquistas dos predecessores à custa da autoconfiança? Especifique.

Exercício dois: pratique a transcendência racional

Pense em como você é capaz de integrar a razão na sua vida espiritual. Saiba que o conflito entre a consciência transcendental e a racionalidade é fruto da imaginação. Quando você olha de perto para essa perspectiva materialista e polarizadora, ela se desfaz aos pedaços. Lembre-se de que o físico e o espiritual, o pessoal e o transpessoal, o visível e o invisível, são todos aspectos de um mesmo todo indivisível.

Praticando o exercício para aprofundar a lição: em quais situações a razão interfere na sua consciência espiritual e vice-versa? Especifique.

Exercício três: expanda o círculo

Considere as maneiras de ampliar o seu alcance de compaixão e expandir o seu campo de bondade amorosa para assim incluir toda a humanidade. Observe em quais pontos o seu coração se fecha, fica entorpecido e exclui outras pessoas do círculo do cuidado. Preste uma atenção especial aos seus gatilhos de aversão e aos momentos em que você se esquiva dos sentimentos de companheirismo em relação a outras pessoas de quem você se distancia ou mesmo demoniza.

Praticando o exercício para aprofundar a lição: explore quais grupos e indivíduos você exclui do seu círculo de compaixão, de que forma o autodistanciamento diminui você como pessoa e como pode começar a humanizar o "outro" como alguém merecedor do seu sentimento de companheirismo.

AGRADECIMENTOS

Registro aqui os meus mais profundos agradecimentos à Dra. Barbara Packer por me apresentar Emerson, e à minha amada agente Joy Harris por conduzir este livro para o mundo com tanta paciência.

Sou grato a Mickey Maudlin, cujas notas astutas melhoraram muito o manuscrito; a Gideon Weil e Chantal Tom por tanto entusiasmo e amor pelas obras de Emerson. Sem a pesquisa e a assistência editorial de Marybeth Hamilton, Rena Graham e Sharyl Volpe, este livro talvez jamais tivesse visto a luz do dia; além disso, aos amigos e colegas que me apoiaram ao longo dos anos em que venho escrevendo, os meus mais profundos agradecimentos: Barbara Graham, Florence Falk, Lisa Kentgen, Martha Cooley, V, Celeste Lecesne, Hugh Delehanty, Naomi Shragai, Gary Lennon, Trisha Coburn, Joe Dolce, Eve Eliot, Mercedes Ruehl, Gwenyth Jackaway, Kate Rabinowitz e Karen Fuchs. Bem como a minha profunda reverência a Lynn Whittemore e Doug Goodman por me oferecerem um lugar tranquilo para que eu trabalhasse em Cambridge quando precisei.

Também sou profundamente grato aos estudiosos de Emerson, cujo trabalho me inspirou enquanto eu escrevia, em particular a Robert Richardson, Joel Porte, Carl Bode, Carlos Baker, Van Wyck Brooks e Gay Wilson Allen.

Agradeço a Francis Bok, Trisha Coburn, Patricia Carew, Andrea Martin, Adisa Krupalija, John Dugdale e aos alunos que me permitiram usar as histórias deles para ilustrar o poder e as possibilidades da autossuficiência.

Acima de tudo, a minha enorme gratidão a David Moore, meu melhor amigo e parceiro em todas as coisas.

NOTAS

PREFÁCIO

Apaixonando-se por Emerson

1. Ralph Waldo Emerson, *Journals and Miscellaneous Notebooks of Ralph Waldo Emerson* [Diários e cadernos variados de Ralph Waldo Emerson, em tradução livre], vol. 3: edições de 1826-1832. William Gilman e Alfred R. Ferguson (Cambridge: Editora da Universidade de Harvard, 1963).

2. Ralph Waldo Emerson, *Emerson in His Journals* [Emerson em seus diários, em tradução livre], editado por Joel Porte (Cambridge: periódico Belknap da Universidade de Harvard, 1982), página 206.

3. Lúcio Aneu Sêneca, *Letters on Ethics: To Lucilius* [Cartas sobre Ética: para Lucilus, em tradução livre], traduzido por Margaret Graver e A. A. Long (Chicago: Universidade de Chicago, 2015), página 14.

INTRODUÇÃO

Confie em si

1. Joel Lovell, "George Saunders's Advice to Graduates" ["Conselho para os graduados de George Saunders", em tradução livre], *The New York Times: The 6th Floor Blog* [blog The New York Times: o sexto andar, em tradução livre], jul. 2013. Disponível em: <https://archive.nytimes.com/6thfloor.blogs.nytimes.com/2013/07/31/george-saunderss-advice-to-graduates/>.

2. Gay Wilson Allen, *Waldo Emerson: A Biography* [Waldo Emerson, uma biografia, em tradução livre] (Nova York: Viking, 1981), página 147.

3. John Townsend Trowbridge, "Reminiscences of Walt Whitman" ["Reminiscências de Walt Whitman", em tradução livre], *The Atlantic*, fev. 1902.

4. Sarah Bakewell, *How to Live: Or a Life of Montaigne in One Question and Twenty Attempts at an Answer* [Como viver, ou uma vida de Montaigne em uma única pergunta com vinte tentativas de resposta, em tradução livre] (Nova York: Other, 2011).

5. W. E. B. Du Bois, *The Souls of Black Folk* [As almas das pessoas negras, em tradução livre] (Aurora, CO: Chump Change, 1903).

6. Robert D. Richardson Jr., *Emerson: The Mind on Fire* [Emerson: a mente em fogo, em tradução livre] (Berkeley: Universidade da Califórnia, 1995), página 571.

7. Ralph Waldo Emerson, *The Topical Notebooks of Ralph Waldo Emerson*, vol. 3, ed. Ralph H. Orth e Glen M. Johnson (Columbia, MO: Editora da Universidade de Missouri, 1994), página 76.

8. Alia E. Dastagir, "More Young People Are Dying by Suicide, and Experts Aren't Sure Why" ["Os mais jovens estão morrendo por suicídio e os especialistas não sabem ao certo

o porquê", em tradução livre], *USA Today*, setembro de 2020. Disponível em: <https://www.usatoday.com/story/news/health/2020/09/11/youth-suicide-rate-increases-cdc-report--finds/3463549001/>.

9. Emily Baumgaertner, "How Many Teenage Girls Deliberately Harm Themselves? Nearly 1 in 4, Survey Finds" ["Quantos adolescentes se ferem deliberadamente? Quase um em cada quatro, de acordo com pesquisa", em tradução livre], *The New York Times*, 2 jul. 2018. Disponível em: <https://www.nytimes.com/2018/07/02/health/self-harm-teenagers-cdc.html>.

10. "Stress in America: Money, Inflation, War Pile on to Nation Stuck in COVID-19 Survival Mode" ["O estresse na América: dinheiro, inflação e guerra se acumulam para a nação ainda presa no modo de sobrevivência COVID-19", em tradução livre], American Psychological Association [Associação Americana de Psicologia, em tradução livre], mar. 2022. Disponível em: <https://www.apa.org/news/press/releases/stress/2022/march-2022-survival-mode?utm_source=twitter&utm_medium=social&utm_campaign=apa-stress&utm_content=sia-mar22-money#inflation>.

11. Mary Oliver, *Upstream: Selected Essays* [Contra a maré: ensaios selecionados, em tradução livre] (Nova York: Penguin, 2016).

12. "In U.S., Decline of Christianity Continues at Rapid Pace" ["O declínio do cristianismo continua em ritmo acelerado nos EUA", em tradução livre], Centro de Pesquisas Pew, 17 out. 2019. Disponível em: <https://www.pewresearch.org/religion/2019/10/17/in-u-s-decline-of-christianity-continues-at-rapid-pace/>.

13. Dr. Miklos Hargitay, "Stoicism: The Philosophical Roots of Cognitive Behavioral Therapy" ["Estoicismo: as raízes filosóficas da terapia cognitivo-comportamental", em tradução livre], *Manhattan Therapy Collective Blog* [blog Coletivo de Terapia de Manhattan, em tradução livre], nov. 2020.

LIÇÃO UM

Sobre originalidade: caráter é tudo

1. Van Wyck Brooks, *The Life of Emerson* [A Vida de Emerson, em tradução livre] (Nova York: E. P. Dutton, 1932).

2. Ralph Waldo Emerson, *The Selected Letters of Ralph Waldo Emerson*, editado por Joel Myerson (Nova York: Editora da Universidade de Columbia, 1998), página 68.

3. Ralph Waldo Emerson, *Complete Works with a Biographical Introduction and Notes by Edward Waldo Emerson, and a General Index* [Obras completas com uma introdução biográfica e notas por Edward Waldo Emerson, além de um índice geral, em tradução livre], vol. 10 (Boulder: Universidade do Colorado: Boulder, 1911), página 407.

4. Ralph Waldo Emerson, *Selected Writings of Ralph Waldo Emerson* [Escritos selecionados de Ralph Waldo Emerson] (Nova York: W. Scott, 1888), xii.

5. Ralph Waldo Emerson, *The Heart of Emerson's Journals* [A essência dos diários de Emerson, em tradução livre], editado por Bliss Perry (Wentworth, 2019), página 39.

6. James Woelfel, "Emerson and the Stoic Tradition" ["Emerson e a tradição estoica", em tradução livre], *American Journal of Theology and Philosophy* 32 [Periódico Americano de

Teologia e Filosofia 32, em tradução livre], número 2; maio 2011, página 122.

7. Buckminster Fuller, *Utopia or Oblivion: The Prospects for Humanity* [Utopia ou esquecimento: as perspectivas da humanidade, em tradução livre] (Nova York: Penguin, 1972), página 62.

8. Emerson, *The Selected Letters* [As cartas selecionadas], página 306.

9. Satu Teerikangas e Liisa Välikangas, "Exploring the Dynamic of Evoking Intuition" ["Explorando a dinâmica de se evocar a intuição", em tradução livre], *Handbook of Research Methods on Intuition* (Londres: Edgar Elgar, 2014), páginas 72-78.

10. Ralph Waldo Emerson, *Emerson in His Journals* [Emerson em seus diários, em tradução livre], editado por Joel Porte (Cambridge: periódico Belknap da Editora Universidade Harvard, 1982), página 71.

11. Emerson, *Emerson in His Journals* [Emerson em seus diários, em tradução livre], página 199.

12. Mike Yarbrough, "The Mind of Man: Compartmentalization" ["A mente do homem: compartimentalização", em tradução livre], *Wolf & Iron: Feed the Wolf, Be the Iron* [Lobo e ferro: alimente o lobo, seja o ferro, em tradução livre] (sem data). Disponível em: <https://wolfandiron.com/blogs/feedthewolf/the-mind-of-a-man-compartmentalization>.

13. Alexandra Mysoor, "The Science Behind Intuition and How You Can Use It to Get Ahead at Work" ["A ciência por trás da intuição e como você pode usá-la para progredir no trabalho", em tradução livre], *Forbes*, fev. 2017. Disponível em: <https://www.forbes.com/sites/alexandram-soor/2017/02/02/

the-science-behind-intuition-and-how-you-can-use-it-to-get-
-ahead-at-work/?sh=4e3895b8239f>.

14. Joel Porte e Saundra Morris, eds., *The Cambridge Companion to Ralph Waldo Emerson* (Cambridge, UK: Editora da Universidade de Cambridge, 1999), página 41.

15. Andy Warhol, *The Philosophy of Andy Warhol* [A filosofia de Andy Warhol, em tradução livre] (San Diego: Harcourt, 1975), página 149.

16. Lawrence Buell, *Emerson* (Cambridge: Editora da Universidade de Harvard, 2003), página 73.

17. Erich Fromm, *The Sane Society* [A sociedade sã, em tradução livre] (Nova York: Rinehart, 1955), página 25.

18. Erich Fromm e Leonard A. Anderson, *The Sane Society* [A sociedade sã, em tradução livre] (Abingdon, Reino Unido: Taylor & Francis, 2017), xxvi.

19. Amanda L. Chan, "6 Unexpected Ways Writing Can Transform Your Health" ["Seis maneiras inesperadas de como a escrita pode transformar a sua saúde", em tradução livre], *Huff Post*, 6 dez. 2017. Disponível em: <https://www.huffpost.com/entry/writing-health-benefits-journal_n_4242456>.

20. Stephen Dunn, "A Secret Life" ["Uma vida secreta"], A Cottage by the Sea [Uma cabana à beira-mar], 11 set. 2015. Disponível em: <https://www.acottagebythesea.net/poems/a-
-secret-life-by-stephen-dunn>.

21. Lord Byron, *The Works of Lord Byron* [As obras de Lord Byron, em tradução livre] (Palala, 2015).

22. Jayne O'Donnell, "Teens Aren't Socializing in the Real World. And That's Making Them Super Lonely" ["Os adolescentes não estão se socializando no mundo real. E isso está fazendo com que eles se tornem super solitários", em tradu-

ção livre], *USA Today*, 20 mar. 2019. Disponível em: <https://www.usatoday.com/story/news/health/2019/03/20/teen-loneliness-social-media-cell-phones-suicide-isolation-gaming--cigna/3208845002/>.

23. O'Donnell, "Teens Aren't Socializing" ["Os adolescentes não estão socializando", em tradução livre].

24. Ian Sample, "Shocking but True: Students Prefer Jolt of Pain to Being Made to Sit and Think" ["Chocante, mas é verdade: os alunos preferem o choque da dor a serem obrigados a se sentarem e a pensarem", em tradução livre], *The Guardian*, 3 jul. 2014. Disponível em: <https://www.theguardian.com/science/2014/jul/03/electric-shock-preferable-to-thinking--says-study>.

25. D. W. Winnicott, "The Capacity to Be Alone" ["A capacidade de estar sozinho"], *The International Journal of Psychoanalysis* 39 [Periódico Internacional de Psicanálise 39, em tradução livre] (set. 1958), páginas 416-420.

26. C. G. Jung, Herbert Read, Gerhard Adler, e Michael Fordham, *Collected Works of C.G. Jung* [Obras completas de C.G. Jung, em tradução livre], vol. 13: *Alchemical Studies* [*Estudos Alquímicos*] (Princeton, NJ: Editora da Universidade de Princeton, 1953), página 265.

27. Howard Thurman, *Meditations of the Heart* [Meditações do coração, em tradução livre] (Boston: Beacon, 2014), página 92.

LIÇÃO DOIS

Sobre perspectiva: você é a forma como vê as coisas

1. Evan Puschak, *Escape into Meaning: Essays on Superman, Public Benches, and Other Obsessions* [Fuja na direção do signifi-

cado: ensaios sobre super-homem, bancos públicos e outras obsessões] (Nova York: Atria Books, 2022), página 20.

2. Ralph Waldo Emerson, *Journals of Ralph Waldo Emerson: With Annotations* [Diários de Ralph Waldo Emerson: com anotações, em tradução livre], vol. 3, editado por Edward Waldo Emerson e Waldo Emerson Forbes (Reprint Services Corporation, 2008), página 272.

3. Bessel van der Kolk, *The Body Keeps the Score: Brain, Mind, and Body in the Healing of Trauma* [É o corpo que contabiliza os pontos: cérebro, mente e corpo na cura do trauma, em tradução livre] (Nova York: Viking, 2014), página 191.

4. John M. de Castro, "Different Meditation Types Alter Brain Connectivity Patterns Differently Over the Long Term" ["Os diferentes tipos de meditação alteram os padrões de conectividade cerebral de uma forma diferente no longo prazo", em tradução livre], Contemplative Studies [Estudos contemplativos], nov. 2021. Disponível em: <http://contemplative-studies.org/wp/index.php/2021/11/24/different-meditation-types-alter-brain-connectivity-patters-differently-over-the-long-term/>.

5. Lou E. Whitaker, "How Does Thinking Positive Thoughts Affect Neuroplasticity?" ["Como os pensamentos positivos afetam a neuroplasticidade?"], Meteor Education: Accelerating Engagement [Educação meteórica: acelerando o engajamento], sem data. Disponível em: <https://meteoreducation.com/how-does-thinking-positive-thoughts-affect-neuroplasticity/>.

6. Buda, *Dhammapada*, a collection of sayings of the Buddha in verse form and one of the most widely read and best-known Buddhist scriptures [Dhammapada, uma coleção de ditados

do Buda em forma de verso; uma das escrituras budistas mais lidas e conhecidas, em tradução livre].

7. "What Is the Default Mode Network?" ["O que é a rede do modo padrão", em tradução livre], *Psychology Today*, sem data. Disponível em: <https://www.psychologytoday.com/us/basics/default-mode-network>.

8. Marco Aurélio, *Meditations: A New Translation* [Meditações: uma nova tradução, em tradução livre], traduzido por Gregory Hays (Nova York: Random House, 2002), página 59.

9. Amanda L. Chan, "6 Unexpected Ways Writing Can Transform Your Health" ["Seis maneiras inesperadas de como a escrita pode transformar a sua saúde", em tradução livre], *Huff Post*, atualizado em 2 dez. 2017. Disponível em: <https://www.huffpost.com/entry/writing-health-benefits-journal_n_4242456>.

10. James Pennebaker, "Writing About Emotional Experiences as a Therapeutic Process" ["Escrever sobre experiências emocionais como processo terapêutico", em tradução livre], *Psychological Science* 8 [Ciência Psicológica 8], número 3 (maio de 1997), páginas 162-66.

11. Esse é um princípio básico de "Logotherapy" ["Logoterapia", em tradução livre], de Victor Frankl.

12. Jerry Mayer e John P. Holms, compilações, *Bite-Size Einstein:Quotations on Just About Everything from the Greatest Mind of the Twentieth Century* [Einstein em pequenas doses: citações sobre quase tudo saídas da maior mente do século XX, em tradução livre] (Nova York: St. Martin's, 2015).

13. Jonathan Haidt, *The Happiness Hypothesis: Finding Modern Truth in Ancient Wisdom* [A hipótese da felicidade: encon-

trando a verdade moderna na sabedoria antiga, em tradução livre] (Nova York: Basic Books, 2006), página 13.

14. Ralph Waldo Emerson, *Emerson in His Journals* [Emerson em seus Diários, em tradução livre], editado por Joel Porte (Cambridge: periódico *Belknap* da Editora da Universidade de Harvard, 1982).

15. Steve Bradt, "Wandering Mind Not a Happy Mind" ["A mente avoada não é uma mente feliz", em tradução livre], *Harvard Gazette*, 11 nov. 2010.

16. Matthew A. Killingsworth e Daniel T. Gilbert, estudo da Universidade de Harvard, publicado no periódico *Science Daily*, 12 nov. 2010.

LIÇÃO TRÊS

Sobre não conformidade: construa o seu mundo

1. Marco Aurélio, *Meditations: A New Translation* [Meditações: uma nova tradução, em tradução livre], traduzido por Gregory Hays (Nova York: Random House, 2002), página 32.

2. Ralph Waldo Emerson, *Emerson in His Journals* [Emerson em seus diários, em tradução livre], editado por Joel Porte (Cambridge: periódico *Belknap* da Editora da Universidade de Harvard, 1982).

3. Harold Bloom e Luca Prono (eds.), *Henry David Thoreau – Facts on File* [Fatos em arquivo, em tradução livre], 2014, página 21.

4. Bloom e Prono (eds.), *Henry David Thoreau*, página 102.

5. Ralph Waldo Emerson, *Emerson's Complete Works* [Obra completa de Emerson, em tradução livre], edição Riverside,

vol. 2, editado por Edward Waldo Emerson e James Elliot Cabot (digitalizado, 2007), página 102.

6. Alfred I. Tauber, *Henry David Thoreau and the Moral Agency of Knowing* [Henry David Thoreau e a agência moral do conhecimento, em tradução livre] (Berkeley: Editora da Universidade da Califórnia, 2003), página 25.

7. Frances Eggleston Blodgett e Andrew Burr Blodgett, *The Blodgett Readers by Grades, Book 6* [Os leitores de Blodgett por níveis, livro 6] (Boston: Ginn and Co., 1910), página 116.

8. Emerson, *Emerson in His Journals* [Emerson em seus diários, em tradução livre], página 181.

9. Henry David Thoreau, *Walden: A Fully Annotated Edition* (New Haven, CT: Editora da Universidade de Yale, 2004), página 92.

10. Eldad Yechiam, "The Psychology of Gains and Losses: More Complicated Than Previously Thought" ["A psicologia dos ganhos e das perdas é mais complicada do que se imaginava", em tradução livre], *American Psychological Association* [Associação Americana de Psicologia, em tradução livre], jan. 2015. Disponível em: <https://www.apa.org/science/about/psa/2015/01/gains-losses>.

11. Saul Mcleod, "Asch Conformity Line Experiment" ["Experimento de conformidade de Asch", em tradução livre], Simply Psychology [Simplesmente psicologia, em tradução livre], 2 fev. 2023. Disponível em: <https://simplypsychology.org/asch-conformity.html>.

12. Al Christensen, "Nomad Origin Stories: Joe" ["Histórias de origem nômade: Joe", em tradução livre], 17 jan. 2017. Disponível em: <https://youtu.be/TiuI2FZSMzs> (3min55s).

13. Dan Ariely, *Predictably Irrational: The Hidden Forces That Shape Our Decisions* [Previsivelmente irracional: as forças ocultas que moldam as nossas decisões, em tradução livre] (Nova York: Harper, 2009).

14. Richard Joyce, *Evolution of Morality* [A evolução da moralidade, em tradução livre] (Cambridge: periódico do MIT, 2007), página 110.

15. William Wordsworth, *The Complete Poetical Works of William Wordsworth* [As obras poéticas completas de William Wordsworth, em tradução livre] (Filadélfia: Troutman & Hayes, 2008), página 85.

16. E. E. Cummings, *E. E. Cummings Complete Poems* [Poemas Completos de E. E. Cummings], páginas 1904-1962 (Nova York: Liveright, 1994).

17. Colin Wilson, *The Ultimate Colin Wilson: Writings on Mysticism, Consciousness and Existentialism* [O ultimato de Colin Wilson: escritos sobre misticismo, consciência e existencialismo, em tradução livre], editado por Colin Stanley (Londres: Watkins Media, 2019).

18. Andrew Harvey e Mark Matousek, *Dialogues with a Modern Mystic* [Diálogos com um moderno místico, em tradução livre] (Wheaton, IL: Theosophical Publishing House, 1994), página 33.

19. Epiteto, *The Art of Living* [A arte de viver, em tradução livre] (Prabhat Prakashan, 2021).

20. Ralph Waldo Emerson, *Journals* [Diários, em tradução livre], volume 7, editado por Edward Waldo Emerson e Waldo Emerson Forbes (Bibliography Center for Research [Centro de pesquisa bibliográfica, em tradução livre], 2009), página 407.

21. Ralph Waldo Emerson, *Complete Works of Ralph Waldo Emerson, Illustrated: Nature, Self-Reliance, Experience, The Poet, The Over-Soul, Circles* [Obras completas de Ralph Waldo Emerson ilustradas: natureza, autossuficiência, experiência, o Poeta, a Superalma, círculos, em tradução livre] (Strelbytskyy Multimedia Publishing, 2021).

22. Ralph Waldo Emerson, *Self-Reliance: The Unparalleled Vision of Personal Power* [Autossuficiência: a visão inigualável do poder pessoal, em tradução livre], editado por Mitch Horowitz (Nova York: Gildan Media, 2018).

23. Robert Lawson-Peebles, *American Literature Before 1880* [A literatura americana antes de 1880] (Londres: Taylor & Francis, 2003), página 188.

LIÇÃO QUATRO

Sobre contradição: tudo tem dois lados

1. Kaiping Peng e Richard E. Nisbett, "Culture, Dialectics, and Reasoning About Contradiction" ["A cultura, a dialética e o raciocínio sobre a contradição", em tradução livre], Universidade da Califórnia em Berkeley/Universidade do Michigan, sem data. Disponível em: <http://www-personal.umich.edu/~nisbett/cultdialectics.pdf>.

2. Martin Buber, *I and Thou* [Eu e Thou, em tradução livre] (Marlborough, MA: eBookit.com, 2012).

3. Frans de Waal, *Primates and Philosophers: How Morality Evolved* [Os primatas e os filósofos: como a moralidade evoluiu, em tradução livre] (Princeton, NJ: Editora da Universidade de Princeton, 2006), página 155.

4. Lawrence Wilde, *Erich Fromm and the Quest for Solidarity* (Nova York: Palgrave Macmillan EUA, 2016), página 134.

5. Robert Gooding-Williams, *In the Shadow of Du Bois: Afro--Modern Political Thought in America* [Na sombra de Du Bois: o pensamento político afro-moderno na América, em tradução livre] (Cambridge: Editora da Universidade de Harvard, 2011).

6. Lance Morrow, *Evil: An Investigation* [O mal: uma investigação, em tradução livre], traduzido por Gregory Hays (Nova York: Basic Books, 2003), página 25.

7. Marco Aurélio, *Meditations: A New Translation* [Meditações: uma nova tradução, em tradução livre], traduzido por Gregory Hayes (Nova York: Random House, 2002), 34.

8. Ralph Waldo Emerson, *The American Scholar: Self-Reliance, Compensation* (Woodstock, GA: American Book, 1893), 105.

9. Ralph Waldo Emerson, *Journals and Miscellaneous Notebooks of Ralph Waldo Emerson* [Diários e cadernos variados de Ralph Waldo Emerson, em tradução livre], vol. 1: 1819–1822, ed. William H. Gilman, Alfred R. Ferguson, George P. Clark, e Merrell R. Davis (Cambridge: Belknap Press of Harvard Univ. Press, 1974), 133.

10. Emerson, *Journals and Miscellaneous Notebooks* [Diários e uma variedade de cadernos], vol. 1, página 39.

11. Marco Aurélio, *Meditations* [Meditações, em tradução livre], página 41.

12. Ralph Waldo Emerson, *Journals* [Diários, em tradução livre], vol. 8 (Wentworth, 2016), página 380.

13. George Kateb, *Emerson and Self-Reliance* [Emerson e a Autossuficiência, em tradução livre] (Lanham, MD: Rowman & Littlefield, 2002), página 123.

14. Margaret Fuller, *The Essential Margaret Fuller* [O essencial sobre Margaret Fuller, em tradução livre], editado por Jeffrey Steele (Princeton, NJ: Editora da Universidade Rutgers, 1994), xxxiv.

15. Kate Bornstein, "Naming All the Parts" ["Nomeando todas as partes", em tradução livre], blog The Middlebury Network, 2013. Disponível em: <http://sites.middlebury.edu>.

LIÇÃO CINCO

Sobre resiliência: sem autoconfiança, o universo fica contra você

1. Courtney E. Ackerman, "What Is Self-Efficacy Theory? (Incl. 8 Examples & Scales)" ["O que é a teoria da autoeficácia? (Incluindo oito exemplos e escalas)", em tradução livre], *Positive Psychology* [Psicologia Positiva, em tradução livre], 29 maio 2018. Disponível em: <https://positive psychology.com/self-efficacy/>.

2. Robert Holman Coombs, *Addiction Counseling Review: Preparing for Comprehensive, Certification, and Licensing Examinations* [Revisão do aconselhamento de dependências: preparando-se para exames abrangentes, de certificação e de licenciamento, em tradução livre] (Londres: Taylor & Francis, 2004), página 77.

3. Maurice York e Rick Spaulding, *Ralph Waldo Emerson: The Infinitude of the Private Man* [Ralph Waldo Emerson: a infinitude do homem privado, em tradução livre] (Ann Arbor, MI: Wrightwood, 2008), página 20.

4. Ralph Waldo Emerson, *The Letters of Ralph Waldo Emerson* [As Cartas de Ralph Waldo Emerson, em tradução livre],

vol. 4, editado por Ralph L. Rusk (Nova York: Editora da Universidade de Columbia, 1939), página 439.

5. Michael Lounsbury, Nelson Phillips e Paul Tracey, *Religion and Organization Theory* [Religião e teoria da organização, em tradução livre] (Bradford, Reino Unido: grupo editorial Emerald, 2014), página 138.

6. Marco Túlio Cícero, *On the Nature of the Gods: On Divination; On Fate; On the Republic; On the Laws; and On Standing for the Consulship* [Sobre a natureza dos deuses: sobre adivinhação; Sobre destino; Sobre a República; Sobre as Leis; e sobre a candidatura ao consulado, em tradução livre] (Urbana-Champaign: Universidade de Illinois na Urbana-Champaign, 1902).

7. Lúcio Aneu Sêneca, *Fifty Letters of a Roman Stoic* [Cinquenta cartas de um estoico romano, em tradução livre], traduzido por Margaret Graver e A. A. Long (Chicago: Editora da Universidade de Chicago, 2021), página 35.

8. P. Gollwitzer, "Implementation Intentions: Strong Effects of Simple Plans" ["Intenções de implementação: os efeitos profundos dos planos simples", em tradução livre], *American Psychologist* [Psicólogo Americano, em tradução livre], 1º jul. 1999.

9. Brené Brown, *Daring Greatly: How the Courage to Be Vulnerable Transforms the Way We Live, Love, Parent, and Lead* [Ousando ao extremo: como a coragem de ser vulnerável transforma a forma como vivemos, amamos, cuidamos dos nossos filhos e lideramos, em tradução livre] (Nova York: Penguin, 2013).

LIÇÃO SEIS

Sobre vitalidade: um fluxo de energia percorre você

1. Dominique Mann, "After Every Trauma I've Faced as a Black Woman, I've Turned to the Woods" ["Depois de todos os traumas que enfrentei como mulher negra, voltei-me para a floresta", em tradução livre], *Glamour*, fev. 2021. Disponível em: <https://www.glamour.com/story/after-every-trauma-i-ve-faced-as-a-black-woman-ive-turned-to-the-woods>.

2. Andreas Weber, *Matter and Desire: An Erotic Ecology* [Matéria e desejo: uma ecologia erótica, em tradução livre] (White River Junction, VT: Green Publishing, 2017), página 135.

3. Mukul Sharma, "Quantum Interconnectedness" ["Interconectividade quântica", em tradução livre], *Economic Times*, 20 mar. 2009.

4. Jalal Al Rumi, *The Essential Rumi* [O essencial sobre Rumi, em tradução livre], traduzido por Coleman Barks (São Francisco: HarperOne, 2004).

5. Louise Gilder, *The Age of Entanglement: When Quantum Physics Was Reborn* [A era do emaranhamento: quando a física quântica renasceu, em tradução livre] (Nova York: Vintage Books, 2009).

6. Fyodor Dostoyevsky, *The Idiot: A Novel in Four Parts* [O idiota: um romance em quatro partes, em tradução livre] (Londres: Heinemann, 1916), página 383.

7. Marco Aurélio, *Meditations: A New Translation* [Meditações: uma nova tradução, em tradução livre], traduzido por Gregory Hays (Nova York: Random House, 2002).

8. Ryan Holiday and Stephen Hanselman, *The Daily Stoic: 366 Meditations on Wisdom, Perseverance, and the Art of Living* [O

estoico diário: 366 meditações sobre sabedoria, perseverança e a arte de viver, em tradução livre] (Nova York: Penguin, 2016).

9. Walter Isaacson, *Steve Jobs* (Nova York: Simon & Schuster, 2013), página 82.

10. Epiteto, *The Complete Works: Handbook, Discourses, and Fragments* [A obra completa: manual, discursos e fragmentos, em tradução livre], editado e traduzido por Robin Waterfield (Chicago: Editora da Universidade de Chicago, 2022), página 55.

11. Peter Y. Chou, editor, "One Universal Mind" ["Uma única mente universal", em tradução livre], WisdomPortal.com, 26 maio 1837.

LIÇÃO SETE
Sobre coragem: a morte do medo

1. Mary Oliver, *Upstream: Selected Essays* [Contra a maré: ensaios selecionados, em tradução livre] (Nova York: Penguin, 2016).

2. Robert Richardson Jr., *Emerson: The Mind on Fire* [A mente em chamas, em tradução livre] (Berkeley: Editora da Universidade da Califórnia, 1995), 179.

3. Haiku por Mizuta Masahide, como destacado em *i am through you so i* [eu sou aquele que atravessa você, logo eu…, em tradução livre] de David Brother Steindl-Rast, (Mahwah, NJ: Paulist Press, 2017).

4. Eric Lindberg, "Veteran and Firefighter Who Saved Countless Lives Struggled to Save His Own" ["O veterano de guerra e bombeiro que salvou incontáveis vidas lutou para salvar a própria vida", em tradução livre], USC Trojan Family, inverno de 2021. Disponível em: <https://news.usc.

edu/trojan-family/michael-washington-marine-veteran-fire-fighter-social-work-trauma-hope-healing>.

5.   Ralph Waldo Emerson, *Everyday Emerson: A Year of Wisdom* [O Emerson de todo dia: um ano de sabedoria, em tradução livre] (Nova York: St. Martin's, 2022), página 25.

6.   Evgenia Cherkasova, *Dostoevsky and Kant: Dialogues on Ethics* [Dostoiévski e Kant: diálogos sobre Ética, em tradução livre] (Amsterdã: Rodopi, 2009), página 73.

7.   Ralph Waldo Emerson, *Society and Solitude: Twelve Chapters* [Sociedade e solidão: doze capítulos, em tradução livre] (Londres: S. Low, Son & Marston, 2006), página 227.

8.   Claudia Deane, Kim Parker e John Gramlich, "A Year of U.S. Public Opinion on the Coronavirus Pandemic" ["Um ano de opinião pública nos EUA sobre a pandemia de coronavírus", em tradução livre], Centro de Pesquisas Pew, 5 mar. 2021. Disponível em: <https://www.pewresearch.org/2021/03/05/a-year-of-u-s-public-opinion-on-the-coronavirus-pandemic/>.

9.   A. N. Schelle, "Social Atrophy: Failure in the Flesh" ["Atrofia social: a falha na carne", em tradução livre], Universidade South Bend de Indiana, abr. 2013. Disponível em: <https://clas.iusb.edu/search/?q=Schelle>.

10. David Robson, "The Threat of Contagion Can Twist Our Psychological Responses to Ordinary Interactions, Leading Us to Behave in Unexpected Ways" ["A ameaça de contágio pode distorcer as nossas respostas psicológicas a interações comuns, o que nos leva a nos comportarmos de formas inesperadas", em tradução livre], BBC Future, 2 abr. 2020: 3. Disponível em: <https://www.counsellingresources.co.nz/

uploads/3/9/8/5/3985535/fear_of_coronavirus_is_changing_ our_psychology.pdf>.

11. Grenville Kleiser, *Dictionary of Proverbs* [Dicionário de Provérbios, em tradução livre] (APH Publishing, 2005).

12. Ralph Waldo Emerson, *Journals and Miscellaneous Notebooks of Ralph Waldo Emerson* [Diários e cadernos variados de Ralph Waldo Emerson, em tradução livre], vol. 8: 1841-1843, editado por William H. Gilman e J. E. Parsons (Cambridge: periódico Belknap da Editora da Universidade de Harvard, 1960), página 60.

13. Wilhelm Reich, *The Mass Psychology of Fascism* [A psicologia massiva do fascismo, em tradução livre], 3. ed. (Nova York: Farrar, Straus and Giroux, 2013).

14. Frederick Douglass, *Narrative of the Life of Frederick Douglass* [Narrativa sobre a vida de Frederick Douglass, em tradução livre] (Mineola, NY: Dover Publications, 1995), página 73.

LIÇÃO OITO
Sobre intimidade: o amor é a obra-prima da natureza

1. Ralph Waldo Emerson, *Complete Works of Ralph Waldo Emerson, Illustrated: Nature, Self-Reliance, Experience, The Poet, The Over-Soul, Circles* [Obras completas de Ralph Waldo Emerson ilustradas: natureza, autossuficiência, experiência, o Poeta, a Superalma, círculos, em tradução livre] (Strelbytskyy Multimedia Publishing, 2021).

2. Larry A. Carlson, "Bronson Alcott's 'Journal for 1837' (part two)" ["'Diário de 1837' de Bronson Alcott (parte dois)", em tradução livre], *Studies in the American Renaissance* [Estudos no Renascimento americano, em tradução livre]

(1982): 53–167. Disponível em: <https://www.jstor.org/stable/30227495>.

3. Ralph Waldo Emerson, *Emerson in His Journals* [Emerson em seus diários, em tradução livre], editado por Joel Porte (Cambridge: periódico Belknap da Editora da Universidade de Harvard, 1982), página 230.

4. Ralph Waldo Emerson, *The Heart of Emerson's Journals*, editado por Bliss Perry (Wentworth Press, 2019), página 123.

5. Margaret Fuller Ossoli, *Life Without and Life Within* [A vida em seu exterior e a vida em seu interior, em tradução livre] (Outlook Verlag, 2020), página 70.

6. Ralph Waldo Emerson, *Journals and Miscellaneous Notebooks of Ralph Waldo Emerson* [Diários e cadernos variados de Ralph Waldo Emerson, em tradução livre], vol. 8: 1841–1843, editado por William H. Gilman e J. E. Parsons (Cambridge: periódico Belknap da Editora da Universidade de Harvard, 1960), página 34.

7. Rainer Maria Rilke, *Rilke on Love and Other Difficulties: Translations and Considerations* [Rilke sobre o amor e outras dificuldades: traduções e considerações, em tradução livre], traduzido por John J. L. Mood (Nova York: W. W. Norton, 1994), página 45.

8. Emerson, *Journals and Miscellaneous Notebooks* [Diários e cadernos variados, em tradução livre], vol. 8, página 34.

9. Emerson, *The Heart of Emerson's Journals* [A essência dos diários de Emerson, em tradução livre], página 129.

10. Ralph Waldo Emerson, *The Selected Letters of Ralph Waldo Emerson* [As cartas selecionadas de Ralph Waldo Emerson, em tradução livre], editado por Joel Myerson (Nova York: Editora da Universidade de Columbia, 1997), página 228.

11. Ralph Waldo Emerson, *Journals and Miscellaneous Notebooks of Ralph Waldo Emerson* [Diários e cadernos variados de Ralph Waldo Emerson, em tradução livre], vol. 5: 1835-1838, editado por William Gilman e Alfred R. Ferguson (Cambridge: Editora da Universidade de Harvard, 1965), página 336.

12. Emerson, *Emerson in His Journals* [Emerson em seus diários, em tradução livre], página 264.

13. Margaret Fuller, *The Woman and the Myth: Margaret Fuller's Life and Writings* [A mulher e o mito: a vida e os escritos de Margaret Fuller, em tradução livre], editado por Bell Gale Chevigny (Boston: Editora da Universidade de Northeastern, 1976), página 124.

14. Emerson, *The Selected Letters* [As cartas selecionadas, em tradução livre], página 223.

15. Emerson, *Emerson in His Journals* [Emerson em seus diários, em tradução livre], página 414.

16. John Keats, "Letter to Benjamin Bailey" ["Carta a Benjamin Bailey", em tradução livre], sem data. Disponível em: <http://www.john-keats.com/briefe/221117.htm>.

17. Giannis Stamatellos, *Plotinus and the Presocratics: A Philosophical Study of Presocratic Influences in Plotinus' Enneads* [Plotino e os pré-socráticos: um estudo filosófico sobre as influências pré-socráticas nas Enéadas de Plotino, em tradução livre] (Nova York: Editora da Universidade Estadual de Nova York, 2012), página 104.

18. Marco Aurélio, *Meditations: A New Translation* [Meditações: uma nova tradução, em tradução livre], traduzido por Gregory Hays (Nova York: Random House, 2002), página 56.

LIÇÃO NOVE

Sobre adversidade: só quando está escuro o
bastante você consegue ver as estrelas

1. Theodore Roethke, *On Poetry and Craft: Selected Prose* [Sobre poesia e ofício: prosa selecionada, em tradução livre] (Port Townsend, WA: Copper Canyon Press, 2013), página 11.

2. Marco Aurélio, *Meditations: A New Translation* [Meditações: uma nova tradução, em tradução livre], traduzido por Gregory Hays (Nova York: Random House, 2002), página 17.

3. Edwin John Ellis e William Butler Yeats (ed.), *The Works of William Blake: Poetic, Symbolic, and Critical* [As obras de William Blake: poéticas, simbólicas e críticas, em tradução livre] (Ann Arbor: Universidade de Michigan, 1893), página 432.

4. Lúcio Aneu Sêneca, *Dialogues and Essays* [Diálogos e Ensaios, em tradução livre], traduzido por John Davie (Oxford: Editora da Universidade de Oxford, 2008), página 64.

5. Marco Aurélio, Epiteto e Lúcio Aneu Sêneca, *Stoic Six Pack: Meditations of Marcus Aurelius, The Golden Sayings, Fragments and Discourses of Epictetus, Letters from a Stoic, and The Enchiridion* [O sexteto estoico: as meditações de Marco Aurélio, os provérbios dourados, os fragmentos e os discursos de Epiteto, as cartas de um estoico e o enquiridião, em tradução livre], traduzido por Gregory Long (Lulu, 2015), página 421.

6. Amy Morin, "7 Scientifically Proven Benefits of Gratitude That Will Motivate You to Give Thanks Year-Round" ["Sete benefícios cientificamente comprovados da gratidão que vão motivar você a agradecer durante o ano todo", em tradução livre], *Forbes*, 23 nov. 2014. Disponível em: <https://www.forbes.com/sites/amymorin/2014/11/23/

7-scientifically-proven-benefits-of-gratitude-tha-t-will=-motivate-you-to-give-thanks-year-round/?sh-6c33e72f183c>.

7. Derek Beres, "How to Raise a Non-materialistic Kid" ["Como criar uma criança não materialista", em tradução livre], Big Think [O grande pensamento, em tradução livre], de outubro de 2018. Disponível em: <https://bigthink.com/neuropsych/how-can-i-make-my-kid-less-materialistic/>.

8. Marco Túlio Cícero, *Catilinarian Orations from the Text of Ernesti* [Orações catilinárias retiradas dos textos de Ernesti, em tradução livre] (Longman, 1829), xxxi.

9. Ralph Waldo Emerson, *Journals and Miscellaneous Notebooks of Ralph Waldo Emerson* [Diários e cadernos variados de Ralph Waldo Emerson, em tradução livre], vol. 8: 1841-1843, editado por William H. Gilman e J. E. Parsons (Cambridge: periódico Belknap da Editora da Universidade de Harvard, 1970).

10. Ralph Waldo Emerson, *The Letters of Ralph Waldo Emerson* [As cartas de Ralph Waldo Emerson, em tradução livre], vol. 7: 1807-1844, editado por Eleanor Marguerite Tilton (Nova York: Editora da Universidade de Columbia, 1939), página 502.

11. Courtney E. Ackerman, "Dabrowski's Theory of Positive Disintegration in Psychology" ["A teoria da desintegração positiva na psicologia de Dabrowski", em tradução livre], *Positive Psychology* [Psicologia Positiva, em tradução livre], 4 ago. 2017. Disponível em: <https://positivepsychology.com/dabrowskis-positive-disintegration/>.

LIÇÃO DEZ

Sobre otimismo: a alma se recusa a ter limites

1. Ralph Waldo Emerson, *The Poems of Ralph Waldo Emerson* [Os poemas de Ralph Waldo Emerson, em tradução livre] (Boston: Houghton Mifflin, 1904).

2. John Dewey and Patricia R. Baysinger, *The Middle Works, 1899–1924* (Carbondale: Southern Illinois Univ. Press, 1997), 191.

3. Marco Aurélio, *Meditations: A New Translation* [Meditações: uma nova tradução, em tradução livre], traduzido por Gregory Hays (Nova York: Random House, 2002), página 113.

4. William James, *Pragmatism and Other Writings* (Nova York: Penguin, 2000), página 312.

5. Kate Bowler, *Blessed: A History of the American Prosperity Gospel* [Abençoado: uma história sobre o evangelho da prosperidade americana, em tradução livre] (Oxford: Editora da Universidade de Oxford, 2013).

6. Kate Bowler, "Death, the Prosperity Gospel and Me" ["A morte, o evangelho da prosperidade e eu", em tradução livre], *The New York Times*, 14 fev. 2016. Disponível em: <https://www.nytimes.com/2016/02/14/opinion/sunday/death-the--prosperity-gospel-and-me.html>.

7. William James, *Essays, Comments, and Reviews* [Ensaios, comentários e análises, em tradução livre] (Cambridge: Editora da Universidade de Harvard, 1987), página 310.

8. Anne Trafton, "How Expectation Influences Perception," *MIT News*, 15 jul. 2019. Disponível em: <https://news.mit.edu/2019/how-expectation-influences-perception-0715>.

9. Jerome Groopman, *The Anatomy of Hope: How People Prevail in the Face of Illness* (Nova York: Random House, 2003).

10. James Bond Stockdale, *Courage Under Fire: Testing Epictetus's Doctrines in a Laboratory of Human Behavior* [Coragem sob fogo cruzado: testando as doutrinas de Epiteto em um laboratório sobre o comportamento humano, em tradução livre] (Stanford, CA: Editora da Hoover Institution, 2013).

11. Rabindranath Tagore, *The Complete Works: Poems, Novels, Short Stories, Plays, Essays & Lectures* [Obras completas: poemas, romances, contos, peças de teatro, ensaios e palestras, em tradução livre] (DigiCat, 2022), ccclvii.

12. Tali Sharot, "With Age Comes Unbridled Optimism" ["Com o passar da idade vem um otimismo desenfreado", em tradução livre], *Tampa Bay Times*, 21 jan. 2013. Disponível em: <https://www.tampabay.com/news/aging/lifetimes/with-age-comes-unbridled-optimism/1271646/>.

13. Martin Luther King Jr., *The Radical King* [O rei radical, em tradução livre], editado por Cornel West (Boston: Beacon Press, 2016), 79.

14. Marco Aurélio, *Meditações*, página151.

15. Marco Aurélio, *Meditações*, página 110.

16. Henry David Thoreau, *Letters to Various Persons* (Boston: Ticknor and Fields, 1865), página 46.

LIÇÃO ONZE

Sobre admiração: a emoção apropriada é maravilhar-se

1. John Muir, *Cruise of the Revenue-Steamer Corwin in Alaska and the N.W. Arctic Ocean in 1881: Botanical Notes: Notes and Memoranda: Medical and Anthropological; Botanical; Ornitho-*

logical [A cruzada do barco a vapor Corwin no Alasca e do N.W. no Oceano Ártico em 1881: notas botânicas: anotações e memorandos: médicos e antropológicos, botânicos, ornito-lógicos, em tradução livre] (Creative Media Partners, 2015).

2. John Muir, *Delphi Complete Works of John Muir, Illustrated* [Obra completa de John Muir pela Delphi, ilustrado, em tra-dução livre] (Delphi, 2017).

3. John Muir, *John Muir: His Life and Letters and Other Writings* [John Muir: vida, cartas e outros escritos, em tradução livre] (Bâton Wicks, 1996), página 132.

4. John Muir, Letter from Muir to Emerson [Carta de Muir para Emerson, em tradução], 18 mar. 1872 (Arquivo on-line da Califórnia).

5. Peter James Holliday, *American Arcadia: California and the Classical Tradition* [Arcádia Americana: Califórnia e a tradi-ção clássica, em tradução livre] (Oxford: Oxford Univ. Press, 2013), página 3.

6. Ralph Waldo Emerson, *Journals and Miscellaneous Notebooks of Ralph Waldo Emerson* [Diários e cadernos variados de Ral-ph Waldo Emerson, em tradução livre], vol. 2: 1822-1826, editado por William H. Gilman, Alfred R. Ferguson e Mer-rell R. Davis (Cambridge: periódico Belknap da Editora da Universidade de Harvard, 1961), 116.

7. Robert D. Richardson Jr., *Emerson: The Mind on Fire* [A mente em chamas, em tradução livre] (Berkeley: Editora da Universidade da Califórnia, 1995), página 5.

8. Abraham H. Maslow, *Religions, Values, and Peak-Experiences* [Religiões, valores e experiências extremas, em tradução livre] (BN Publishing, 2019).

9.   Abraham H. Maslow, *Toward a Psychology of Being* [Na direção da psicologia do ser, em tradução livre] (Nova York: Wiley, 1999), página 118.

10. Abraham Harold Maslow, Robert Frager, Ruth Cox e James Fadiman, *Motivation and Personality* [Motivação e personalidade, em tradução livre] (Nova York: Harper and Row, 1987), página 160.

11. Jean Grasso Fitzpatrick, *Something More: Nurturing Your Child's Spiritual Growth* [Algo a mais: nutrindo o crescimento espiritual do seu filho, em tradução livre] (Nova York: Penguin, 1992), página 35.

12. Ralph Waldo Emerson, *Emerson in His Journals*, editado por Joel Porte (Cambridge: periódico *Belknap* da Editora da Universidade de Harvard, 1982), página 122.

13. Emily Mae Mentock, "Why 'Awe' Might Be the Secret Ingredient for Happiness" ["Por que o 'temor' pode ser o ingrediente secreto para a felicidade", em tradução livre], Grotto, sem data. Disponível em: <https://grottonetwork.com/navigate-life/health-and-wellness/why-wonder-and-awe-can-lead-to-a-happier-life/>.

14. Victor M. Parachin, *Eleven Modern Mystics and the Secrets of a Happy, Holy Life* [Onze místicos modernos e os segredos de uma vida santa, feliz, em tradução livre] (Hope Publishing House, 2011), página 1.

15. Maslow, *Toward a Psychology of Being* [Na direção da psicologia do ser, em tradução livre].

16. Nathaniel Hawthorne, *The Complete Works of Nathaniel Hawthorne* [A obra completa de Nathaniel Hawthorne, em tradução livre] (Strelbytskyy Multimedia Publishing, 2022).

17. George Santayana, *Selected Critical Writings of George Santa-yana* [Os escritos críticos selecionados de George Santayana, em tradução livre], editado por Norman Henfrey (Cambridge, Reino Unido: Editora da Universidade de Cambridge, 1968), página 117.

18. Abraham Joshua Heschel, *God in Search of Man: A Philosophy of Judaism* [Deus em busca do homem: uma filosofia do judaísmo, em tradução livre] (Nova York: Farrar, Straus and Giroux, 1976), página 112.

19. T. S. Eliot, "Vergil and the Christian World" ["Virgílio e o mundo cristão", em tradução livre], *The Sewanee Review* 61, nº 1 (1953): páginas 1-14.

20. James Joyce, *Dubliners* (Nova York: Knopf, 1991), xxiv.

21. Evelyn Underhill, *Mysticism: A Study in Nature and Development of Spiritual Consciousness* [Misticismo: um estudo sobre a natureza e o desenvolvimento da consciência espiritual, em tradução livre] (Devoted Publishing, 2017), página 8.

22. Frederick Buechner, *Beyond Words: Daily Readings in the ABC's of Faith* [Além das palavras: leituras diárias no abecedário da fé, em tradução livre] (Nova York: HarperCollins, 2009), página 268.

23. Abraham H. Maslow, *Religions, Values, and Peak-Experiences* (Rare Treasure Editions, 2021), viii.

24. Maslow, *Toward a Psychology of Being* [Na direção da psicologia do ser, em tradução livre].

LIÇÃO DOZE
Sobre esclarecimento: o seu gigante acompanha você aonde quer que vá

1. Aldous Huxley, *The Perennial Philosophy: An Interpretation of the Great Mystics, East and West* [A filosofia perene: uma Interpretação dos grandes místicos, do Oriente e do Ocidente, em tradução livre] (Nova York: HarperCollins, 2012).

2. Huxley, *The Perennial Philosophy* [A filosofia perene, em tradução livre], página 14.

3. Jonathan Haidt, *The Happiness Hypothesis: Finding Modern Truth in Ancient Wisdom* [A hipótese da felicidade: descobrindo a verdade moderna na sabedoria antiga, em tradução livre] (Nova York: Basic Books, 2006).

4. Nitin Mishra, *The Diary of a Yogi* [O diário de um iogue, em tradução livre] (Chennai, Índia: Notion Press, 1921).

5. Michael Lipka and Claire Gecewicz, "More Americans Now Say They're Spiritual but Not Religious" ["Mais americanos agora dizem que são espiritualistas, mas não religiosos", em tradução livre], Centro de Pesquisas Pew, 6 set. 2017. Disponível em: <https://www.pewresearch.org/fact--tank/2017/09/06/more-americans-now-say-theyre-spiritual-but-not-religious/>.

6. Ralph Waldo Emerson, *The Letters of Ralph Waldo Emerson* [As Cartas de Ralph Waldo Emerson, em tradução livre], vol. 7: 1807-1844, editado por Eleanor Marguerite Tilton (Nova York: Editora da Universidade de Columbia, 1939), página 7.

7. Ralph Waldo Emerson, *Journals and Miscellaneous Notebooks of Ralph Waldo Emerson* [Diários e cadernos variados de Ralph Waldo Emerson, em tradução livre], vol. 2: 1822-1826, editado por William H. Gilman, Alfred R. Ferguson, e Mer-

rell R. Davis (Cambridge: periódico Belknap da Editora da Universidade de Harvard, 1961), página 27.

8. Cindy Dampier, "Mindfulness Is Not Just a Buzzword, It's a Multibillion Dollar Industry. Here's the Truth About the Hype" ["*Mindfulness* não é apenas uma palavra da moda, mas uma indústria multibilionária. Eis a verdade sobre esse *hype*", em tradução livre], *Chicago Tribune*, 2 jul. 2018. Disponível em: <https://www.chicagotribune.com/lifestyles/ct-life-debunking-mindfulness-0702-story.html>.

9. Pierre Hadot, *The Inner Citadel: The "Meditations" of Marcus Aurelius* [A cidadela interior: as "Meditações" de Marco Aurélio, em tradução livre] (Cambridge: Editora da Universidade de Harvard, 1998), página 124.

10. Emerson, *Journals and Miscellaneous Notebooks* [Diários e cadernos variados, em tradução livre], vol. 2, página 28.

11. Pierre Teilhard de Chardin, *The Heart of Matter* [O essencial sobre o assunto em questão, em tradução livre] (Lulu, 2016).

12. Saint Augustine, *Harvard Classics: Complete 51-Volume Anthology: The Greatest Works of World Literature* [Clássicos de Harvard: antologia completa com 51 volumes: as maiores obras da literatura mundial, em tradução livre] (e-artnow, 2019).

13. Hierocles, *Ethical Fragments* [Fragmentos éticos, em tradução livre] (Lulu, 2015), página 53.

14. Epiteto, *The Art of Living* [A arte de viver, em tradução livre] (Prabhat Prakashan, 2021).

REFERÊNCIAS

AURÉLIO, Marco. *Meditações*. Traduzido por Gregory Hays. Nova York: Random House, 2002.

BAKER, Carlos. *Emerson Among the Eccentrics* [Emerson entre os excêntricos, em tradução livre]. Londres: Penguin, 1997.

BODE, Carl; COWLEY, Malcolm (eds.). *The Portable Emerson* [O Emerson portátil, em tradução livre]. Londres: Penguin, 1979.

EMERSON, Ralph Waldo. *Society and Solitude*. Delhi: Prabhat Prakashan Publishing, 2020.

_____. *Letters and Social Aims* [Cartas e objetivos sociais, em tradução livre]. Yarra South, Austrália: Leopold Classic Library, 2016.

_____. *Ralph Waldo Emerson Collection*: Collected Essays and Lectures — Nature, The American Scholar, Essays: First and Second Series, Representative Men, The Conduct of Life, English Traits [Coleção Ralph Waldo Emerson: Ensaios e palestras selecionados — Natureza; O Erudito Americano; Ensaios: primeira e segunda séries; Homens representativos; A conduta da vida; Traços ingleses, em tradução livre]. Publicado de forma independente, 2022.

_____. *On Man and God*: Thoughts Collected from the Essays and Journals [Sobre o ser humano e Deus: pensamentos tirados de ensaios e diários, em tradução livre]. White Plains, NY: Peter Pauper Press, 1961.

_____. *Uncollected Writings*: Essays, Addresses, Poems, Reviews and Letters [Escritos não coletados: ensaios, discursos, poemas, críticas e cartas, em tradução livre]. Madrid: HardPress Publishing, 2014.

_____. *Selected Journals* [Diários Selecionados, em tradução livre], 1841–1877. Nova York: Livraria da América, 2010.

EPITETO. *Discourses and Selected Writing* [Discursos e escritos selecionados, em tradução livre]. Scotts Valley, CA: CreateSpace Book Publishing, 2016.

GELDARD, Richard. *The Spiritual Teachings of Ralph Waldo Emerson* [Os ensinos espirituais de Ralph Waldo Emerson, em tradução livre]. Hudson, Nova York: Lindisfarne Books, 2001.

KAZIN, Alfred. *God and the American Writer* [Deus e o escritor americano, em tradução livre]. Nova York: Vintage Books, 1998.

PORTE, Joel (ed.). *Emerson in His Journals* [Emerson em seus diários, em tradução livre]. Cambridge: periódico Belknap da Editora da Universidade de Harvard, 1982.

PORTE, Joel. *Representative Man* [O homem representativo, em tradução livre]. Nova York: Editora da Universidade de Oxford, 1972.

RICHARDSON, Robert D. *Emerson*: The Mind on Fire [Emerson: a mente em chamas, em tradução livre]. Berkeley: Editora da Universidade da Califórnia, 1995.

SENECA. *Letters from a Stoic* [Cartas de um estoico, em tradução livre]. Londres: Penguin, 1969.

THOREAU, Henry David. *Walden*. Scotts Valley, CA: CreateSpace Book Publishing, 2018.

WILSON ALLEN, Gay. *Waldo Emerson*. Londres: Penguin, 1982.

CITADEL
Grupo Editorial

Livros para mudar o mundo. O seu mundo.

Para conhecer os nossos próximos lançamentos
e títulos disponíveis, acesse:

🌐 www.**citadel**.com.br

f /**citadeleditora**

📷 @**citadeleditora**

🐦 @**citadeleditora**

▶ Citadel – Grupo Editorial

Para mais informações ou dúvidas sobre a obra,
entre em contato conosco por e-mail:

✉ contato@**citadel**.com.br